Telis Marin
Pierangela Diadori

VIA DEL CORSO

Corso di italiano per stranieri

A2

LIBRO DELLO STUDENTE ED ESERCIZI

Ispirato a una storia vera

EDILINGUA

I edizione: luglio 2018
ISBN: 978-88-98433-82-7 (Libro + 2 CD + 1 DVD)
ISBN: 978-88-98433-77-3 (solo Libro)
ISBN: 978-88-98433-92-6 (Edizione per insegnanti)

Redazione: Laura Piccolo, Antonio Bidetti, Anna Gallo, Elisa Sartor, Sonia Manfrecola
Ripassi a cura di Elisa Sartor e Daniela Moavero
La rubrica *Italia&italiani* a cura di Anna Gallo
Approfondimento grammaticale a cura di Antonio Bidetti e Sonia Manfrecola

Impaginazione e progetto grafico: Edilingua

Foto: © Shutterstock, © Flickr, © Telis Marin

Tavole a fumetti: Giancarlo Caracuzzo (*Scuola Romana dei Fumetti*)

Illustrazioni: Alessandro Ambrosoni, Giancarlo Caracuzzo, Marina Cremonini, Massimo Valenti

Produzione episodi video - Registrazioni audio - Authoring DVD: *Autori Multimediali*, Milano

Produzione video culturali - Realizzazione animazioni: *Visualazer*, Catania

Attori del videocorso:
Marco Borgioli, Pierre Bresolin, Alessandro Burzotta, Katia D'Ambrosio, Maria Manciocchi, Giuseppe Olivari, Andrea Panichi Izzotti, Nicole Petruzza, Valerio Ricci, Barbara Roberti, Marialba Ventricelli, Valeria Zazzaretta

Attori delle registrazioni audio:
Giampiero Bartolini, Marco Borgioli, Alessandro Burzotta, Katia D'Ambrosio, Laura Feccomandi, Roberta Fossile Seller, Lisa Genovese, Giuseppe Magazzù, Giulia Innocenti, Andrea Panichi Izzotti, Nicole Petruzza, Daniele Profeta, Valerio Ricci, Flavia Ripa, Dino Spinella, Enrico Vaioli, Giulia Viana, Marialba Ventricelli, Valeria Zazzaretta

© Copyright edizioni Edilingua
Sede legale
Via Alberico II, 4 - 00193 Roma
Tel. +39 06 96727307
Fax +39 06 94443138
info@edilingua.it
www.edilingua.it

Deposito e Centro di distribuzione
Via Moroianni, 65 - 12133 Atene
Tel. +30 210 5733900
Fax +30 210 5758903

Gli autori apprezzerebbero, da parte dei colleghi, eventuali suggerimenti, segnalazioni e commenti sull'opera (da inviare a redazione@edilingua.it).

Telis Marin è direttore di Edilingua, insegnante e formatore di insegnanti di italiano L2, in Italia e all'estero. Dopo la laurea in Lettere moderne e il Master ITALS in Didattica e promozione della lingua e della cultura italiana a stranieri, ha insegnato in varie scuole d'italiano per stranieri. L'esperienza didattica diretta lo ha portato a realizzare diversi materiali per l'apprendimento dell'italiano, quali *Nuovo Progetto italiano 1, 2, 3* (Libro dello studente), *Progetto italiano Junior 1, 2, 3* (Libro di classe), *La Prova Orale 1 e 2, Primo Ascolto, Ascolto Medio, Ascolto Avanzato, Nuovo Vocabolario Visuale*, i videocorsi di *Nuovo Progetto italiano* e *Progetto italiano Junior*.
Negli ultimi anni si è occupato di tecnologie per la didattica delle lingue: frutto dell'approfondimento e della ricerca su queste tematiche è la piattaforma *i-d-e-e.it*.
Ha ideato *Via del Corso* ed è autore del Libro dello studente e del videocorso.

A mia moglie e a mia figlia

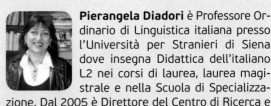

Pierangela Diadori è Professore Ordinario di Linguistica italiana presso l'Università per Stranieri di Siena dove insegna Didattica dell'italiano L2 nei corsi di laurea, laurea magistrale e nella Scuola di Specializzazione. Dal 2005 è Direttore del Centro di Ricerca e Servizi DITALS dell'Università per Stranieri di Siena, dedicato alla formazione certificata dei docenti di italiano a stranieri, dirige la collana *NUOVA DITALS* ed è coautrice della collana *Impariamo l'italiano con i fumetti*, entrambe edite da Edilingua.
Ha coordinato vari progetti di ricerca internazionali e ha pubblicato numerosi saggi e monografie.
Ha pubblicato diverse opere di carattere didattico per l'insegnamento dell'italiano a stranieri.
È autrice dell'Eserciziario di *Via del Corso*.

A Beatrice-Meltemi

Gli autori sentono il bisogno di ringraziare gli amici insegnanti Daniela Moavero, Analia Soria, Hammadi Agrebi, Rim Ben Ayed Chemima, Mario Pace, Gábor Salusinszky e Natia Sità per aver preso visione del corso e averlo sperimentato nelle loro classi.
Un ringraziamento particolare va a Eleonora Spinosa che ha collaborato alla stesura dell'Eserciziario.

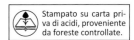

Stampato su carta priva di acidi, proveniente da foreste controllate.

Perché *Via del Corso*?

Via del Corso è un innovativo manuale d'italiano per stranieri, frutto di un percorso che concilia anni di esperienza con i più recenti contributi della glottodidattica e della neurolinguistica all'apprendimento linguistico. Perché innovativo?

Il manuale è costruito intorno a una **storia**, ambientata in questo volume a Firenze e a Roma. Le storie incuriosiscono, affascinano, ispirano, motivano, coinvolgono, creano empatia e permettono agli studenti di identificarsi con i personaggi. Grazie a questa scelta è stato possibile valorizzare al meglio gli input, orali e scritti, rendendoli più coerenti dal punto di vista comunicativo e pragmatico: non è importante solo cosa viene detto, ma anche da chi, quando, in quale occasione, per quale motivo, distinzioni difficili da cogliere quando gli input sono totalmente slegati. Gli studenti sono esposti alla lingua viva, a dialoghi naturali, con interiezioni, segnali discorsivi ed espressioni di uso quotidiano da riutilizzare liberamente per esprimersi.

La storia funge da catalizzatore del processo di apprendimento. Utilizzando il potere evocativo delle emozioni, che sono la chiave per aprire il cuore e stimolare il cervello, lo studente impara quasi senza accorgersene. La storia è una *commedia noir*, grazie alla quale gli apprendenti vengono esposti alle caratteristiche di entrambi i generi: curiosità, interesse, umorismo, suspense, colpi di scena in un continuo alternarsi. Seguendo le avventure dei protagonisti, gli studenti incontrano una grande varietà di situazioni autentiche e attraverso attività motivanti e coinvolgenti sono in grado di **comunicare** fin dalle prime pagine.

La storia viene raccontata attaverso una **sit-com** e una **graphic novel** che si alternano: i fotogrammi, le tavole a fumetti, e in genere le immagini accattivanti, sono notoriamente più potenti e immediate del testo, a livello motivazionale e cognitivo, e abbassano il filtro affettivo. Video e tavole sono pienamente integrati nella struttura del corso e non costituiscono una semplice risorsa supplementare. Per agevolare lo svolgimento della lezione, tutti gli episodi video sono presenti anche nel CD audio sotto forma di radiodramma, mentre le storie a fumetti sono disponibili anche in versione animata nel DVD. *Dulcis in fundo*, per coinvolgere ulteriormente gli studenti, abbiamo ideato una storia interattiva: sono loro stessi a scegliere il finale da ascoltare!

Gli elementi lessicali, comunicativi e grammaticali più importanti vengono sistematicamente ripresi, spesso anche all'interno della stessa unità, così come in quelle successive e nell'Eserciziario, in un continuo *macro* e *micro-* **approccio a spirale**. Questo, come hanno dimostrato diversi studiosi (Medina, Ebbinghaus ecc.), permette agli studenti di consolidare i nuovi input nella memoria a lungo termine. Lo stesso procedimento è stato applicato nella realizzazione di tutti i materiali extra: test, autovalutazione, giochi ecc.

Un altro aspetto centrale del corso è l'**approccio induttivo**: seguendo la sequenza motivazione-globalità-analisi-sintesi-riflessione, nessun elemento viene presentato in maniera passiva. Gli studenti vengono costantemente invitati, attraverso attività guidate, a scoprire i nuovi input, a formulare e a verificare ipotesi. Questo viene abbinato al concetto dell'*interconnessione*: ogni attività introduce quelle successive, ogni episodio della storia prepara e crea aspettative per quello successivo.

Sappiamo bene che la paura di sbagliare o le attività lunghe o troppo difficili innalzano nello studente un **filtro affettivo** che riduce o addirittura blocca l'acquisizione. Allo scopo di tranquillizzare e favorire lo studente, si è optato per unità brevi, dove si è cercato di raggiungere un equilibrio tra i diversi input: vengono presentati gli elementi effettivamente utili per quel determinato livello e non esaustive liste di vocaboli, espressioni ed eccezioni grammaticali, che lo studente non potrebbe comunque assimilare. Si segue una progressione molto graduale con la ripresa, nelle unità o nei volumi successivi, di situazioni e argomenti già noti, e con il consolidamento delle conoscenze e il loro ampliamento. Il materiale autentico è introdotto tenendo conto delle stesse considerazioni e mai all'inizio di un'unità.

Consapevoli della validità delle **attività ludiche**, che rendono lo studente sempre più protagonista del proprio percorso di apprendimento, ne sono state inserite diverse, originali, brevi e semplici, nel Libro dello studente, nell'Eserciziario, nei Ripassi, nella Guida didattica e sulla piattaforma i-d-e-e.it, dove si possono trovare numerosi giochi didattici. Inoltre, *Via del Corso* è accompagnato dal proprio gioco digitale e dal proprio gioco di società!

Nell'ambito di una didattica più attiva, vengono spesso proposte attività di *problem solving, information gap, task-based* e di tipo cooperativo. Lo scopo è tenere sempre alta la motivazione, coinvolgere maggiormente gli studenti e incoraggiare l'interazione fra di loro.

La struttura del corso

Nelle unità del Libro dello studente è stato raggiunto un equilibrio fra una struttura stabile e affidabile, un punto fermo per lo studente e l'insegnante, e una grande varietà di input (testuali e audio-visivi).

PRIMA PARTE	**p. 1**	*Pronti?*: motivazione iniziale con l'attivazione delle preconoscenze e il coinvolgimento emotivo degli studenti. Le attività di preascolto e prelettura hanno lo scopo di stimolare la curiosità e facilitare la comprensione.
	p. 2	Sit-com o graphic novel: il primo dei due episodi dell'unità.
	p. 3	Attività di comprensione orale e scritta, scoperta e riutilizzo di espressioni del testo e delle funzioni comunicative.
	p. 4	Scoperta e riutilizzo della grammatica e del lessico.
SECONDA PARTE	**p. 5**	Graphic novel o sit-com: il secondo episodio dell'unità.
	p. 6	Attività di comprensione orale e scritta, scoperta e riutilizzo di espressioni del testo e delle funzioni comunicative.
	p. 7	Scoperta e riutilizzo della grammatica e del lessico.
	p. 8	Attività di ascolto e di scrittura, di produzione libera orale, attività ludiche, test psicologici, materiale autentico ecc.
	p. 9	*Italia&italiani*: pagina sulla cultura e la civiltà italiana, accompagnata da un video.
	p. 10	*Sintesi*: sistematizzazione degli elementi comunicativi e grammaticali dell'unità.

Ripassi: attività di ricapitolazione ogni 3 unità didattiche; motivanti e originali giochi didattici rendono più divertente e collaborativo il processo di apprendimento.

Eserciziario: attività varie e creative per consolidare gli elementi grammaticali, comunicativi, lessicali e culturali non solo dell'unità di riferimento, ma anche di quelle precedenti.

Approfondimento grammaticale: i fenomeni grammaticali incontrati nelle unità, approfonditi in maniera semplice per una migliore consultazione.

Attività A/B: compiti comunicativi, spesso con modalità ludiche, in cui ogni studente (o gruppo) dispone di informazioni diverse (fornite in appendice) ed è chiamato a colmare il *gap* informativo in maniera creativa.

Buon lavoro!
Telis Marin

Legenda dei simboli

Ascoltate la traccia n. 29
(sul CD audio 1 o su i-d-e-e.it).

Role-play

Attività in coppia

Attività orale libera

Produzione scritta (50-60 parole)
50-60

Attività in gruppo

Guardate il video
(sul DVD o su i-d-e-e.it).

Attività ludica

AB Attività comunicativa con *gap* informativo

es. 1-3 / p. 161 Fate gli esercizi 1-3 a pagina 161.

Test Test di Autovalutazione su i-d-e-e.it

Gioco Gioco dell'unità su i-d-e-e.it

COMUNICAZIONE	LESSICO	GRAMMATICA	MATERIALE VIDEO

COMUNICAZIONE	LESSICO	GRAMMATICA	MATERIALE VIDEO

COMUNICAZIONE	LESSICO	GRAMMATICA	MATERIALE VIDEO

VIA DEL CORSO A2

1 Ricordate cos'è successo nel primo volume della nostra storia? Ascoltate alcune battute o guardate il riassunto e, in coppia, mettete in ordine le immagini (pagine 9 e 10), come negli esempi in blu.

a 4

b

c

d

c

e

f

g

h

 2 *Rispondete alle domande. Poi confrontate le vostre risposte con quelle dei compagni.*

a. Che cosa sapete di Anna, Carla, Bruno e Gianni? (*30 parole*)

b. Che cosa sapete di Alice e Massimo Ferrara? (*20 parole*)

c. Che cosa nasconde Ferrara e com'è finita la storia del primo volume? (*40 parole*)

I PROTAGONISTI DI

VIA DEL CORSO A2

GIANNI   BRUNO   ANNA   CARLA

In questa unità impariamo a:

- parlare delle vacanze
- raccontare imprevisti in vacanza
- esprimere sorpresa, incertezza, accordo
- ringraziare
- scusarsi e rispondere alle scuse

Vacanze... finite!

Unità 1

Pronti?

1 *Cerchiate, in orizzontale e in verticale, almeno sette delle dieci parole relative alle vacanze.*

A	E	V	I	A	G	G	I	O	A
B	S	A	G	E	N	Z	I	A	V
I	T	N	O	R	U	A	L	M	A
G	A	E	S	O	I	S	E	A	L
L	T	S	T	P	G	I	T	A	I
I	E	U	G	O	R	C	E	Z	G
E	S	F	R	R	M	U	D	I	I
T	M	O	N	T	A	G	N	A	A
T	I	N	O	O	R	E	F	U	R
I	P	A	L	B	E	R	G	O	E

2 *In coppia. Guardate le immagini e discutete con un compagno: dove preferite andare in vacanza? Perché?*

In montagna

Al mare

In un agriturismo

In una città d'arte

3 *Secondo voi, i nostri protagonisti sono andati in vacanza tutti insieme? Poi fate l'attività A1.*

Anna: Ciao ragazzi! ...
Allora, che vogliamo fare?

Bruno: Boh, se avete finito, facciamo due passi, che dite?

Carla: Allora, ragazzi, cosa avete fatto quest'estate? Anna, bella la Sicilia, vero?

Anna: Stupenda, abbiamo fatto proprio un'ottima scelta. Grazie del consiglio!

Carla: Eh, io ho dei bellissimi ricordi delle estati passate a Siracusa.

Anna: Ci credo! Dunque, noi siamo stati una settimana a Cefalù...

Carla: Hai visto che mare?

Anna: Meraviglioso! Abbiamo noleggiato una macchina e abbiamo visitato altre città: Agrigento, Taormina... che colori, che profumi! Per non parlare del cibo!

Carla: Ti invidio! Tu, Gianni? Dove sei andato in vacanza?

Gianni: Ma non hai ricevuto il mio messaggio?

Carla: Quale? Quando?

Gianni: A Ferragosto... non importa... Io sono rimasto in città: lavoro, palestra, amici...

Bruno: ...e amiche ho saputo! Ma cos'è questa tosse?

Gianni: Non è niente... Sono andato solo un paio di volte al mare, la domenica.

Carla: Comunque, anch'io quest'anno niente mare.

Gianni: Già... sei andata da tua sorella in Svizzera, no?

Carla: Sì, per due settimane... due settimane a contatto con la natura, ragazzi! Non ho mai visto un paesaggio così... così, come dire?

Gianni: Da cartolina?

Carla: Esatto! Abbiamo fatto lunghe passeggiate in montagna e anche il bagno nel lago!

Bruno: Bello! Ma non è che hai incontrato Alice da qualche parte?

Gianni: A proposito, che fine ha fatto, è tornata poi?

Anna: Proprio ieri. Domani andiamo a prendere un aperitivo insieme.

Bruno: Ma come sta? Quando ripenso a quel pomeriggio al commissariato...

Carla: Mamma mia! Gianni, hai proprio una brutta tosse... mi sa che devi andare dal dottore.

A) Dove sei andato in vacanza?

1 Ascoltate il dialogo o guardate il video. Poi rispondete alle domande.

a. Cosa hanno fatto quest'estate Anna e Bruno?
b. Dove ha passato l'estate Gianni?
c. E Carla?
d. Alice è ancora in Svizzera o è tornata a Roma?
e. Che cosa consiglia Carla a Gianni?

2 Adesso leggete il dialogo (da soli o con altri compagni) e controllate le vostre risposte.

3 Lavorate in coppia. Completate le frasi con le espressioni evidenziate in blu nel dialogo.

a Ma che lavoro fa Stefania?

_____, non ho capito!

c Questo film ha vinto il premio Oscar.

_____, è stupendo!

b Alice è un po' strana ultimamente!

Hai ragione: _____ lei e il marito hanno litigato un'altra volta.

d Non vedo l'ora di partire per le vacanze...

_____, quando hai preso le ferie?

4 Scrivete parole ed espressioni del dialogo utili per parlare delle vacanze. Poi confrontatevi con i compagni per completare la vostra lista.

Parlare delle vacanze

Cefalù

5 In coppia. Con l'aiuto delle espressioni che avete scritto, A fa una domanda sulle vacanze e B risponde. Poi i ruoli cambiano.

es. 1-2
p. 161

B) È successo di tutto!

1) a *Secondo voi, cosa rende bella una vacanza? Cosa la rovina, invece? Scrivete sotto le vostre risposte.*

vacanza
indimenticabile

vacanza da
dimenticare

b *Confrontate le vostre risposte con quelle dei compagni.*

2) *Tre persone raccontano la vacanza più brutta della loro vita: ascoltate e indicate l'affermazione giusta.*

1. La prima ragazza
   a. ha avuto problemi di salute
   b. ha perso l'aereo
   c. ha litigato con i suoi genitori

2. In Liguria l'uomo ha trovato
   a. bel tempo
   b. brutto tempo
   c. un sacco di gente

3. La terza vacanza è stata un disastro a causa
   a. di una lite tra amici
   b. di un sms inviato per sbaglio
   c. del brutto tempo

3) *Ascoltate di nuovo per controllare le vostre risposte e prendete appunti: chi, dove, tipo di problema. Poi scegliete uno dei racconti e fate un breve riassunto orale. I compagni possono aggiungere qualche dettaglio, se vogliono.*

es. 3-4
p. 161

4) *Sottolineate nel dialogo a pag. 12 i verbi al passato prossimo. Poi a coppie fate l'abbinamento, come nell'esempio in blu.*

1 i verbi transitivi come *fare, noleggiare, vedere, visitare* ecc.

2 alcuni verbi intransitivi, come *camminare, dormire, lavorare* ecc.

a Ausiliare avere
+

Ausiliare essere b
+

3 molti verbi di movimento, come *andare, tornare, venire, uscire* ecc.

4 alcuni verbi intransitivi, come *essere, rimanere, stare* ecc.

AB 5) *Formate due squadre. Gli studenti della squadra A vanno a pag. 147, quelli della squadra B vanno a pag. 153.*

es. 5-6
p. 162

CIAO, ANNA! SCUSA IL RITARDO.

NON FA NIENTE, SONO APPENA ARRIVATA. _____(1)?

VA BENE. COME STAI?

BENE, LE VACANZE SONO FINITE E SONO TORNATA AL LAVORO. E LEI CHI È?

DIDI, NON È CARINA? È UN REGALO DI MASSIMO.

DAVVERO?! È PROPRIO UN AMORE. E... CON MASSIMO, TUTTO BENE?

MOLTO MEGLIO! DICIAMO CHE... È TUTTO PASSATO.

AH, MA PERCHÉ SEI PARTITA _____(2) PER ZURIGO?

ORA NON HA PIÙ IMPORTANZA. DOPO DUE SETTIMANE È VENUTO MASSIMO E... ABBIAMO FATTO PACE.

BEH... SONO CONTENTA PER TE!

GRAZIE! POI SIAMO ANDATI IN SARDEGNA, SULLA COSTA SMERALDA: CHE POSTO FANTASTICO! _____(3)

VERAMENTE NON POSSO PERMETTERMI UN POSTO COSÌ... ANCORA! VI SIETE FERMATI MOLTO?

TRE SETTIMANE... MASSIMO HA UN MODO TUTTO SUO DI CHIEDERE SCUSA.

INSOMMA... TUTTO È BENE QUEL CHE FINISCE BENE! PERÒ MI _____(4) VERAMENTE!

LO SO, ANNA, E MI DISPIACE... AH, SCUSA UN MOMENTO!

Domenica sera alle 7, 5 gol per la Roma

CHE C'È, PERCHÉ QUELLA FACCIA?

MAH, NON CAPISCO... "DOMENICA SERA ALLE 7, 5 GOL PER LA ROMA"!

STRANO, UN ERRORE FORSE? COMUNQUE, SENTI...

ODDIO, ADESSO HO CAPITO! NON È IL MIO CELLULARE QUESTO, È _____(5)!

AH SÌ?

UN ALTRO REGALO DI MASSIMO, È UGUALE AL SUO! CHE SCEMA! SCUSAMI, DEVO TORNARE SUBITO A CASA.

CALMA, ALICE, NON È SUCCESSO NIENTE!

15

C) Tutto bene?

 1 Ascoltate il dialogo e indicate se le
affermazioni sono vere o false.

	V	F
a. Alice è arrivata prima di Anna all'appuntamento.	◯	◯
b. I problemi di Alice sembrano essere finiti.	◯	◯
c. Alice spiega perché ha litigato con suo marito.	◯	◯
d. Alice riceve un messaggio da suo marito.	◯	◯
e. Alice e suo marito hanno lo stesso cellulare.	◯	◯
f. Massimo ha fatto almeno due regali ad Alice.	◯	◯

2 **a** Leggete il dialogo e inserite le seguenti espressioni al posto giusto.
Attenzione: c'è un'espressione in più!

a COSÌ ALL'IMPROVVISO   **b** HAI FATTO PREOCCUPARE   **c** COME MAI

d CI METTIAMO LÀ   **e** CI SEI MAI STATA?   **f** DI MIO MARITO

b Guardate l'animazione e controllate le vostre risposte.

3 Completate le tabelle con le espressioni evidenziate in blu nel dialogo. Poi scrivete un mini dialogo
(domanda-risposta) con una o due espressioni.

Esprimere sorpresa	Davvero?! / Oddio
Esprimere incertezza	
Esprimere accordo	
Ringraziare	

Scusarsi	Rispondere alle scuse
Scusi/Mi scusi!	Non importa.
Mi dispiace!	Figurati!
	Non ti preoccupare.

es. 7
p. 163

4 Riassunto in due: A comincia a fare il riassunto del dialogo e quando arriva a metà,
passa la parola a B. Potete usare anche queste parole.

A: incontrarsi ◆ finire ◆ Zurigo ◆ Sardegna | B: litigare ◆ ricevere ◆ cellulare ◆ fretta

5 Osservate le due frasi a destra
e poi fate l'abbinamento.

Le vacanze sono finite.   Hai finito il libro?

1. Ho passato   a. un libro che mi piace molto.
2. È passato ———————— b. molto tempo da allora.
3. Ho cominciato   c. il film che vuoi vedere.
4. È cominciato   d. due settimane in Sicilia.

es. 8
p. 163

D) In vacanza!

1 Scrivete su un foglietto tre cose che fate di solito in vacanza. Consegnate i foglietti all'insegnante che li distribuisce a caso alla classe.
Intervistate i vostri compagni ("In vacanza di solito...? / Ti piace...? / Vai...?") per capire di chi è il foglietto che avete in mano.

2 Leggete il testo e abbinate i paragrafi alle immagini.
Attenzione: c'è un'immagine in meno!
Poi indicate le affermazioni corrette.

Errori... in vacanza

1. Stare in un villaggio turistico tutto incluso: certo, stare in un resort con tutti i comfort, il cibo abbondante e un sacco di divertimenti è molto comodo. Però il villaggio non è il Paese che avete scelto; perché non uscire per scoprire cosa c'è in zona?

2. Non essere flessibili: avere un programma è importante, ma è bello anche variare. Perché non chiedere indicazioni alle persone del posto per trovare luoghi meno turistici?

3. Essere sempre "in contatto": andare in vacanza significa anche fare cose diverse. Quindi raccontare tutto agli amici, sul cellulare o su Facebook, forse non è il modo migliore per rilassarsi.

4. Sovraccaricarsi: spesso ci portiamo quello che consideriamo "il minimo indispensabile", ovvero 18 valigie con dentro perfino una pianta e l'ultima collezione di borse. Più viaggiamo leggeri e meglio è.

1. Chi sta in un villaggio tutto incluso
   a. conosce persone diverse
   b. conosce poco il luogo
   c. conosce molti piatti

2. Modificare il programma è
   a. possibile
   b. sbagliato
   c. pericoloso

3. Per rilassarsi in vacanza, è meglio non
   a. andarci con gli amici
   b. usare la tecnologia
   c. fare cose diverse

4. In vacanza è meglio
   a. portare tante valigie
   b. perdere un po' di peso
   c. portarsi poche cose

3 Ora tocca a voi: in coppia scrivete un paragrafo su un'abitudine o una situazione da evitare in vacanza. Poi confrontate il vostro consiglio con quello delle altre coppie.

20-25

4 **a** Ascoltate e completate la frase. I modali al passato prossimo: da che cosa dipende la scelta dell'ausiliare?

_____ solo potuto *fare* delle belle foto alle onde enormi! Morale della storia... venerdì pomeriggio _____ dovuti *tornare* a casa.

b Mettete al passato prossimo i verbi in blu.

1. Gianni deve andare dal medico.
2. Non posso fare la pausa pranzo.
3. Sara, perché non vuoi venire al mare con noi?
4. Dobbiamo partire di mattina presto.

es. 9
p. 163

E) Hai preso...?

1 Ascoltate una o due volte il dialogo e indicate gli oggetti che Ilaria mette in valigia e in borsa.

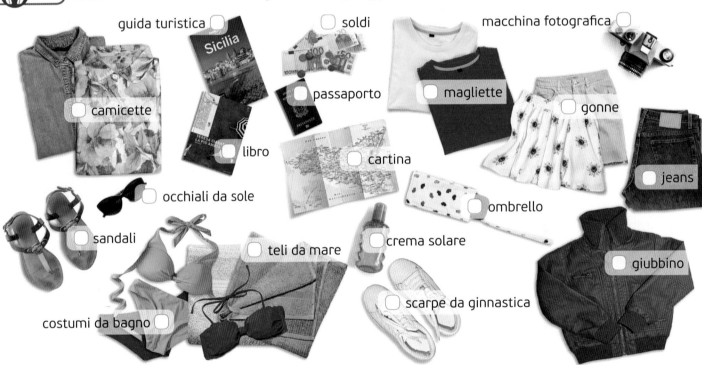

guida turistica ⬤   soldi ⬤   macchina fotografica ⬤
camicette ⬤   passaporto ⬤   magliette ⬤   gonne ⬤
libro ⬤   cartina ⬤   jeans ⬤
occhiali da sole ⬤   ombrello ⬤
sandali ⬤   teli da mare ⬤   crema solare ⬤   giubbino ⬤
scarpe da ginnastica ⬤
costumi da bagno ⬤

2 In coppia, fate un breve dialogo simile a quello che avete ascoltato. Se necessario, ascoltate di nuovo e prendete appunti.

es. 10-1
p. 164

3 Giocate in coppia. A va a pag. 147 e B a pag. 153.

4 Un tuo amico vuole venire in vacanza nel tuo Paese. Scrivi un'email con alcuni consigli: posti da vedere, piatti tipici, città interessanti.

50-60

es. 14-16
p. 165

Italia&italiani

Vacanze italiane

Le città d'arte italiane sono famose in tutto il mondo per la loro bellezza. Ma l'Italia ha anche tanti bei luoghi naturali da visitare: ecco alcune idee per le vostre vacanze. Preparate la valigia e... buon viaggio!!!

es. 1-2
p. 166

Montagna

Le Dolomiti

Ideali per chi ama sciare d'inverno ma anche per chi preferisce passare un'estate al fresco, fare sport e raccogliere funghi, lontano dalla città.
Dove andare? Sulla Marmolada, il gruppo di montagne più alte!

La Maremma Toscana

Un bell'agriturismo in Toscana è il posto perfetto per chi ama la natura e la tranquillità.
Perché potete:

• provare la cucina e i prodotti tipici.
• partecipare alle escursioni, anche a cavallo!
• rilassarvi con un bel bagno in piscina o... alle terme di Saturnia!

❗ E se vi stancate della natura... Firenze è vicina!

Campagna

La Sicilia

In quest'isola potete scegliere tra:

➡ visitare le antiche città di Taormina e Agrigento

➡ passeggiare nel centro storico di Palermo, Catania e Ragusa

➡ rilassarvi nelle isole vicine: Pantelleria, le Eolie

| prendere il sole sulle bellissime spiagge di Trapani e Siracusa

| salire sull'Etna

| ballare fino al mattino nelle discoteche estive

Villa del Balbianello

Lago

Sapete che...?

Qui Manzoni ha ambientato il suo famoso romanzo *I promessi sposi* nel 1827.

Il Lago di Como

È conosciuto per il suo paesaggio: molti VIP (e non solo) hanno scelto questo lago come *location* per il loro matrimonio.
Cosa fare?

• Sport d'acqua
• Visitare le splendide ville antiche
• Cenare in un romantico ristorante con vista sul lago

❗ E se volete fare un po' di shopping, in un'ora siete a Milano!

San Vito Lo Capo, Trapani

Mare

COMUNICAZIONE

Parlare delle vacanze

Cosa avete fatto quest'estate?
Siamo stati una settimana a Cefalù.
Abbiamo noleggiato una macchina.
Abbiamo visitato altre città.
Dove sei andato in vacanza?
Sono andato un paio di volte al mare.
Abbiamo fatto lunghe passeggiate in montagna.
Abbiamo fatto il bagno nel lago.

Scusarsi

Scusi! / Mi scusi!
Scusa! / Scusami!
Scusa il ritardo! / Scusa un momento!
Mi dispiace!

Rispondere alle scuse

Non importa.
Figurati!
Non ti preoccupare.
Non fa niente.

GRAMMATICA

Passato prossimo: ausiliare **essere** o **avere**?

AVERE +	tutti i verbi transitivi: *fare, noleggiare, vedere, visitare* ecc.
	alcuni verbi intransitivi: *camminare, dormire, lavorare* ecc.
ESSERE +	molti verbi di movimento: *andare, tornare, venire, uscire* ecc.
	alcuni verbi intransitivi: *essere, rimanere, stare* ecc.

Passato prossimo: verbi con doppio ausiliare

Alcuni verbi sono transitivi e intransitivi. Quando sono transitivi, prendono avere; quando sono intransitivi, prendono essere.

	transitivi (avere)	intransitivi (essere)
finire	Hai finito il libro?	Le vacanze sono finite.
cominciare	Ho cominciato un libro che mi piace molto.	È cominciato il film che vuoi vedere.
passare	Ho passato due settimane in Sicilia.	È passato molto tempo da allora.

Verbi modali (**dovere, potere, volere**) al passato prossimo

ausiliare AVERE

Quando usiamo il modale da solo:
• *Allora sei partito anche tu per la Spagna con Chiara e Franca?*
• *No, purtroppo alla fine non ho potuto.*
Quando il modale è seguito da un verbo che prende *avere*:
Ho potuto fare delle belle foto.

ausiliare ESSERE

Quando il modale è seguito da un verbo che prende *essere*:
Siamo dovuti tornare a casa venerdì pomeriggio.

In questa unità impariamo a:

- dare semplici consigli e istruzioni
- dare ordini
- esprimere un divieto
- parlare di salute

Pronti?

> Devi andare dal medico/in ospedale!

> Forse ti devi riposare un po'.

> Perché non vai in farmacia?

1 Quale di questi consigli potete dare a un amico che...

...ha mal di schiena

...ha un semplice raffreddore

...ha un forte mal di denti

...ha una brutta tosse

...ha 38° di febbre

...ha mal di pancia

2 Ascoltate cosa dice al telefono Gianni a sua madre e a Carla. Secondo voi, a chi dice la verità?

3 Ascoltate l'intero dialogo o guardate il video e verificate le vostre ipotesi. Poi fate l'attività A1.

Gianni: Buongiorno, Riccardo!
medico: Oh, ciao Gianni! Come stai?
Gianni: Beh, insomma, se sono qui...
medico: Certo. Allora, cos'hai?

Gianni: Ho la tosse da una settimana e il naso chiuso, ma non è niente, ho solo il raffreddore o l'influenza. Sono qui perché hanno insistito i miei amici.

medico: E meno male! Senti, hai avuto la febbre?
Gianni: Boh!
medico: Ma come?! Dai, metti questo... e poi ti visito. Vedi? 37 e sette.

Gianni: Davvero? Ma io mi sento... ecciù!
medico: Ti senti bene, eh? Hai la tosse, la febbre e starnutisci pure. Respira! ...Hai la bronchite, caro mio.

Gianni: La bronchite?! E quindi?
medico: Prendi questo antibiotico: una capsula ogni 8 ore. Se la tosse non passa, devi prendere anche questo sciroppo!

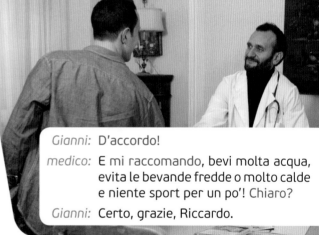

Gianni: D'accordo!
medico: E mi raccomando, bevi molta acqua, evita le bevande fredde o molto calde e niente sport per un po'! Chiaro?
Gianni: Certo, grazie, Riccardo.

Gianni: Ciao, mamma! ...Niente, sono solo raffreddato. Devo riposarmi e prendere un po' di vitamina C. La camomilla? Grazie, mamma, ma sto bene. Senti, passo io fra qualche giorno, ok? Ciao, baci!

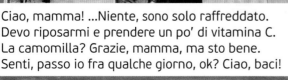

Gianni: Pronto, ciao Carla! Hmm, così e così, sono appena stato dal medico... Ho la bronchite. Devo prendere delle medicine e rimanere un po' a casa. Contagiosa? No, non credo. Ah, con i ragazzi? Come no! Venite pure!

A) Ho la tosse...

1) Leggete il dialogo e indicate l'affermazione corretta.

1. Quali sono i sintomi di Gianni?
   a. Tosse e naso chiuso
   b. Febbre e mal di testa
   c. Ha freddo e starnutisce

2. Cosa deve fare Gianni?
   a. Bere molta acqua calda
   b. Prendere delle medicine e riposarsi
   c. Prendere solo uno sciroppo

3. Gianni dice alla madre che
   a. la bronchite è passata
   b. non ha niente di serio
   c. è molto malato

4. Gianni dice a Carla che
   a. non può ricevere visite
   b. non ha niente
   c. non sta molto bene

2) Lavorate a coppie: lo studente A cerca nel dialogo espressioni per rispondere alla domanda "Come stai?". Lo studente B, invece, completa i consigli del medico.

Come stai?	Consigli/Istruzioni
Ho la tosse.	Prendi _____.
Ho il _____ chiuso.	Devi prendere _____.
Ho il _____ /l'_____.	Bevi _____.
Ho la febbre.	Evita le _____.
Sono _____.	Niente _____.
Sto bene. / Così e così.	
Ho la _____.	
Non mi sento tanto bene.	

3) Sempre a coppie recitate un dialogo tra un paziente e il medico.
Poi condividete con il compagno le espressioni che avete scritto nella tabella.

4) a Abbinate le espressioni evidenziate in blu nel dialogo a quelle sotto.

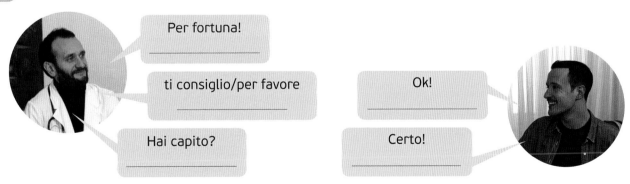

Per fortuna!
_____

ti consiglio/per favore
_____

Hai capito?
_____

Ok!
_____

Certo!
_____

b Scegliete una delle espressioni dell'attività precedente e scrivete un mini dialogo.
Poi confrontatevi con i compagni.

es. 1-3
p. 167

EDILINGUA

B) Prendi questo antibiotico!

1 Nel dialogo di pag. 22 abbiamo incontrato alcuni verbi all'imperativo, come ad es. "prendi", che usiamo per dare consigli, ordini ecc. Sottolineate altri verbi come questo.

2 Completate la tabella con i verbi nascosti nel parolone. Poi completate la regola.

f i n i t e e v i t a t e b e v i d o r m i a m o e v i t a d o r m i f i n i a m o b e v e t e

L'imperativo

	evitare	bere	dormire	finire
tu	_____	_____	_____	finisci
noi	evitiamo	beviamo	_____	_____
voi	_____	_____	dormite	_____

L'imperativo è uguale al presente indicativo,
tranne la _____ persona singolare dei verbi in -are.

3 Giocate in coppia. Lo studente A forma una frase con il verbo "avere" alla persona indicata dal dado (1 = io, 4 = noi) e le parole in rosso. B guarda le immagini e dà il consiglio giusto usando i verbi in blu dati sotto i disegni. Ogni volta cambiano i ruoli.

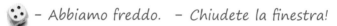

– Abbiamo freddo. – Chiudete la finestra!

sete   fame   sonno   fretta   caldo   mal di testa

l'aria condizionata

un po' di acqua

un panino

un'aspirina

di più

un po' prima

dormire   mangiare   bere   accendere   uscire   prendere

es. 4-5
p. 168

C) Strano!

1 Ascoltate il dialogo e rispondete alle domande.

  a. All'inizio Bruno fa uno scherzo a Gianni. Quale?
  b. Perché Gianni chiede a Bruno di non dire niente a sua madre?
  c. Perché Gianni trova strano il messaggio che ha ricevuto Alice?
  d. Quando propone di andare al cinema Carla? E Bruno?

2 a Mettete in ordine le 4 coppie di vignette a pag. 25.

   b Riascoltate il dialogo o guardate l'animazione per controllare le vostre risposte.

   c Leggete (da soli o con altri compagni) il dialogo.

3 Trovate nel crucipuzzle le quattro parole, che abbiamo incontrato nel dialogo, per completare le frasi.

  a. _____ che non hai cucinato, perché non usciamo?
  b. Ilaria, mi raccomando, _____ in bocca, nessuno sa che esco con Giacomo!
  c. Devi andare via subito? Se _____, mi preparo e vengo con te!
  d. Io sto così così... _____, non è un buon periodo!

A	O	I
C	V	N
Q	I	S
U	S	O
A	T	M
N	O	M
T	R	A

4 Rileggete l'ultima battuta di Carla. Ricordate altre espressioni per invitare qualcuno a fare qualcosa e rispondere all'invito? Scrivete un mini dialogo e poi confrontatevi con i compagni. Vediamo chi fa la proposta più interessante per il fine settimana!

L'imperativo negativo

5 Trovate nel dialogo i verbi per completare la tabella.

	andare	correre	dire
tu	_____	non correre	_____
noi	non andiamo	non corriamo	non diciamo
voi	non andate	non correte	non dite

es. 6-7
p. 169

D) Mal di...

1 Ascoltate quattro mini dialoghi e indicate in quali le persone pensano di andare dal medico. Per quali problemi di salute?

  ○ dialogo 1   ○ dialogo 2   ○ dialogo 3   ○ dialogo 4

2 Ascoltate di nuovo e sottolineate le parti del corpo che sentite. Poi osservate anche le parti del viso. Come "modelli" abbiamo scelto i "Quattro fiumi" di Bernini a Piazza Navona.

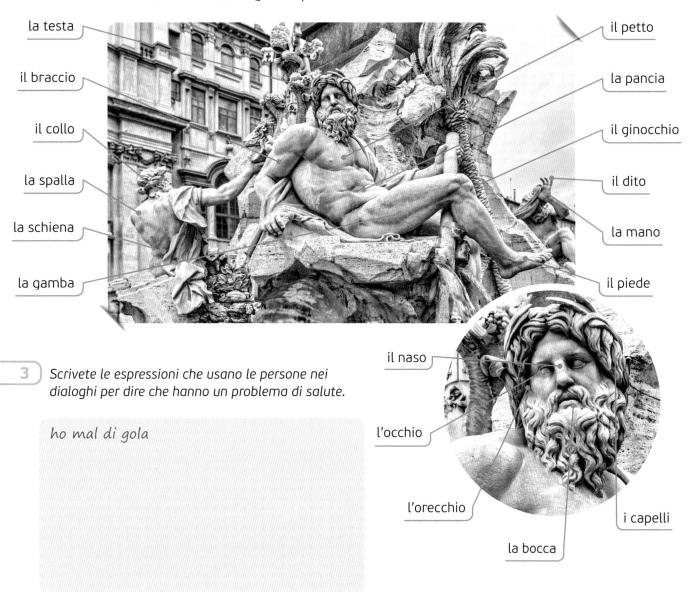

la testa

il braccio

il collo

la spalla

la schiena

la gamba

il petto

la pancia

il ginocchio

il dito

la mano

il piede

il naso

l'occhio

l'orecchio

i capelli

la bocca

3 Scrivete le espressioni che usano le persone nei dialoghi per dire che hanno un problema di salute.

ho mal di gola

Altri verbi irregolari all'imperativo

	andare	dare	dire	fare	stare
tu	_____ (vai)	da' (dai)	_____	fa' (fai)	sta' (stai)

4 Ascoltate di nuovo il primo mini dialogo e completate la tabella a destra.

5 In coppia. A ha un problema di salute e B consiglia di andare dal medico. Fate un mini dialogo.

DR. LUIGI RICCIONI
Medico di base

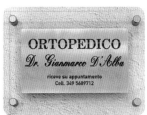

ORTOPEDICO
Dr. Gianmarco D'Alba
riceve su appuntamento
Cell. 349 5689712

DENTISTA
Dott. Franco Giorni
Medico Chirurgo Odontoiatra

Dott.sa Renata Chiarini
Oculista
riceve su appuntamento
Cell. 347 0867752

6 Modi di dire. Lavorate a coppie. Lo studente A va a pag. 148 e lo studente B va a pag. 153.

> Ha la testa fra le nuvole.

es. 8-11
p. 169

E) Andiamo dal dottore?

 1 Leggete il titolo dell'articolo: conoscete alcuni rimedi naturali contro l'influenza?

2 Leggete e completate il testo con le parole date.

> tosse • febbre
> medicine • naso
> sciroppo • riposo

3 Rispondete alle domande.

a. Quali di questi rimedi seguite di solito?
b. Qual è più utile, secondo voi?

Influenza: 6 rimedi della nonna

Con l'autunno è arrivata purtroppo anche l'influenza: raffreddore, mal di gola, febbre. Di solito ci curiamo con le _____(1). Ma alcuni rimedi della nonna sono davvero efficaci:

1. Zenzero/Ginger
Da mangiare o da bere, combatte il mal di gola e tiene sotto controllo la _____(2).

2. Acqua calda
Una doccia calda fa passare il mal di testa e libera il _____(3) chiuso.

3. Vitamina C
Sappiamo da sempre che la vitamina C fa molto bene. Non la troviamo solo nella frutta, ma anche in alcune verdure come i broccoli.

4. _____(4) assoluto
Rimanete a letto o sul divano, ascoltate della buona musica e bevete qualcosa di caldo. Non fate gli eroi.

5. Miele
Fa molto bene alla gola e calma la _____(5). Perfetto nelle tisane al posto dello zucchero.

6. Cipolla
Potete preparare facilmente uno _____(6) con la cipolla e lo zucchero. Libera il naso e calma la tosse.

adattato da *www.elle.it*

4 Abbinate le battute alle vignette. Attenzione: c'è una battuta in più!

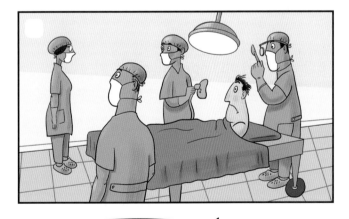

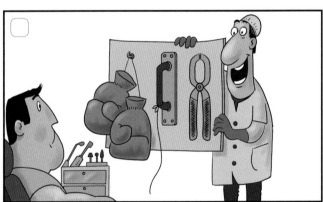

a HO GUARDATO I SUOI SINTOMI SU GOOGLE, MA SE VUOLE UNA SECONDA OPINIONE POSSO CERCARE ANCHE SU WIKIPEDIA!

b VISTO CHE LEI È UN BUON CLIENTE, PUÒ SCEGLIERE IN CHE MODO TOGLIAMO IL DENTE!

c PER FAVORE, VAI UN ATTIMO SU WWW.CHIRURGHI.COM E CERCA TRA LE DOMANDE FREQUENTI: COSA FARE SE IL PAZIENTE SI SVEGLIA?

es. 12-14
p. 171

Test

Italia&italiani

Curarsi in Italia

es. 1-2
p. 172

Dove andiamo?

◆ Per un semplice controllo o una malattia non grave, andiamo dal medico di base* più vicino a casa nostra. Ma attenzione all'orario: spesso lo studio è aperto solo metà giornata, o di mattina o di pomeriggio!

◆ Se abbiamo bisogno del medico durante la notte, nei fine settimana o nei giorni festivi, chiamiamo la Guardia medica.

◆ N.B. Per le emergenze andiamo al Pronto soccorso!

*I ragazzini fino ai 14 anni invece vanno dal pediatra!

Dott. M. BONACCORSI
Specialista in Pediatria
Medicina Interna

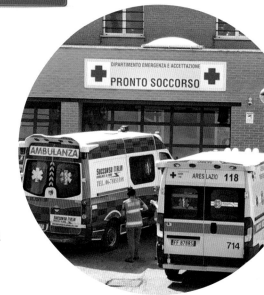

I gesti italiani: come parlare con le mani

Con i gesti possiamo indicare se abbiamo mal di testa, mal di pancia ecc., ma possiamo comunicare molte altre cose... E gli italiani sono famosi per questo!

È finito!

Non mi interessa.

Perché usiamo i gesti?

• Perché il gesto è più diretto della parola!

• E poi... non è sempre carino dire cosa pensiamo... 😌

Che rabbia!

Che buono!

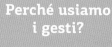

Dare consigli/istruzioni

Devi andare dal medico / in ospedale!	Devi prendere anche questo sciroppo!
Forse ti devi riposare un po'.	Mi raccomando, bevi molta acqua.
Perché non vai in farmacia?	Evita le bevande fredde o molto calde.
Prendi questo antibiotico.	Niente sport per un po'!

Parlare di salute

Ho la tosse. / Ho una brutta tosse.	Ho mal di gola.
Ho il naso chiuso.	Mi fa male la pancia.
Ho il raffreddore. / Ho un semplice raffreddore.	Ho mal di testa.
Ho l'influenza.	Mi fa male il ginocchio destro.
Ho la febbre. / Ho 38° di febbre.	Ho un dolore anche al piede sinistro.
Sono raffreddato.	Ho (un forte) mal di denti.
Ho la bronchite.	Ho un mal di schiena terribile.
Non mi sento tanto bene.	Mi fa male la schiena.

Imperativo dei verbi regolari

	evitare	prendere	dormire	finire
tu	evita*	prendi	dormi	finisci
noi	evitiamo	prendiamo	dormiamo	finiamo
voi	evitate	prendete	dormite	finite

Imperativo dei verbi irregolari

	bere	tradurre	venire	uscire
tu	bevi	traduci	vieni	esci
noi	beviamo	traduciamo	veniamo	usciamo
voi	bevete	traducete	venite	uscite

*L'imperativo dei verbi regolari e di molti verbi irregolari è uguale al presente indicativo.
Fa eccezione la seconda persona singolare dei verbi in -are.

Imperativo negativo

	andare	correre	dire
tu	non andare	non correre	non dire
noi	non andiamo	non corriamo	non diciamo
voi	non andate	non correte	non dite

Altri verbi irregolari all'imperativo

	andare	dare	dire	fare	stare
tu	va'	da'	di'	fa'	sta'
	(vai)	(dai)		(fai)	(stai)

In questa unità impariamo a:

▶ parlare di film e generi cinematografici
▶ raccontare la trama di un film
▶ chiedere ed esprimere un parere

Al cinema

Unità 3

Pronti?

1 Scrivete nei cerchi bianchi parole relative al cinema. Poi confrontatevi con i compagni.

CINEMA

2

a Avete mai visto un film italiano? Scambiatevi informazioni.

b Osservate le locandine di quattro film italiani. Di che genere sono, secondo voi?

commedia   poliziesco   d'avventura   d'amore   thriller   drammatico

3 Voi andate spesso al cinema? Che generi di film preferite?

4 Ascoltate una prima volta il dialogo. Quali delle parole che avete scritto nell'attività 1 avete sentito?

EDILINGUA

Bruno: ...bene. Senti, ti veniamo a prendere verso le 6.30 e poi passiamo da Carla... A piedi... "Il grande furto", al Galaxy. Ok, a dopo.

Gianni: Allora, che film andiamo a vedere? Di chi è?

Anna: È molto bello, così dicono. Il regista è Perruzzi, lo conosci, vero? Protagonista è un giovane attore che piace un sacco a Carla...

Gianni: ...Mi prendi in giro, eh? Ci siamo... citofono io? Ciao, siamo arrivati!

Anna: Oh, che eleganza! Ma che bella giacca!

Gianni: Elegante come sempre! Venite un attimo, è da tanto che non facciamo una foto tutti insieme!

Carla: Va be', dai, la fai tu?

Gianni: Sì, pronti? Sorridete...

Anna: Fa' vedere, com'è venuta? Bella... e questi tipi sullo sfondo? Oddio, ma quello a destra non è...

Carla: Ma chi!? No, non può essere...

Gianni: Ferrara?!

Bruno: Ragazzi, mi sa che è proprio lui... Oh, avete visto? Una busta!

Carla: Ma sei sicuro?! Comunque, meglio spostarci, così non ci vedono.

Anna: Non è possibile! Ragazzi, che ore sono?

Bruno: Le 7 e 10, perché?

Anna: Nella busta che ha preso Ferrara poco fa, sapete cosa c'è? I 5 goal della Roma!

Carla: Cosa?! Parli del messaggio sul cellulare di Alice?

Gianni: Già, è vero: un messaggio in codice!

Carla: Dici? Ma che cosa può esserci in una busta così piccola?

Bruno: Basta, ragazzi, vedete troppi film... a proposito, tra un po' inizia il nostro, andiamo!

Gianni: È questo il protagonista? Mah, non mi piace per niente...

A) Non può essere!

1 Ascoltate di nuovo e indicate le cinque affermazioni presenti.

a. I ragazzi vanno al cinema a piedi. ⃝

b. Passano a prendere Carla per ultima. ⃝

c. Poi si fanno un selfie. ⃝

d. Per strada vedono Ferrara da lontano. ⃝

e. I ragazzi conoscono l'uomo che dà la busta a Ferrara. ⃝

f. Anche Ferrara vede i quattro ragazzi. ⃝

g. Anna associa la busta al messaggio sul cellulare di Alice. ⃝

h. Gianni conosce già l'attore protagonista del film. ⃝

2 Leggete il dialogo o guardate il video per controllare le vostre risposte.

3 Lavorate in coppia. Abbinate le espressioni alle *funzioni*. Attenzione: c'è una funzione in più!

1. Oh, che eleganza! (*Anna*)

2. Fa' vedere! (*Anna*)

3. No, non può essere... (*Carla*)

4. Già. (*Gianni*)

a. esprimere accordo

b. dare un consiglio

c. fare un complimento

d. chiedere di mostrare qualcosa

e. esprimere incredulità

4 Usate una delle espressioni dell'attività 3 per scrivere un mini dialogo. Poi confrontatevi con i compagni.

es. 1
p. 173

B) Lo conosci?

1 Cercate queste frasi nel dialogo e scrivete a chi o a cosa si riferiscono le parole in blu.

...ti veniamo a prendere → _____Carla_____

...lo conosci, vero? → _____

Mi prendi in giro, eh? → _____

Va be', dai, la fai tu? → _____

2 Osservate le frasi a destra. Poi completate la tabella con *le, mi, la, vi, ti*.

Conosci Sara?   Sì, la conosco.

I pronomi diretti

_____ conosce	(conosce me)	ci conosce	(conosce noi)
_____ conosce	(conosce te)	_____ conosce	(conosce voi)
lo conosce	(conosce lui)	li conosce	(conosce loro/i ragazzi)
_____ conosce	(conosce lei)	_____ conosce	(conosce loro/le ragazze)
La conosce	(conosce Lei)		

3 Sottolineate il pronome in *blu* corretto.

a. • A che ora mi chiami?   • Ti/Ci chiamo verso le 11.
b. • Perché non venite da Mario?   • Perché non ci/lo invita mai.
c. • Vedi spesso i tuoi genitori?   • Mah, di solito le/li vedo la domenica.
d. • Hai caricato le foto su Facebook?   • Non ancora, mi/le carico più tardi.
e. • Mi sente, dott. Russo?   • Certo, signora, vi/La sento benissimo.

es. 2-5
p. 17

C) Molto bello!

1 Ascoltate i mini dialoghi e completate le frasi a destra, come negli esempi in *blu*.

a. Il _____ è fantastico.
b. Quando esce nelle _____?
c. Lo _____ al *Jolly*.
d. Chi _____ nel film?
e. _____ è il film che avete visto?
f. La *trama* è molto interessante.
g. La _____ è un po' lenta.
h. Ha _____ l'Oscar.
i. Anche quest'anno ha la *nomination*.

2 In coppia. Osservate di nuovo le locandine di pag. 31 e, a turno, riferite al vostro compagno almeno un'informazione su ogni film.

PHILIPPE NOIRET   JACQUES PERRIN

Cinema PARADISO

3 Alzatevi e intervistate un compagno sul suo film preferito: titolo, regia, attori, premi vinti ecc. Poi tutti insieme fate una classifica dei film, attori e registi più amati.

4 Ascoltate di nuovo e completate la tabella.

Chiedere un parere	Esprimere un parere
Com'è...?	Mi sembra... / Per me...
Cosa pensi di...?	Mah! / Insomma!
È bello...?	
Secondo te...?	

5 Lavorate in coppia. A va a pag. 148 e B a pag. 154.

es.
p. 17

D) Il grande furto

1 Guardate le illustrazioni. Di che genere è il film, secondo voi?

2 Ascoltate il dialogo e prendete appunti: quali parole vi aiutano a verificare le vostre ipotesi sul film?

3 Riascoltate e rispondete alle domande.

a. Cosa vuole sapere Gianni prima dell'inizio del film?

b. Secondo Carla, che cosa hanno in comune il protagonista del film e Ferrara?

c. Secondo voi, chi ha inviato il messaggio ad Anna?

TU HAI CAPITO CHE FILM È?

EH, PIÙ O MENO. ANNA, TU HAI LETTO LE RECENSIONI, VERO?

SÌ, DUNQUE, LE RECENSIONI SONO OTTIME, DICIAMO CHE È IL CLASSICO FILM GIALLO.

BEH, CHIARO, SE PARLA DI UN FURTO! MA COSA RUBANO?

LO DOBBIAMO SCOPRIRE, NO? ADESSO STATE ZITTI!

30 MINUTI DOPO...

...E QUANDO ARRIVA IL PROSSIMO PACCO?

DOMANI, 20 MONETE ANTICHE, VERAMENTE RARE! LE MANDANO QUEI TIPI DI MILANO, LI CONOSCI, NO?

CERTO. MA TU PERCHÉ HAI SCELTO PROPRIO LE MONETE?

PERCHÉ SONO PICCOLE: PUOI METTERLE PERFINO IN UNA SEMPLICE BUSTA SENZA CREARE SOSPETTI!

È VERO! E VANNO BENE GLI AFFARI?

COME NO! PERÒ HO DECISO DI ALLARGARE IL MIO GIRO D'AFFARI. IL GUADAGNO VERO, CARO MIO, STA NELL'ARTE: PITTORI FAMOSI, CLASSICI, CONTEMPORANEI, QUELLO CHE VUOI!

DAVVERO? MA OPERE AUTENTICHE O FALSE?

ANCORA NON LO SO...

4 Leggete il dialogo o guardate l'animazione e indicate le affermazioni corrette.

1. Nel film c'è un trafficante di
   a. opere d'arte
   b. monete antiche
   c. monete e opere d'arte

2. Alla fine Anna riceve
   a. una minaccia
   b. una busta
   c. un invito

5 Ascoltate e scrivete le battute accanto alle espressioni corrispondenti, come nell'esempio in blu.

a. giusto!

b. certo!

c. veramente   *davvero*

d. quasi

e. fate silenzio!

f. ovvio

es. 7
p. 175

es. 7
p. 175

E) Non lo so...

1 Trovate nel dialogo le battute sotto. A che cosa si riferiscono le parti in blu?

...li conosci, no?   Ancora non lo so...

2 Per capire meglio la differenza tra conoscere e sapere abbinate domande e risposte.

Sapere o conoscere?
Vedi pag. 244.

1. Stasera viene anche Eleonora?
2. Lo sai che si sposano a giugno, no?
3. Ma tu, quest'uomo lo conosci?
4. Conosci la moglie del direttore?

a. No, non la conosco.
b. Certo, lo conosco bene.
c. Sì, lo so.
d. Non lo so.

es. 8
p. 175

3 *O prima o dopo.* Osservate la posizione dei pronomi nelle battute a destra.
Poi completate le frasi con *vederlo / li potete / invitarci / ti voglio*.

...Lo dobbiamo scoprire, no?

a. I biglietti, _____ comprare online.
b. Non vuole _____ alla sua festa.
c. _____ ringraziare per il tuo aiuto.
d. Questo film, dovete _____: è bellissimo!

...puoi metterle perfino in una busta.

es. 9
p. 175

F) A che ora lo danno?

1 Ascoltate la telefonata tra Anna e Carla: per quali motivi Anna vuole andare al cinema a vedere "Il grande furto"?

2 Lavorate in coppia. Ascoltate di nuovo e prendete brevi appunti (genere, attori ecc., dove e quando, commenti e critica): uno di voi si concentra sulle battute di Anna e l'altro su quelle di Carla.
Poi usate le espressioni che avete scritto per fare un dialogo simile.

es. 10
p. 175

3 Lavorate a coppie. *A va a pag. 148 e B a pag. 154.*

4 *Pantomima.* Giocate tutti insieme. Ogni studente pensa a un film di successo internazionale e traduce il titolo in italiano. Poi a turno, mima il titolo alla classe.
Se un compagno indovina, lui e il giocatore di turno vincono
1 punto. Vediamo alla fine chi ha fatto più punti.

Il mimo:
• indica con le dita il numero di parole del titolo
• indica con le dita l'ordine della parola che descrive (prima, seconda ecc.)
• non può parlare, altrimenti perde.

In bocca al lupo!

EDILINGUA

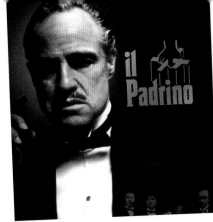

G Ciak, si gira!

1 **a** *Completate il testo con le parole date.*

critica ◆ successi ◆ trama
interpretato ◆ cast ◆ attore

La storia del cinema è piena di successi letterari che non sono diventati blockbuster. Non mancano però le eccezioni, come questi grandi romanzi che hanno dato vita ad alcuni _____ (1) cinematografici.

Il primo è un romanzo con milioni di fan in tutto il mondo, *Il Padrino*. Scritto dall'italoamericano Mario Puzo, ha ispirato la saga cinematografica più amata di tutti i tempi. Le vicende della famiglia Corleone sono diventate la _____ (2) dei famosi film diretti da Francis Ford Coppola.

Il Gattopardo di Luchino Visconti ha vinto la Palma d'Oro al Festival di Cannes. Tratto dall'omonimo romanzo di Tomasi di Lampedusa e con un _____ (3) internazionale di altissimo livello, è tra i cento film italiani da salvare.

Amato dalla _____ (4) internazionale, *Il Postino* è un film da rivedere sempre con piacere anche per la straordinaria interpretazione di Massimo Troisi, candidato all'Oscar come miglior _____ (5). Il film è ispirato a *Il postino di Neruda* dello scrittore Antonio Skármeta.

Chiudiamo con un classico della commedia italiana, *Fantozzi*. Pochi sanno che le avventure del protagonista sono tratte dal romanzo scritto da Paolo Villaggio, che ha _____ (6) per il grande schermo il personaggio principale.

b *Rileggete il testo: secondo voi, quale dei due titoli è più adatto?*

IL CINEMA ITALIANO NEL MONDO | DA BEST-SELLER A BLOCKBUSTER

es. 11
p. 176

2 *Scrivete in breve (2-3 frasi) la trama di un film famoso, magari di uno di quelli usati nell'attività F4. Poi a turno leggetela ai compagni: vediamo se capiscono di quale film si tratta!*

3 *Chi è? Scrivete su un foglio il nome di un attore/un'attrice o di un/una regista famoso/a. I compagni possono fare massimo 10 domande per capire chi è: ad es. "è americano o italiano?", "è un attore o un regista?", "ha meno di 50 anni o di più?", "è biondo o bruno?", "recita in commedie o...?" ecc.*

4 *Rispondete a questo messaggio di un amico su Facebook. Cercate di convincerlo a vedere il vostro film preferito.*
40-60

 Luigi D'Alessio Cosa pensi di questo film? L'hai visto?

Mi piace · Rispondi · 👍 4
lunedì alle ore 13:18

es. 12-14
p. 176

Italia&italiani

Il grande cinema italiano

es. 1-2 p. 178

Il Neorealismo

Nel 1943 con *Ossessione* di Luchino Visconti comincia il periodo più importante per il cinema italiano: il Neorealismo. Tra i film più conosciuti: *Roma città aperta* (1945), di Roberto Rossellini.

Il Neorealismo racconta la vita quotidiana nei difficili anni della guerra e del dopoguerra.

Anna Magnani in *Roma città aperta*

Curiosità

Anna Magnani è la prima attrice italiana che ha vinto un Oscar, nel 1956.

La Commedia all'italiana

Negli anni '50, i registi raccontano con simpatia l'Italia del dopoguerra: nasce la Commedia all'italiana, con *Pane, amore e fantasia* di Luigi Comencini e *I soliti ignoti* di Mario Monicelli.

Spaghetti western

Nel 1964 Sergio Leone con *Per un pugno di dollari*, che ha reso famoso l'attore americano Clint Eastwood, dà vita al genere Spaghetti western.

Film da Oscar

8 ½ di Federico Fellini (Oscar nel 1964)

Vittorio De Sica e Federico Fellini sono alcuni dei più grandi maestri del passato, molti dei loro film infatti hanno vinto l'Oscar!

Oltre a *Nuovo cinema Paradiso* (1990) di Giuseppe Tornatore e *Mediterraneo* (1992) di Gabriele Salvatores, tra i registi contemporanei più ammirati, vincono la famosa statuetta:

* *La vita è bella* di Roberto Benigni, nel 1999;
* *La grande bellezza* di Paolo Sorrentino nel 2014.

Toni Servillo in *La grande bellezza*

Sapete che...?

Il Festival del Cinema di Venezia

Dal 1932 si svolge ogni anno tra fine agosto e inizio settembre nello storico Palazzo del Cinema, al Lido di Venezia.

Il premio più importante è il Leone d'oro, che rappresenta il simbolo della città.

COMUNICAZIONE

Parlare di film e generi cinematografici

È una commedia/un thriller.
È un film poliziesco/d'avventura/d'amore/drammatico/d'azione.
Il film ha preso quattro stelle su cinque dalla critica!
Al Galaxy lo danno alle 7 e mezza.
Dal trailer sembra interessante...
Quando esce nelle sale?
• Chi recita nel film? • Due giovani attori, sono molto bravi.
La trama è molto interessante.
La regia è un po' lenta.
Ha vinto l'Oscar due anni fa! E anche quest'anno ha la nomination.
È il classico film giallo.
• Hai letto le recensioni? • Sì, sono ottime.
Parla di un furto.

Chiedere un parere

• Com'è il film?
• Cosa pensi di Tarantino?
• È bello il film che avete visto?
• Secondo te, com'è il film?

Esprimere un parere

• Mi sembra molto interessante.
• Per me sono due attori molto bravi.
• Mah! / Insomma!
• Io lo trovo geniale come regista!
• Secondo me, la regia di Tarantino è un po' lenta.
• Alcuni suoi film mi piacciono, altri un po' meno.

GRAMMATICA

I pronomi diretti

mi conosce	(conosce me)	ci conosce	(conosce noi)
ti conosce	(conosce te)	vi conosce	(conosce voi)
lo conosce	(conosce lui)	li conosce	(conosce loro / i ragazzi)
la conosce	(conosce lei)		
La conosce	(conosce Lei)	le conosce	(conosce loro / le ragazze)

Sapere o conoscere?

SAPERE
• Stasera viene anche Eleonora? • Non lo so.
• Lo sai che si sposano a giugno, no? • Sì, lo so.

CONOSCERE
• Ma tu, quest'uomo lo conosci? • Certo, lo conosco bene.
• Conosci la moglie del direttore? • No, non la conosco.

I pronomi diretti con **dovere, potere, volere**

Lo dobbiamo scoprire, no? = Dobbiamo scoprirlo, no?
I biglietti li potete comprare online. = I biglietti potete comprarli online.
Non ci vuole invitare alla sua festa. = Non vuole invitarci alla sua festa.

1 *Dove sono andate in vacanza Claudia e Chiara? Osservate le due valigie: quali cose hanno portato tutte e due? Inserite nello schema il nome degli oggetti comuni, come nell'esempio. Nelle caselle colorate trovate il nome della loro destinazione!*

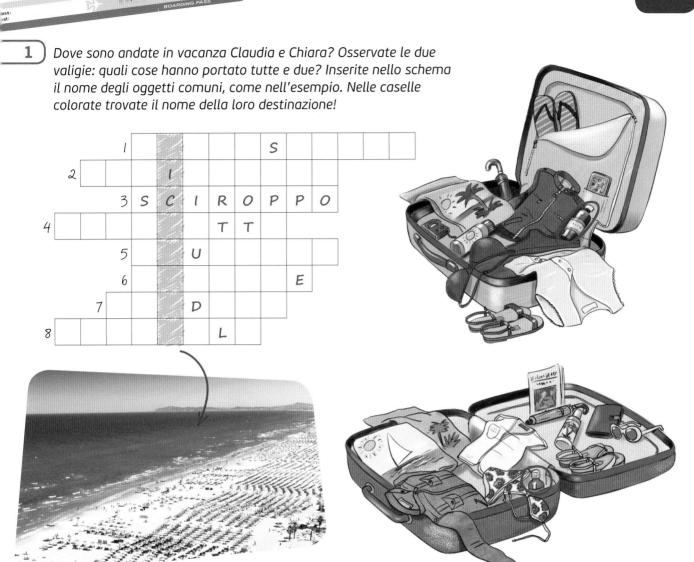

1. _ _ _ _ S _ _ _ _
2. _ _ _ I _ _ _
3. S C I R O P P O
4. _ _ _ T T _
5. _ _ U _ _ _
6. _ _ _ _ E
7. _ _ D _ _
8. _ _ _ L _

2 *Completate il dialogo con la forma giusta dei verbi e con le parole date.*

" genere
pancia
Pronto soccorso
protagonista
trama "

Maura: Allora tu e Elena siete andate al cinema ieri sera?
Che cosa _____ (1. vedere)?

Alessia: Il rumore dell'acqua.

Maura: È nuovo?

Alessia: _____ (2. uscire) nelle sale a febbraio e ha vinto l'Oscar per il miglior attore _____ (3).

Maura: Ti è piaciuto?

Alessia: Non so... la _____ (4) è interessante, ma è un film drammatico... diciamo che non è il mio _____ (5) preferito! Ma tu perché non _____ (6. venire) con noi?

Maura: _____ (7. leggere) il messaggio di Elena molto tardi, quando sono tornata a casa. Nel pomeriggio io e Marco _____ (8. dovere) andare all'ospedale.

Alessia: Oddio, cosa è successo?

Maura: Mia nonna ha avuto un forte mal di _____ (9). Niente di grave, per fortuna! Ma abbiamo passato la serata al _____ (10) con lei e siamo tornati a casa molto tardi.

PARTENZA

STAZIONE SANTA MARIA NOVELLA

FIRENZE S.M.N.

FORTEZZA DA BASSO

19

20

MERCATO CENTRALE

1

2

SANTA MARIA NOVELLA

18

17

PALAZZO MEDICI RICCARDI

16

3

SAN LORENZO

15

DUOMO

Legenda
caselle verdi:
tirate il dado
un'altra volta!
caselle rosse:
tornate indietro
di tre caselle!

4

14

LOGGIA DEI LANZI

PALAZZO VECCHIO

13

7

5

UFFIZI

PONTE VECCHIO

12

SANTO SPIRITO

6

11

8

SANTA MARIA DEL CARMINE

9

10

PALAZZO PITTI

GIARDINO DI BOBOLI

28

29

Un giro per Firenze

Giocate in 3 o in 3 piccoli gruppi. A turno, tirate il dado e svolgete i compiti proposti. Se la risposta non è giusta, tornate indietro di due caselle. Se un giocatore arriva su un compito già svolto, fa un compito extra. Dopo, il turno passa al giocatore successivo. Vince chi arriva per primo a Piazzale Michelangelo. Attenzione alle caselle colorate: leggete la Legenda!

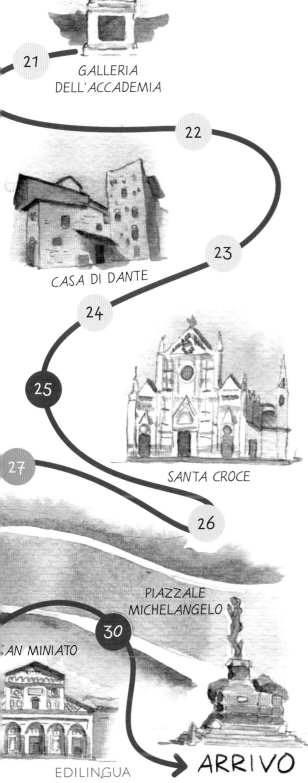

GALLERIA DELL'ACCADEMIA

CASA DI DANTE

SANTA CROCE

PIAZZALE MICHELANGELO

AN MINIATO

EDILINGUA

ARRIVO

2. Da' 2 consigli a tuo fratello che ha mal di pancia.

3. Descrivi un attore con 3 aggettivi.

4. 3 località di mare in Sicilia.

5. "Scusa! Sono in ritardo!" Che cosa rispondi?

7. Il regista di *Perfetti sconosciuti*.

8. Non è una parte del corpo:
   spalla – ginocchio – petto – tosse

9. Chiedi un parere a un amico sull'ultimo film di Checco Zalone.

10. "Mi raccomando, ... : è un segreto!"

13. Arrivi in ritardo a un appuntamento di lavoro. Che cosa dici?

14. 3 cose che puoi fare nella Maremma Toscana.

15. Tuo figlio di 8 anni ha la febbre. Lo porti dal ... .

16. "Sono molto stanco stasera!" "Ci credo/A proposito/ Mi sa, hai lavorato tutto il giorno!"

17. Quest'estate non ... potuti andare in vacanza, perché mio marito ... dovuto cambiare lavoro.

19. "Sai dov'è il cinema Odeon?" "Mi dispiace, non ... so."

21. Il marito di Gianna è davvero pigro, in casa non muove un dito/è in gamba/dà una mano a tutti.

22. 3 rimedi della nonna per l'influenza.

23. Qual è la parola estranea?
    recensione – direttore – cast – attore

24. "Che buono!" Fai il gesto con la mano.

26. Non so/conosco questa attrice.

28. Proponi ai tuoi amici 2 attività da fare insieme stasera.

29. 3 consigli del medico a un paziente con la febbre.

Compiti extra

- Il genere del film "Il grande furto".
- Inizia il film, i tuoi fratelli parlano. Che cosa dici?
- "Abbiamo fame!": rispondi.
- Fa' un complimento a una tua amica: oggi è vestita molto bene.
- 3 famosi film italiani.
- Abbiamo ... una macchina e abbiamo girato la Sicilia.
- 3 cose che metti in valigia se vai al mare.
- 3 generi cinematografici.

3 Celebri parti del corpo. Scrivete il nome della parte del corpo di questi personaggi famosi e poi completate le frasi con il pronome.

il naso

1. Dante _lo_ ha "importante".
2. Sansone non _____ taglia mai.
3. Monna Lisa _____ ha castani.
4. Federica _____ usa per nuotare.
5. Le Azzurre _____ usano per fare gol.
6. Albert _____ usa molto per pensare.
7. Yoda _____ ha grandi.
8. Spock _____ usa per salutare.

Al lavoro!   David di... classe!

L'Accademia del Cinema Italiano assegna ogni anno i David di Donatello. Quest'anno partecipate anche voi nella categoria "Ri-ciak"!

1. Dividetevi in gruppi di 4/5 persone e scegliete una famosa scena di un film italiano da ri-girare.

2. Riscrivete le battute del dialogo (potete anche inventarle); trovate i vestiti e gli oggetti necessari per la scena; descrivete i movimenti e i gesti dei personaggi.

3. Dividetevi i ruoli: ci sono un regista, un costumista, 2/3 attori.

4. Provate la scena più volte e quando vi sentite pronti... registratela!

5. Guardate tutti insieme i video realizzati e votate! La giuria assegna i seguenti premi: Miglior Regista, Miglior Attore, Miglior Attrice, Miglior Costumista.

DAVID
DI
CLASSE

In questa unità impariamo a:

▶ parlare dei mezzi di trasporto
▶ fare semplici ipotesi
▶ chiedere e dare informazioni per viaggiare in treno

Pronti?

1 Lavorate in coppia. Completate i titoli di giornale con i mezzi di trasporto. Attenzione: ci sono due immagini in più!

1 ENTRA CON L'⬜ NELLA STAZIONE DELLA METRO, SCAMBIATA PER UN PARCHEGGIO

2 I RAGAZZI FANNO TROPPA CONFUSIONE E IL PILOTA LI CACCIA DAL SUO ⬜

3 FIRENZE: ⬜ guasto, spingono i passeggeri

4 Scappa da scuola e prende il ⬜, ritrovato bambino di sette anni a 40 km da casa

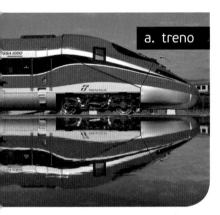
a. treno

b. aereo

c. pullman

d. moto

e. auto

f. nave

2 Chiedete a due compagni con quale mezzo di trasporto preferiscono viaggiare e perché (comodo, veloce, sicuro ecc.). Poi confrontatevi con la classe: qual è il mezzo di trasporto più votato?

3 Vi ricordate il messaggio che ha ricevuto Anna? Secondo voi, cosa pensano di fare i ragazzi? Fate l'attività A1.

ALLA FINE HAI DORMITO QUI?

BEH... DORMITO... VERAMENTE NON HO CHIUSO OCCHIO, RAGAZZI!

DAI, ANNA, CALMATI, NON È MICA SUCCESSO NIENTE!

CALMARMI? MA LO CAPISCI CHE QUEST'UOMO CI MINACCIA?

HA RAGIONE... IO PROPONGO DI ANDARE ALLA POLIZIA!

DI NUOVO?! MA NON ABBIAMO NESSUNA PROVA!

NO, QUESTA VOLTA RACCOGLIAMO PRIMA DELLE PROVE E POI LO DENUNCIAMO!

SCUSATEMI, RAGAZZI, MA IO NON VOGLIO PIÙ AVERE NULLA A CHE FARE CON QUESTA STORIA. HO ANCHE PAURA DI TORNARE A CASA!

ALLORA, VIENI CON ME A FIRENZE!

EH? CHE C'ENTRA FIRENZE?

IL PROSSIMO FINE SETTIMANA VADO AL CONVEGNO DI EDILINGUA... È UNA CASA EDITRICE...

MAGARI! NO, SUL SERIO, HO BISOGNO DI ANDARE VIA PER UN PO'!

OK, E STATE VIA, QUANTO, DUE GIORNI? E POI? COSA CAMBIA?

MA ANDIAMOCI TUTTI! ...SE CI FERMIAMO PIÙ DI DUE GIORNI, POSSIAMO VISITARE I MONUMENTI, I MUSEI, GLI UFFIZI...

SE TROVIAMO UN ALBERGO ECONOMICO, IO CI STO! E SE GIANNI PRENDE LA MACCHINA...

...POSSIAMO FARE ANCHE UNA GITA IN TOSCANA! CERTO CHE LA PRENDO...

E MENTRE CARLA È AL CONVEGNO NOI FACCIAMO QUALCHE GIRO...

OH, GUARDA CHE IO FIRENZE LA CONOSCO BENE, VI PORTO NEI POSTI MIGLIORI!

EH, NO, CARO: LÌ CI ANDIAMO TUTTI INSIEME!

A) Andiamoci tutti!

1 Ascoltate il dialogo e indicate se le affermazioni sono
vere o false.

	V	F
a. Anna non ha dormito a casa sua.	◯	◯
b. Anna ha paura di Ferrara.	◯	◯
c. Nessuno vuole andare alla polizia.	◯	◯
d. Carla va a Firenze perché ha bisogno di una vacanza.	◯	◯
e. Ad Anna piace molto l'idea di una gita a Firenze.	◯	◯
f. Carla propone di fare una gita di due giorni.	◯	◯
g. Gianni non ha problemi a prendere la sua macchina.	◯	◯
h. Gianni dice di conoscere molto bene la città.	◯	◯

2 Leggete il dialogo o guardate l'animazione e controllate
le vostre risposte.

3 Completate le frasi con le espressioni evidenziate in blu nel dialogo.

- Ragazzi, chi ha voglia di andare a ballare stasera?
- Io _____(2)! A che ora ci vediamo?

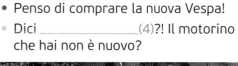

- Hai visto le mie chiavi? Non le trovo!
- _____(1)?! Ma hai cercato bene?

- Penso di comprare la nuova Vespa!
- Dici _____(4)?! Il motorino che hai non è nuovo?

- Viene anche Maria a cena con noi?
- _____(3) Maria?! È una cena in famiglia!

es. 1
p. 179

4 Lavorate in coppia. A va a pag. 149 e B a pag. 154.

5 *Leggete le battute a destra e in coppia completate le frasi sotto.*
Poi confrontatevi con le altre coppie e votate la frase più originale!

a. Se domani nevica...
b. Se vinco 100.000 euro...
c. Se organizziamo un viaggio in Italia...
d. Se prendi la macchina...
e. Se...

> Se troviamo un albergo economico, io ci sto!

> ...Se ci fermiamo più di due giorni, possiamo visitare i monumenti.

es. 2
p. 179

6 *Osservate le battute a destra.*
Poi completate la tabella
con la, vi, lo, ti.

> ...Anna, calmati!

> ...scusatemi, ragazzi!

L'imperativo con i pronomi (diretti, riflessivi)

Se non hai ancora mandato la mail, **manda**_____ adesso, per favore!

Hai chiamato tuo padre? **Chiama**_____ subito, è urgente!

Stasera andate alla festa di Stefania? Bene, **divertite**_____!

Sono le 9 e sei ancora a letto?! Dai, **alza**_____, per favore!

> Andiamoci tutti!

7 *Completate le frasi con l'imperativo di* accendere, ricordarsi, mangiare, andare, svegliarsi, fare
e i pronomi adatti o ci, *come nell'esempio in* blu.

La tv è spenta?
Mamma, _____,
per favore: c'è la partita!

Se vai al supermercato,
_____ di
prendere il latte!

Ragazzi, perché avete
lasciato la pasta?
Mangiatela, tutta!

Non siete mai stati a
Firenze? _____,
è bellissima!

Ragazze, sapete che ore
sono?! _____,
siete in ritardo.

Non andate alla stazione
per fare i biglietti:
_____ on line!

es. 3-5
p. 179

Gianni: Bruno, non preoccuparti... non è la prima volta che prenoto una camera!

Bruno: Appunto, ricordo l'ultima volta che l'hai fatto! Allora, hai trovato qualche offerta?

Gianni: Un attimo... sì, guarda questo: 70 euro compresa la colazione!

Bruno: Hmm, carino... è tre stelle, no? Fallo vedere a Carla, se puoi.

Gianni: Ok, più tardi mando il link... Caspita, sono rimaste solo tre camere, due singole e una matrimoniale!

Bruno: Allora, dobbiamo sbrigarci... però non prenotare ancora... Oh, ciao amore! ...A Siena? Ok... senti, Gianni ha trovato un bell'albergo. ...Sì, sì, ciao, a dopo! Carla parte venerdì in treno... va da sua sorella.

Gianni: Ah... però poi ci raggiunge, vero? No... è per sapere quante camere prenotare!

Anna: Hai già fatto il biglietto del treno? Se no, lo facciamo adesso.

Carla: Ah, brava... vorrei essere a Siena intorno alle 7 di sera.

Anna: Vediamo... ecco, puoi prendere il Frecciarossa alle 4... e arriva a Firenze alle 5 e mezza... alle 6 prendi il Regionale e alle 7:30 sei a Siena.

Carla: Hmm, non c'è un treno che parte prima da Firenze?

Anna: Sì, alle 5:45, ma non conviene, bisogna cambiare a Empoli. Altrimenti c'è il pullman.

Carla: No, il pullman mi stanca. Senti, quanto costa la prima soluzione?

Anna: Dunque, il Freccia 45 euro e il Regionale... altri 10. Ah... Bruno, cioè Gianni, chiede se sabato vieni anche tu in albergo con noi.

Carla: Eh, sì... ma non lo dire... di' che non lo so ancora!

B) Non c'è un treno che parte prima?

1 Guardate le immagini: cosa fanno Bruno e Gianni? E Anna e Carla?

2 Ascoltate il dialogo o guardate il video e rispondete alle domande.

a. Com'è l'albergo che ha trovato Gianni?
b. Che tipo di camere sono rimaste?
c. Dove deve andare Carla venerdì?
d. Alla fine Carla viaggia in treno o in pullman? Perché?

3 Leggete il dialogo e usate queste parole per raccontare cosa fanno i ragazzi: *colazione, stelle, camere, sorella, Siena, Frecciarossa, Regionale.*

> ...fallo vedere a Carla!
> (fa' + lo)
> a pag. 246

4 Quali espressioni usano Gianni e Carla per...

_____
(...tranquillizzare Bruno)

_____
(...esprimere sorpresa)

_____
(...esprimere un desiderio)

5 Usate una delle espressioni evidenziate in blu nel dialogo o di quelle dell'attività 4 e costruite una o, se necessario, due frasi.

6 Osservate le frasi a destra. Poi mettete i pronomi al posto giusto. Attenzione: in due frasi il pronome va sia prima che dopo il verbo!

> ...non preoccuparti.   ...non lo dire...

a. • Allora, faccio i biglietti? • No, non ____ far____ ancora!   li
b. • Ti sveglio presto domani, ok? • No, non ____ svegliare____, sono stanco!   mi
c. • Ma veramente si separano? • Sì, ma non ____ dire____ a nessuno!   lo
d. • Perché sono così in ritardo? • C'è molto traffico, non ____ preoccupate____!   vi
e. • A febbraio andiamo a Londra. • Non ____ andate____ a febbraio, fa freddo!   ci

es. 6-10
p. 180

C) Un biglietto, per favore!

1 Riascoltate la seconda parte del dialogo di pag. 49 e indicate sulla mappa il percorso di Carla. In blu la città di partenza.

2 Ascoltate. Secondo voi, dove si svolge ogni dialogo?

In aeroporto	☐
Allo sportello informazioni	☐
Alla biglietteria	☐
Sul treno	☐
Sulla nave	1

3 Indicate con una ✗ le parole che avete sentito.

☐ binario

☐ tabellone

☐ convalidare

☐ deposito bagagli

☐ biglietto

☐ porto

4 a Ascoltate di nuovo due dei dialoghi e scrivete le risposte a queste domande.

Quando è il prossimo treno per Perugia?	
Andata e ritorno?	
Quanto ci mette?	
Sa da che binario parte?	No, deve controllare il _____.
A che ora arriviamo a Siena?	
È la prossima (fermata)?	

b Lavorate in coppia. A va a pag. 149 e B a pag. 155.

Quanto ci mette?
pag. 241

es. 11-13
p. 182

D) Buon viaggio!

1 Fate il test per scoprire che tipo di viaggiatori siete: contate le risposte colorate e leggete il vostro profilo.

1. Che cosa non deve mai mancare nella tua valigia?
   a. Un sacco a pelo per poter guardare le stelle
   b. Basta uno zaino: sono un viaggiatore, non un turista!
   c. Una cartina per organizzare i miei spostamenti
   d. Una copia di *Via del Corso*

2. Qual è la tua meta preferita?
   a. Roma, un viaggio nella storia
   b. Venezia, la città più romantica al mondo
   c. Milano nel periodo dei saldi
   d. Quella scritta sul biglietto

3. Sei all'estero, è quasi ora di cena, cosa fai?
   a. Entro nel primo locale che trovo e ordino un piatto tipico
   b. Chiedo consigli sul posto migliore della zona
   c. Ho già una lista dettagliata di ristoranti
   d. Ovvio: mangio

4. Il tuo treno/aereo/pullman è in partenza, qual è l'ultima cosa che fai?
   a. Guardo gli altri viaggiatori per capire con chi posso chiacchierare durante il viaggio
   b. Guardo di nuovo la guida e immagino di essere già arrivato
   c. Controllo se ho il biglietto di ritorno
   d. Mi siedo

5. Il tuo viaggio ideale è insieme...
   a. a persone che amano l'avventura
   b. al gruppo di amici di sempre
   c. al mio partner
   d. a persone che parlano poco

6. Cosa fai prima di un viaggio?
   a. Non programmo niente: decido tutto sul posto
   b. Organizzo ogni dettaglio per sfruttare tutto quello che il posto offre
   c. Niente, perché faccio quasi sempre lo stesso tipo di vacanza
   d. Il biglietto

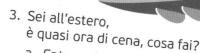

Più risposte blu: avventuroso
Sei curioso e cerchi l'avventura. Hai una passione per la scoperta e ti spaventa una sola cosa: il ritorno.

Più risposte rosse: sognatore
Sogni il tuo viaggio prima ancora di partire e poi lo realizzi. Per te un viaggio è un mondo tra fantasia e realtà.

Più risposte verdi: organizzato
Sei molto preciso. Ti piace organizzare tutto con appunti e cartine per non perderti niente di quello che ogni posto offre.

Più risposte nere: zen/tranquillo
Forse i viaggi non sono la tua passione, ma non ti crei troppi problemi: viaggi e basta! ☺

2 Partecipate a un concorso di scrittura con questo tema: "Un vostro amico straniero arriva a Roma e vuole visitare altre città italiane. Date qualche consiglio su quali città visitare e su come raggiungerle".

60-80

3 Chiudete i libri, riflettete un po' e scrivete 3 cose (informazioni, parole ecc.) nuove che avete imparato in questa unità, 2 cose interessanti e 1 domanda per l'insegnante. Poi confrontatevi con i compagni: avete scritto cose simili?

es. 14-15
p. 183

 Test

Italia&italiani

Treni, stazioni e curiosità

es. 1-2
p. 184

La ferrovia italiana ha quasi 200 anni: il primo treno italiano è partito da Napoli nel 1839 (a 50 km/h)! Ovviamente, molte cose sono cambiate da allora.

Le Frecce: velocità e comodità

I Treni ad Alta Velocità collegano le principali città in poche ore (viaggiano oltre i 300 km/h!).

I prezzi variano in base anche ai servizi offerti. Ma con la CartaFreccia potete avere sconti interessanti.

Un consiglio? Se fate i biglietti in anticipo, trovate prezzi più bassi! E se viaggiate in 1ª classe, vi offrono un aperitivo di benvenuto o, al mattino, la colazione e il giornale.

Volete risparmiare?

Per le brevi distanze ci sono i **Regionali** e gli **Intercity**. Non hanno la velocità e tutte le comodità delle Frecce e, a volte, non sono molto frequenti, però hanno prezzi più bassi!

Dove fare il biglietto?

In stazione (in biglietteria o alle macchinette automatiche) oppure online!

Se fate il biglietto elettronico (su www.trenitalia.it), non dovete convalidarlo: basta comunicare al controllore il codice ricevuto per email o sul cellulare.

Stazione AV Mediopadana, Reggio Emilia

Curiosità

Questa stazione, della linea ad alta velocità Milano-Bologna, è un'enorme e moderna opera d'arte, progettata dall'architetto spagnolo Santiago Calatrava!

I pendolari

I lavoratori e gli studenti che ogni mattina raggiungono, di solito in treno, il posto di lavoro o l'università e che la sera tornano nella loro città si chiamano **pendolari**.

Nel vostro Paese esiste un fenomeno simile?

Sapete che...?

Milano Centrale è tra le stazioni più belle del mondo!

Progettata negli anni '30 del secolo scorso, oggi è un vero e proprio centro commerciale, con librerie, ristoranti e negozi di marchi famosi!

COMUNICAZIONE

Chiedere e dare informazioni per viaggiare in treno

• Vorrei essere a Siena intorno alle 7 di sera.	• Puoi prendere il Frecciarossa alle 4... arriva a Firenze alle 5 e mezza... alle 6 prendi il Regionale e alle 7:30 sei a Siena.
• Non c'è un treno che parte prima da Firenze?	• Sì, alle 5:45, ma non conviene, bisogna cambiare a Empoli.
• Quanto costa la prima soluzione?	• Dunque, il Freccia 45 euro e il Regionale... altri 10.
• Quando è il prossimo treno per Perugia?	• Alle 13:15 c'è un Regionale veloce.
• Bene, un biglietto, per favore.	• Andata e ritorno?
• No, solo andata. Quant'è?	• 15 euro e 50.
• Quanto ci mette?	• 2 ore e 55 minuti.
• Non devo cambiare, vero?	• No, è diretto.
• Ah, sa da che binario parte?	• Eh... no, deve controllare il tabellone delle partenze.
• A che ora arriviamo a Siena?	• Fra quindici minuti.
• È la prossima fermata?	• No, la prossima fermata è Poggibonsi, Siena è quella dopo.

GRAMMATICA

Periodo ipotetico della realtà (1° tipo)

Se + indicativo presente + indicativo presente	Se troviamo un albergo economico, io ci sto! Se ci fermiamo più di due giorni, possiamo visitare i monumenti.

L'imperativo affermativo con i pronomi (diretti, riflessivi) e **ci**

Se non hai ancora mandato la mail, mandala adesso, per favore!

Hai chiamato tuo padre? Chiamalo subito, è urgente!

Stasera andate alla festa di Stefania? Bene, divertitevi!

Sono le 9 e sei ancora a letto?! Dai, alzati, per favore!

Andiamoci tutti!

L'imperativo negativo con i pronomi (diretti, riflessivi) e **ci**

Non ti preoccupare!		Non preoccuparti!
Non lo dire ancora!	=	Non dirlo ancora!
Non vi preoccupate!		Non preoccupatevi!
Non ci andate a febbraio!		Non andateci a febbraio!

In questa unità impariamo a:

- parlare di alcuni servizi che offre un albergo
- prenotare una camera d'albergo
- chiedere e dare indicazioni stradali
- descrivere abitudini del passato
- fare una descrizione al passato
- raccontare al passato
- parlare delle caratteristiche di alcuni tipi di alloggio

A Firenze

Unità 5

Pronti?

1 *Abbinate le parole alle immagini.*

a. animali ammessi • b. piscina • c. camere confortevoli
d. posizione centrale • e. parcheggio • f. connessione internet
g. vista sul mare • h. colazione • i. centro benessere

1

2

3

4 i

5

6

7

8

9

2 *Discutete prima in coppia e poi tutti insieme: secondo voi, quali sono i servizi più importanti che offre un albergo?*

3 *Guardate le vignette a pag. 56. Secondo voi, cosa succede? Poi fate l'attività A1.*

A) Due singole e una matrimoniale

1 Ascoltate il dialogo o guardate l'animazione: verificate le vostre ipotesi e indicate le affermazioni corrette.

1. Gianni si perde perché
   a. non conosce affatto Firenze
   b. non conosce Firenze tanto bene
   c. va troppo veloce con la macchina

2. Quando ha fatto la prenotazione Gianni ha sbagliato
   a. il mese
   b. i giorni
   c. l'albergo

3. La receptionist propone ai ragazzi di
   a. tornare il giorno dopo
   b. aspettare 15 minuti
   c. andare in un altro albergo

2 a Leggete il dialogo e scrivete cosa dicono i ragazzi nelle situazioni date, come nell'esempio in blu.

a. Bruno è ironico con Gianni.
b. Gianni racconta abitudini del passato.
c. Gianni e Anna esprimono sorpresa. *Come dicembre?! /*
d. Gianni sottovaluta il problema.

b Confrontatevi tutti insieme: avete scritto le stesse frasi?

es. 1-2
p. 185

3 Lavorate in coppia. Con una delle espressioni evidenziate in blu nel dialogo create una frase e ditela a un compagno: lui deve improvvisare una risposta.

4 Gianni e Bruno usano queste forme verbali: è l'imperfetto, un nuovo tempo passato. Scrivete l'infinito.

abitava _____   sapevo _____
venivo _____   era, erano _____

5 Quando usiamo l'imperfetto? Completate le frasi con i verbi dati. Poi abbinate le frasi alle funzioni.

a. Quando Elena era piccola, _____ in vacanza dai nonni.   venivamo
b. Io da giovane _____ i capelli lunghi e ricci.   andava
c. Io e mia sorella _____ spesso in questo bar.   avevo
d. La mia vecchia casa _____ molto piccola, ma molto accogliente!   era

⬜⬜ fare una descrizione   ⬜⬜ parlare di un'abitudine

6 Completate la tabella. Poi controllate le vostre risposte a pag. 64.

L'imperfetto indicativo

	abitare	sapere	venire	essere
io	abitavo	sapevo	venivo	ero
tu	_____	sapevi	_____	eri
lui, lei, Lei	abitava	_____	veniva	era
noi	abitavamo	sapevamo	_____	eravamo
voi	_____	sapevate	venivate	eravate
loro	abitavano	_____	venivano	erano

Altri verbi irregolari a pag. 239.

es. 3-5
p. 185

B) Ci sono camere libere?

1 Ascoltate la telefonata e rispondete alle domande.

a. Che tipo di camera vuole prenotare la signora? Per quando?
b. Perché fa la prenotazione per telefono?
c. Quanto costa la camera? Cosa è compreso nel prezzo?
d. Cos'altro vuole sapere la cliente?

2 Formate due gruppi. Ascoltate di nuovo: il gruppo A completa le domande della cliente e il gruppo B le risposte del receptionist.

A. cliente

- _____ se c'è una camera singola per il 22 e il 23 novembre.
- Posso prenotare _____ telefono?
- Quanto _____ la camera?
- E la colazione è _____ nel prezzo?
- _____ è vicino al Duomo?
- C'è una camera con _____?
- _____ il parcheggio?
- A che ora posso _____ il check-in?

B. receptionist

- Due notti... una _____... sì, signora.
- Non c'è problema... _____ del numero della sua carta. Poi può pagare _____.
- 80 euro _____.
- Esatto, colazione _____ buffet.
- _____: neanche cinque minuti a piedi.
- Sì, la 211 _____ proprio sul Duomo.
- No, il _____ purtroppo no.
- _____ le 2.

 3 Scambio di battute! Ogni studente del gruppo A lavora in coppia con uno studente del gruppo B:

❯ studiate per 30 secondi il "vostro" ruolo e poi chiudete i libri;
❯ il/la cliente fa una domanda al/alla receptionist, che deve rispondere;
❯ usate tutte le vostre battute;
❯ alla fine aprite i libri e completate anche le battute dell'altro ruolo.

es. 6
p. 186

a

b

c

d 1

e

f

C) Hanno fatto confusione...

 1) Ascoltate alcune battute del dialogo. Quale di queste ipotesi vi sembra più probabile?

☐ I ragazzi si perdono   ☐ Incontrano Carla

☐ Incontrano un amico   ☐ altro?

 2) Lavorate in coppia. Mettete in ordine le foto a pag. 59.

3) Ascoltate tutto il dialogo o guardate il video per controllare le vostre risposte.
Poi fate l'abbinamento sotto. Attenzione: a destra ci sono due frasi in più!

1. Anna dà a Carla...

2. I ragazzi chiedono...

3. Gianni dice che la colpa...

4. Carla, però, sa che a sbagliare...

5. Alla fine scoprono che...

a. è stato Gianni.

b. è dell'albergo.

c. Ferrara è a Firenze!

d. indicazioni stradali a un passante.

e. Anna mandava messaggi a Carla.

f. in che via si trova l'albergo.

g. appuntamento al Duomo.

es. 7
p. 187

4) Riascoltate la risposta del passante e completate la tabella.

Chiedere e dare indicazioni stradali

• Scusi, lei sa dov'è Via del Corso?

• _____ dritto, alla prima _____ girate a _____, poi a _____ e poi di nuovo a _____ in Via de' Cerretani. _____ per circa 500 metri _____ Duomo.

5) Quale percorso ha suggerito il passante, quello blu o quello rosso?

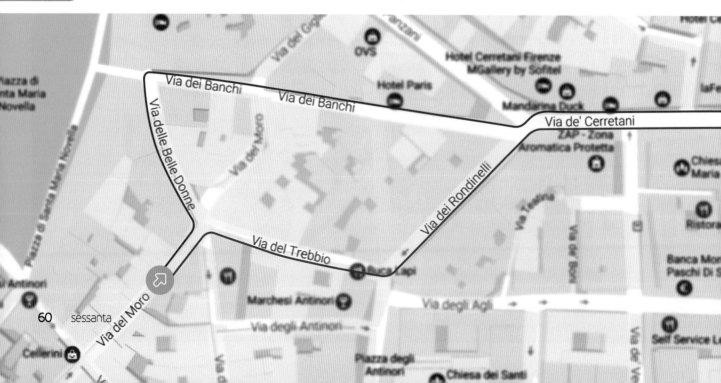

6 *Lavorate in coppia. A rimane su questa pagina, B va a pag. 155.*

A: sei a Firenze con i tuoi amici, davanti al Duomo.

Chiedi indicazioni a B per arrivare in Via del Corso, 2: segna sulla cartina il percorso.

Alla fine confronta la tua cartina con quella di B: se hai segnato il percorso giusto, avete vinto tutti e due!

es. 8 p. 187

D) Mentre facevamo il check-in...

1 *In coppia riflettete su queste frasi e fate l'abbinamento. Poi confrontatevi con le altre coppie.*

1 E qui abitava un mio amico...

2 ...hanno fatto confusione con le date...

3 *c* ...mentre facevamo il check-in, la receptionist ha scoperto che...

4 ...ecco a chi scrivevi mentre camminavamo...

a. azione conclusa

b. azione dalla durata non precisata

c. azione che interrompe un'altra azione

d. azioni contemporanee

2 *Rileggete l'attività A5 (pag. 57). Poi completate i commenti di quattro clienti su un albergo. Usate 6 volte l'imperfetto e 3 volte il passato prossimo.*

⊕ Mentre noi _____ (1. rilassarsi) alla SPA, il personale _____ (2. organizzare) attività per i nostri figli.

⊖ Il buffet non _____ (3. offrire) una grande varietà di piatti.

⊕ Albergo molto accogliente, _____ (4. io - alloggiare) qui già tre volte.

⊖ Parcheggio piccolo: l'ultima volta non _____ (5. noi - trovare) posto.

⊖ Una volta mentre _____ (6. io - fare) la doccia, _____ (7. entrare) la cameriera in bagno!

⊕ La camera _____ (8. avere) una vista stupenda!

⊖ Nel bagno non _____ (9. esserci) sempre acqua calda!

3 Siete appena tornati da una vacanza e una mail del sito TripAdvisor vi invita a scrivere una recensione dell'albergo. Descrivete l'albergo, i servizi offerti e il personale.

30-60

es. 9-11
p. 187

E) Com'è andata...?

1 **a** Secondo voi, quali sono i vantaggi e gli svantaggi di questi tipi di alloggio?

b Ascoltate i dialoghi e indicate le caratteristiche degli alloggi, come nell'esempio in blu.

	agriturismo	appartamento	B&B	convento
economico				
internet			✔	
colazione				
freddo				
tranquillo				
pulito				
centrale				

2 Leggete il testo e sottolineate le preposizioni giuste.

Prendiamo gli alberghi. Per/Tra (1) molti italiani, il nome stesso – "hotel" – porta con sé un profumo di libertà. L'idea da/di (2) non dover lavare, pulire e cucinare provoca la "sindrome del maharajah", una patologia ancora poco studiata. Sintomi: l'ospite non spegne le luci quando esce dalla/alla (3) camera; dorme con due cuscini (per la prima volta nella sua vita); si butta sul/al (4) letto col telecomando in mano e le scarpe nei/ai (5) piedi. Infine, dopo la doccia usa tutti gli asciugamani e li abbandona poi sul pavimento del/di (6) bagno, tanto c'è sempre qualcuno che li sostituisce. [...]

Per capire lo strano rapporto che ci lega con/agli (7) alberghi che visitiamo basta aspettare il momento della partenza. Al termine delle/di (8) vacanze, una famiglia tedesca lascia un albergo con un grazie, un cenno della testa (e un piccolo controllo al/sul (9) conto).

Una famiglia italiana, dopo un soggiorno fra/di (10) un mese, va via lasciando dietro di sé tante promesse, piogge di arrivederci, indirizzi e qualche lacrima. I camerieri salutano i bambini; i bambini non vogliono staccarsi con i/dai (11) camerieri. Tutti sono pieni di consigli su come caricare l'automobile; ognuno suggerisce un itinerario del/per il (12) ritorno. Ma cosa ci volete fare? L'estate è emotiva, relativa, esagerata. In una parola: italiana.

adattato da Beppe Severgnini, *Manuale dell'imperfetto viaggiatore*

3 Il testo precedente presenta alcuni comportamenti degli italiani. Presentate anche voi alcuni comportamenti particolari dei vostri connazionali.

60-80

es. 12-1
p. 18

Italia&italiani

Alberghi italiani e curiosità

es. 1-2
p. 190

La Passeggiata dei Monaci

Castello di San Marco, Taormina

Vacanze in... convento?

Desiderate silenzio, pace e tranquillità... lontano da telefoni, traffico e stress? Scegliete la regione e prenotate in un convento!

Un consiglio? Se non amate però una vita troppo semplice e spirituale, meglio prenotare in un ex convento, per esempio sulla Costiera Amalfitana!

Dormire in un castello

Vivere un sogno al prezzo di un hotel a 4 stelle... In Italia è possibile! Cercate online e prenotate una stanza in un castello: da Nord a Sud... dove preferite.

Grand Hotel Convento, Costiera Amalfitana

Lusso a tante stelle

Se amate il lusso e l'arte e (soprattutto) potete pagare una camera più di mille euro a notte, allora andate a Venezia all'Aman Canal Grande!

Questo albergo si trova nello storico Palazzo Papadopoli del XVI secolo. Oltre ad una splendida vista sul Canal Grande, nelle 24 stanze trovate gli affreschi del Tiepolo!

L'agriturismo: relax in mezzo alla natura

Un diverso tipo di turismo, diffuso in Italia da più di trent'anni:

- cibi sani, prodotti direttamente dall'agriturismo,
- attività sportive all'aria aperta,
- relax, lontano dalla confusione della città,
- prezzi convenienti.

In campagna o in montagna... cercate su www.agriturismoitalia.gov.it tra più di 20.000 possibilità!

Curiosità

Un'esperienza naturale e unica: le Grotte della Civita

Se decidete di visitare i famosi Sassi di Matera in Basilicata, prenotate una stanza nelle 18 grotte del Sextantio, nella parte più antica dei Sassi.

Tranquilli, se volete uscire all'aria aperta, di fronte avete il Parco naturale della Murgia.

COMUNICAZIONE

Prenotare una camera d'albergo

• Vorrei sapere se c'è una camera singola per il 22 e il 23 novembre.	• Sì, un attimo che controllo... 22 e 23... due notti... una camera singola... sì, signora.
• Quanto viene la camera?	• 80 euro a notte.
• La colazione è compresa nel prezzo?	• Sì, colazione a buffet.
• È vicino al Duomo?	• Sì, molto vicino: neanche cinque minuti a piedi.
• C'è una camera con vista?	• Sì, la 211 dà proprio sul Duomo.
• C'è il parcheggio?	• No, ma ci sono molti parcheggi privati in zona.
• A che ora posso fare il check-in?	• Dopo le 2.

Chiedere indicazioni stradali / Dare indicazioni stradali

Chiedere indicazioni stradali	Dare indicazioni stradali
• Scusi, lei sa dov'è Via del Corso?	• Allora, andate dritto, alla prima traversa girate a destra, poi a sinistra e poi di nuovo a destra in Via de' Cerretani. Andate avanti per circa 500 metri fino al Duomo e poi...

GRAMMATICA

L'imperfetto indicativo

	abitare	sapere	venire	essere
io	abitavo	sapevo	venivo	ero
tu	abitavi	sapevi	venivi	eri
lui, lei, Lei	abitava	sapeva	veniva	era
noi	abitavamo	sapevamo	venivamo	eravamo
voi	abitavate	sapevate	venivate	eravate
loro	abitavano	sapevano	venivano	erano

Usi dell'imperfetto

abitudine nel passato	Quando Elena era piccola, andava in vacanza dai nonni. Io e mia sorella venivamo spesso in questo bar.
azione passata dalla durata non precisata	Qui abitava un mio amico.
descrizione di una persona, un luogo al passato	Io da giovane avevo i capelli lunghi e ricci. La mia vecchia casa era molto piccola, ma molto accogliente!
contemporaneità nel passato	Mentre noi ci rilassavamo alla SPA, il personale organizzava attività per i nostri figli.

Usi del passato prossimo

azione passata conclusa	Hanno fatto confusione con le date.
azione nel passato che interrompe un'altra azione (all'imperfetto)	Mentre facevamo il check-in, la receptionist ha scoperto che le camere non erano disponibili.

In questa unità impariamo a:

▷ parlare di musica
▷ parlare degli stati d'animo
▷ esprimere preferenza
▷ esprimere un'azione in corso di svolgimento

Andiamo al concerto?

Pronti?

1 Scrivete le parole che vi vengono in mente se pensate alla parola musica.

musica

2 Confrontatevi con i compagni e preparate la... "top 5" delle parole più usate.

3 Ascoltate il dialogo: che genere di musica ascoltano i protagonisti?

Pop ○

Hip hop ○

Rock ○

Classica ○

Heavy metal ○

Jazz ○

A) I V3 a Firenze!

1 Leggete il dialogo e indicate se le affermazioni sono vere o false.

V   F

a. Gianni è impaziente di vedere Carla.
b. Gli U2 si esibiscono a Firenze.
c. Gianni è un grande fan dei V3.
d. Anna non conosceva le preferenze musicali di Gianni.
e. I V3 piacciono molto ad Anna e a Carla.
f. Carla non ha molta voglia di andare al concerto.
g. Il cantante dei V3 è un amico di Anna.
h. Alla fine Gianni non vuole più andare al concerto.

2 Inserite le battute al posto giusto. Poi riascoltate il dialogo o guardate l'animazione per controllare le vostre risposte.

a CHE C'È... MI PRENDI IN GIRO, EH?   **b** ...CERTO CHE SONO NERVOSA!   **c** SE È COSÌ, ANDIAMOCI!

d MA TU, SCUSA, CHE MUSICA ASCOLTI?   **e** È ENTUSIASTA!

3 Usate le parole in blu del dialogo per completare le frasi.

_____
sai suonare la chitarra e la batteria?

_____:
non ci sono più posti per Milano... che facciamo?

_____,
forse è meglio andarci in treno, non in macchina.

_____,
che bel dipinto! Chi è il pittore?

es. 1-2
p. 191

B) Come ti senti?

1 **a** Ascoltate e abbinate a ogni mini dialogo la faccina giusta.

b Riascoltate e scrivete l'aggettivo che corrisponde a ogni faccina. Poi confrontatevi con i compagni. Attenzione: a una faccina corrispondono più aggettivi!

2 Ora fate l'abbinamento, come nell'esempio in blu.

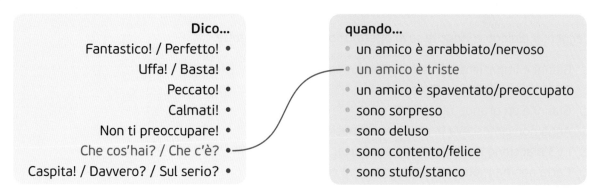

Dico...
Fantastico! / Perfetto! •
Uffa! / Basta! •
Peccato! •
Calmati! •
Non ti preoccupare! •
Che cos'hai? / Che c'è? •
Caspita! / Davvero? / Sul serio? •

quando...
• un amico è arrabbiato/nervoso
• un amico è triste
• un amico è spaventato/preoccupato
• sono sorpreso
• sono deluso
• sono contento/felice
• sono stufo/stanco

AB 3 Lavorate a coppie. Lo studente A va a pag. 150 e lo studente B a pag. 156.

es. 3-4
p. 191

C) Non li ho mai sentiti!

1 Rileggete le battute di Gianni e di Anna e scrivete a chi si riferiscono i pronomi, come nell'esempio in blu.

Comunque, non li ho mai sentiti!

...forse li ho visti su YouTube.

...l'ha invitata il cantante.

Sì, l'ha conosciuto a Roma.

_____ i V3 _____   _____   _____   _____

2 Osservate le lettere in blu nelle frasi viste sopra. Poi completate la tabella.

I pronomi diretti con il passato prossimo

• Hai ascoltato il CD?
• Hai visto Anna per caso?
• Chi ha portato i dolci?
• Hai inviato tutte le foto?

• No, non l'ho ancora ascoltat___.
• Certo, l'ho vist___ stamattina.
• Li ha portat___ Stefano.
• Sì, le ho già inviat___ tutte.

3 Guardate le immagini e rispondete alle domande usando i pronomi diretti.

1. Chi ha preso i miei auricolari?

2. A chi hai prestato la tua chitarra?

3. Dove hai conosciuto Davide?

4. Dove hai incontrato Paolo e Maria?

5. Dove hai messo le chiavi?!

es. 5-6
p. 192

1. Ilaria   2. mia cugina   3. ieri al concerto

4. al bar

5. sul tavolino

Anna: Hmm, io questo... ne vado matta!

Carla: Anch'io! Ma preferisco questo qui... mi fa impazzire!

Bruno: Ah, c'è anche... oh, questo è il mio preferito! Però mi sa che prendo anche quello!

Carla: Anna, come stai?

Anna: Dopo il gelato, meglio! Ti riferisci a Ferrara? Veramente, ci penso continuamente... forse è in zona anche lui.

Bruno: Senti, perché non chiami Alice? Così chiariamo questa storia una volta per tutte!

Anna: Hai ragione, è la cosa migliore da fare... È occupato.

Carla: Secondo me, è con lui... proprio qui a Firenze.

Anna: Pronto? Oh, ciao Alice, come stai? Bene, bene. Senti... sono a Firenze con Bruno e gli altri e ho visto che c'è un convegno... Ah... davvero?! ...Hmm. ...Giovedì. Tu, tutto bene? Ok, ci sentiamo!

Carla: Che cosa ha detto? Ah, ecco Gianni. Allora?

Gianni: Mi dispiace, ragazzi, niente biglietti: sono andati a ruba!

Carla: Mannaggia! Aspetta, chiamo Luigi... il bassista del gruppo.

Gianni: Mi stai prendendo in giro, eh? Comunque, conosco un locale dove fanno musica dal vivo e si può anche ballare.

Carla: Ah, meno male... quindi stasera ti vediamo ballare?

Bruno: Scusa, Anna, Alice che ha detto?

Anna: Alice dice che suo marito è a Firenze, perché è un esperto di arte rinascimentale e... la volete sapere tutta? Ci ha pure visti!

Bruno: Ci mancava solo questa! Forse ora crede che l'abbiamo seguito fino a qui!

D) Che cosa ha detto?

1 Ascoltate la prima parte del dialogo o guardate i primi 48 secondi del video. Secondo voi, di che cosa parlano i tre ragazzi?

2 Ascoltate e rispondete alle domande.

a. Cosa prendono i ragazzi?
b. A chi telefona Anna e perché?
c. Che cosa dice Gianni quando torna?
d. Gianni cosa propone di fare la sera?

3 a Secondo voi, che cosa dice Alice ad Anna al telefono?

b Ascoltate la fine del dialogo o guardate tutto il video per verificare le vostre ipotesi. Poi, in due, preparatevi e recitate la telefonata tra Anna e Alice.

Esprimere preferenza

_____
_____
_____

Mi piace un sacco...
Sono una grande fan di...

4 Leggete il dialogo e completate la tabella a destra. Poi usate queste espressioni per parlare del vostro cantante preferito.

5 Completate le frasi con le parole date. Poi abbinate le frasi alle immagini. Attenzione: ci sono due immagini in meno!

tutta ◆ vivo ◆ occupato ◆ volta ◆ esperto ◆ ruba

1. Il suo album è andato a _____, è primo in classifica.
2. È da un'ora che chiamo Lidia, ma è sempre _____.
3. Prende lo stipendio più alto e... la volete sapere _____? Non sa una parola d'inglese!
4. Abbiamo appuntamento al parco per chiarire questa situazione una _____ per tutte.
5. Ho un amico su Facebook che è un _____ di arte contemporanea.
6. I V3 sono proprio bravi, li ho visti dal _____ a maggio.

es. 7
p. 192

a

b

c

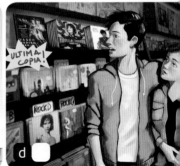

d

E) Che cosa stanno facendo?

1 Osservate cosa dice Gianni. Secondo voi, parla di una cosa che succede in questo momento o che è successa nel passato?

Mi stai prendendo in giro, eh?

2 **Due verità e una bugia.** Giocate in coppia. Osservate l'immagine: ognuno di voi descrive tre azioni, due presenti e una inventata, come nell'esempio a destra. Il compagno deve dire qual è la bugia. Poi i ruoli cambiano. Usate i *gerundi* dati.

Una donna sta bevendo il caffè.

correndo ◆ ascoltando ◆ suonando ◆ giocando ◆ camminando
bevendo ◆ dormendo ◆ leggendo ◆ ridendo

3 Adesso completate la tabella.

Stare + gerundio

parlare ➜ sto _____   prendere ➜ sto _____   partire ➜ sto partendo
Attenzione: fare ➜ sto facendo

4 Descrivete quello sta succedendo fuori dalla finestra della classe o della vostra camera.

es. 8-9
p. 193

F) Volevo fare la cantante

 1 Ascoltate più volte un breve pezzo di un'intervista a una famosa cantante italiana e indicate le affermazioni presenti.

Stadio San Siro, Milano

a. Ha cominciato a cantare molto giovane.

b. Da piccola suonava il pianoforte.

c. Cantare in un piano bar non fa guadagnare molto.

d. All'inizio voleva studiare architettura.

 2 Ascoltate la seconda parte dell'intervista e completate il testo con le parole in blu.

    a. concerto   b. fischiare   c. palco   d. piovendo   e. risposta   f. pazienza   g. gente

Durante un suo _____(1) allo stadio San Siro stava _____(2) molto. Lei prima del concerto aveva paura di salire sul _____(3) perché c'era tanta _____(4). Per lei la pioggia era come una _____(5) della nonna che "piangeva di felicità". Quando era piccola, sua nonna diceva che le femmine non devono _____(6), ma lei rispondeva "nonna, _____(7), io sono fatta così!".

3 Fate brevi interviste in classe per trovare due compagni con una caratteristica comune: genere musicale, canzoni o cantanti – italiani e internazionali – preferiti ecc. Poi tutti insieme discutete del genere e dell'artista più popolari nella vostra classe.

4 Fate l'abbinamento come nell'esempio.

a. suonare

b. ascoltare

c. cantare

d. chitarra

e. microfono

f. pianoforte

g. cuffie

h. cassa

es. 10-14
p. 194

 5 *Chi è?* Ognuno di voi pensa a un cantante famoso. I compagni possono fare massimo 10 domande per capire chi è: nazionalità (ad es. "è americano o italiano?"), età, caratteristiche fisiche, canzoni ecc. Poi il turno passa a un altro studente.

 6 Il vostro cantante preferito visita la vostra città e avete la possibilità di intervistarlo per un blog. Scrivete le domande e le risposte.

Tes

Italia&italiani

Gli eventi musicali italiani

p. 196

Voglia di musica? L'Italia ha una lunga tradizione musicale e sono tanti gli eventi organizzati ogni anno, conosciuti anche all'estero. Classica, leggera, jazz... E voi quale preferite?

Marzo ▸ Festival di Sanremo

È il festival più importante per la musica leggera italiana. Ha lanciato i più famosi cantanti italiani, alcuni diventati popolari in tutto il mondo, come Laura Pausini, Eros Ramazzotti, Nek, e prima ancora Albano, Adriano Celentano, Mina...

Dal 1951 si svolge ogni anno per 5 giorni, a febbraio o marzo, a Sanremo, la bellissima città dei fiori della costa ligure. E per le famiglie italiane è quasi una tradizione seguirlo in TV.

◆ Seguire il Festival dal vivo, al Teatro Ariston, è un'esperienza unica!

Maggio ▸ Maggio Musicale Fiorentino

Il **Maggio Musicale Fiorentino** è un prestigioso festival artistico, organizzato ogni anno a Firenze fin dal 1933. Da fine aprile a inizio luglio, al Teatro dell'Opera potete assistere a concerti, balletti e alle opere dei maggiori compositori italiani di musica lirica: Donizetti, Bellini, Mascagni, Puccini e Verdi.

Luglio ▸ Umbria Jazz

Nato nel 1973, l'**Umbria Jazz** è il più importante festival italiano di musica jazz.

Ogni anno a luglio, per 10 giorni, migliaia di persone affollano le piazze di Perugia e musica e spettacoli riempiono e colorano il centro storico... Da non perdere!

Dicembre

Se invece preferite l'inverno o magari volete trascorrere un Capodanno diverso, andate all'**Umbria Jazz Winter**: ad Orvieto dal 28 dicembre al 1° gennaio.

Sapete che...?

Alcuni artisti pop sono diventati famosi grazie a importanti talent show!

Marco Mengoni

Alessandra Amoroso

Giusy Ferreri

EDILINGUA

COMUNICAZIONE

Parlare di musica

I V3 si esibiscono a Firenze oggi!
Ma tu, scusa, che musica ascolti?
Gianni ascolta musica rock ed heavy metal!

Parlare degli stati d'animo

Sono allegro/contento/felice/nervoso/spaventato/sorpreso/deluso/stufo/stanco.

• Ti vedo preoccupato.
• Veramente sono un po' arrabbiato! Sai che di solito sono una persona tranquilla, no?
• Infatti! Allora, cos'è successo?

• Ti vedo un po' giù... o sei solo un po' stanca?
• Stanca no, però sì, sono triste.

• Come ti senti? Emozionata?
• Veramente impaziente, più che emozionata!
• Ti senti più serena, no?

Esprimere preferenza

Ne vado matto/a.
Preferisco questo qui... mi fa impazzire!
Questo è il mio preferito!
Mi piace un sacco...
Sono un/una grande fan di...

GRAMMATICA

I pronomi diretti con il passato prossimo

• Hai ascoltato il CD?
• No, non l'ho ancora ascoltato.
• Hai visto Anna per caso?
• Certo, l'ho vista stamattina.
• Chi ha portato i dolci?
• Li ha portati Stefano.
• Hai inviato tutte le foto?
• Sì, le ho già inviate tutte.

stare + gerundio

	parlare	prendere	partire
io	sto parlando	sto prendendo	sto partendo
tu	stai parlando	stai prendendo	stai partendo
lui, lei, Lei	sta parlando	sta prendendo	sta partendo
noi	stiamo parlando	stiamo prendendo	stiamo partendo
voi	state parlando	state prendendo	state partendo
loro	stanno parlando	stanno prendendo	stanno partendo

Attenzione: alcuni verbi hanno il gerundio irregolare: fare → facendo.

1 Unite le tessere per ricostruire 6 parole della musica.
Le tessere rimaste formano il nome e il cognome di un cantante
che vedete in una foto scattata ai tempi dei suoi primi successi.

2 Completate il dialogo: negli spazi blu inserite il passato prossimo o l'imperfetto dei verbi tra parentesi;
negli spazi rossi le parole *nave, non ci posso credere, porto, matta, vista sul mare.*

Sara: _____(1)! Gaia ha caricato su Facebook una foto di quando siamo andate
in vacanza in Sardegna. Oddio... sono già passati dieci anni!

Laura: Eh sì... Ti ricordi? Alloggiavamo in quel piccolo albergo con _____(2)... la
camera era piccolissima e l'acqua della doccia... sempre fredda!!!

Sara: È vero! Guarda! Come eravamo giovani! Gaia _____ (3. essere) molto magra e
tu _____ (4. avere) i capelli lunghissimi!

Laura: Già: giovani e bellissime! Andavamo tutte le sere in discoteca e la mattina _____
(5. dormire) fino a mezzogiorno!

Sara: E ti ricordi che al ritorno, sulla _____(6), abbiamo conosciuto quei due
ragazzi... Come si chiamavano? Giulio e Luigi? No, Gianni e Luigi?

Laura: Gianni e Luigi, sì! Mi hanno sentito mentre dicevo che andavo _____(7)
per i V3, abbiamo cominciato a parlare di musica e alla fine ci _____ (8. invitare)
al concerto.

Sara: Sì, ma quando siamo arrivate al _____(9) di Genova, non li _____ più
_____ (10. vedere)!

Laura: Già, che tipi! A proposito: ho sentito che i V3 vogliono tornare insieme e fare un concerto
speciale a Milano. Dobbiamo assolutamente andarci!

Palazzo Vecchio

Giocate in 2 o in 2 piccoli gruppi. A turno, tirate il dado e svolgete il compito proposto.
Se la risposta non è giusta, tornate indietro di due caselle. Dopo, il turno passa all'altro giocatore/gruppo.
Se arrivate su una casella dove c'è l'altro giocatore/gruppo, andate a quella successiva.
Vince chi arriva per primo in cima alla torre di Palazzo Vecchio!

Attenzione!
Palazzo Vecchio è un palazzo
ricco di storia e nasconde qualche
*sorpresa... leggete la **Legenda**!*
In bocca al lupo!

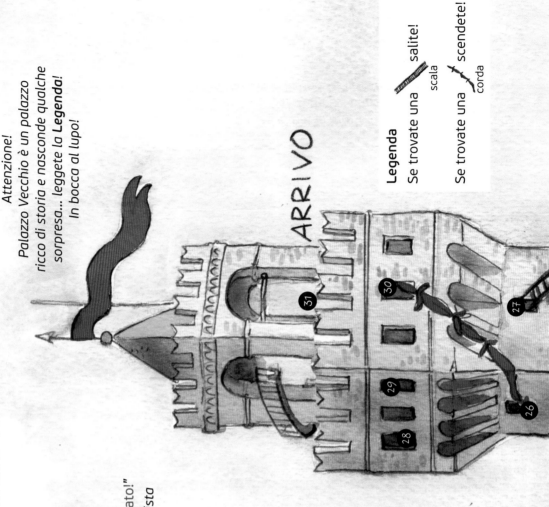

Legenda
Se trovate una **scala** salite!

Se trovate una **corda** scendete!

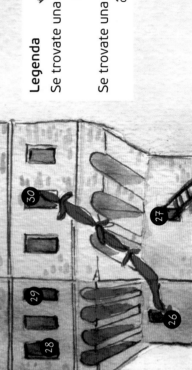

2. "Hai comprato l'ultimo CD dei V3?" "Sì, ... ieri."

3. "Peccato! Niente biglietti del concerto: sono andati ..."

4. Qual è la parola estranea?
   piscina – giardino – centro benessere – prenotazione

5. "Andiamo a Napoli nel fine settimana?" "Sì, io ci sto!/di nuovo?/peccato!"

8. Non è uno strumento musicale: *sassofono – tromba – violino – batterista*

9. "Sto guardando la televisione." Fa' la domanda.

10. 3 famosi eventi musicali italiani.

12. Per sapere da che binario parte il treno devi controllare il ...

13. Non è un mezzo di trasporto: *nave – porto – pullman – auto*

14. "80 euro a notte, compresa la colazione." Fa' la domanda.

16. Finalmente cominciano le vacanze, ti senti ...

17. 3 tipi di viaggiatori.

18. Conosco Roma benissimo, come ...!

19. Cosa dici a un amico arrabbiato?

21. "Il regionale 2 ore e 40." Fa' la domanda.

22. Da bambino ogni giorno ... a calcio.

24. 3 caratteristiche dell'agriturismo.

25. "Mi piacciono tutti i generi." Fa' la domanda.

26. "Il Frecciarossa costa 45 €." Fa' la domanda.

27. Quando mangi il tuo piatto preferito, cosa dici?

28. Vivi a Brescia e ogni giorno vai al lavoro a Milano in treno. Sei un ...

29. Trova e correggi l'errore: Mentre ho mangiato, guardavo la TV.

31. Chiedi a un passante indicazioni per arrivare in Via del Corso.

3 *Un genere musicale per ogni stato d'animo.*
Completate le situazioni con gli stati d'animo dati
e poi abbinate i consigli dello psicologo!

Lo psicologo della musica risponde

arrabbiato ◆ impaziente ◆ nervoso ◆ spaventato ◆ triste

La mia migliore amica si trasferisce negli Stati Uniti. Lei è entusiasta, ma io sono proprio
_____! Che musica mi consigli?

1 ☐

Domani prendo l'aereo per la prima volta... sono veramente _____! Cosa posso
ascoltare?

2 ☐

Ieri il ragazzo che abita con me ha invitato dieci amici a cena. Non puoi immaginare la
confusione in cucina... io lo ammazzo!!! Sono così _____!

3 ☐

Mia sorella si sposa tra una settimana... È arrivato il giorno tanto atteso: finalmente ho una
camera tutta per me e posso ascoltare quello che voglio! Sono proprio _____!

4 ☐

Ho visto un film horror e non ho chiuso occhio tutta la notte. Sono ancora molto
_____! Che cosa posso fare?

5 ☐

a Calmati con un po' di musica classica... E la prossima volta, mi raccomando, scegli una commedia romantica!

b Dai! Rilassati con un po' di heavy metal mentre... metti in ordine la cucina!

c Eh... in questi casi niente è meglio del rock per tirarsi su! Magari evita... il rock americano!

d Non preoccuparti, molte persone hanno paura di volare. Metti le cuffie, ascolta un po' di jazz e pensa a un momento felice.

e Ma allora... devi festeggiare! Chiama gli amici e metti su un po' di pop per ballare!

Al lavoro! Viaggio in Italia

Lavorate in un'agenzia specializzata in viaggi "originali", diversi dai classici itinerari turistici.

Un gruppo di studenti del vostro Paese vuole passare cinque indimenticabili giorni in Italia.

1. *Dividetevi in gruppi di quattro o cinque e scegliete una zona dell'Italia da visitare.*

2. *Decidete le tappe del viaggio (massimo 5 città/località) e le attività da fare, controllate gli orari di apertura e i prezzi delle eventuali attrazioni turistiche.*

3. *In base ai mezzi che volete utilizzare (treno, nave, auto ecc.) e agli orari degli spostamenti, scegliete dove alloggiare (albergo, agriturismo, castello ecc.), create un percorso da seguire e un programma giornaliero.*

4. *Create un piccolo volantino per presentare la vostra proposta con una breve descrizione del viaggio, una piccola cartina con il percorso e alcune foto delle località da visitare.*

5. *Votate le proposte dei vostri compagni:*

Originalità delle tappe ■■■■■ *Rispetto per l'ambiente* ■■■■■
Costo ■■■■■ *Alloggi* ■■■■■ *Uso del tempo* ■■■■■

- esprimere disaccordo
- chiedere e dare informazioni alla posta e in banca
- offrire aiuto
- accettare o rifiutare aiuto
- scrivere lettere/email

Ultimo giorno a Firenze

Unità
7

Pronti?

1 Lavorate in coppia. Guardate le immagini e mettetele in ordine. Poi usate le parole date per raccontare quello che succede.

posta / spedire

consegnare

1 Mario / ordinare / copia / dipinto

negoziante / tubo portadisegni

telefonare / protestare

aprire / scoprire / diverso

2 Leggete la vostra storia ai compagni.

3 Guardate il video o ascoltate il dialogo: cosa ha in comune con la storia dell'attività 1?

Bruno: Ciao Gianni... siete in ritardo o mi sbaglio?

Gianni: Beh, c'era una fila agli Uffizi che non puoi immaginare!

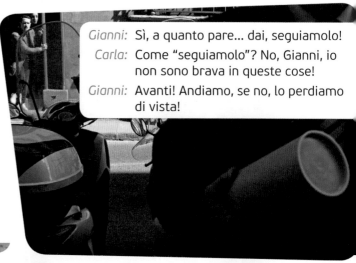

Bruno: Ah, sì? Va be', non importa. Almeno siete rimasti un po' da soli...

Gianni: Già... Senti, dove ci incontriamo?

Bruno: Ehm..., vogliamo vederci direttamente in albergo? Pronto?!

Gianni: Bruno, ci sentiamo più tardi. L'hai visto? È lui!

Carla: Chi, dove? Non è possibile, hai ragione! È uscito dall'ufficio postale?

Gianni: Sì... ma cos'ha in mano?

Carla: Un... come si chiama, un tubo portadisegni! L'ha appena ritirato dalla posta!

Gianni: Sì, a quanto pare... dai, seguiamolo!

Carla: Come "seguiamolo"? No, Gianni, io non sono brava in queste cose!

Gianni: Avanti! Andiamo, se no, lo perdiamo di vista!

Anna: Pronto, Carla, ma che è successo? Perché Gianni ha messo giù così?

Carla: Beh, stiamo seguendo... il nostro amico! Ha in mano un tubo portadisegni e... aspetta, ...ora sta entrando in banca!

Anna: In banca?! Quindi? Che? Ah, Bruno vuole parlare con Gianni!

Bruno: Gianni, senti, devi entrare, devi vedere a chi dà il tubo!

Gianni: Entrare?! Macché... entro a fare cosa?!

Bruno: Ehm... fai finta di essere un cliente... che vuole aprire un conto...

Gianni: Ma che stai dicendo?!

Bruno: Ah, chiedi pure se conoscono il signore col tubo.

Gianni: Cosa?! E se chiamano la polizia?

Bruno: ...Allora, di' che è tuo zio e che...

Gianni: Bruno, non posso dire queste cose! No, io in quella banca non ci entro!

A) Seguiamolo!

1 *Riguardate il video o riascoltate il dialogo e indicate l'affermazione corretta.*

1. Gianni e Carla stanno tornando
   a. dall'albergo
   b. dalla posta
   c. dagli Uffizi

2. Per strada vedono
   a. qualcuno che conoscono
   b. un postino
   c. Carla e Bruno

3. All'inizio Gianni vuole
   a. capire chi è quell'uomo
   b. rubare il tubo
   c. seguire quell'uomo

4. Bruno consiglia a Gianni di
   a. fare delle domande all'uomo
   b. entrare in banca
   c. aspettare fuori dalla banca

2 *Scegliete un personaggio e interpretate l'episodio con i vostri compagni.*

3 *Cosa significano le espressioni in blu?*

1. C'era una fila **agli Uffizi**...

a. una nuova collezione
b. molta gente in attesa

3. Perché Gianni **ha messo giù così**?

a. ha interrotto la telefonata
b. è di cattivo umore

2. Sì, **a quanto pare**... dai, seguiamolo!

a. sembra di sì
b. non credo

4. Ehm... **fai finta di essere** un cliente!

a. diventa cliente della banca
b. di' che sei un cliente anche se non è vero

4 *Sottolineate nel dialogo le espressioni che usa Gianni quando non è d'accordo con quello che propone Bruno. Poi scrivete un breve dialogo con una di queste espressioni.*

es. 1-2
p. 197

B) Dove ci incontriamo?

1 *Abbinate le battute alle immagini corrispondenti.*

a. Elisabetta e Matteo non si amano più.

b. Noi di solito ci svegliamo presto.

c. Io e Claudia ci sentiamo spesso.

2 In quali frasi dell'attività B1 il soggetto dei verbi può essere solo al plurale (noi, voi, loro)? Perché? Completate la tabella.

I verbi riflessivi

mi alzo   ci alziamo

ti alzi   vi alzate   *presto*

si alza   si alzano

I verbi riflessivi reciproci

Io e Chiara _____ vediamo stasera.

Tu e Pietro _____ sentite spesso?

Paolo e Stella _____ conoscono bene.

3 Create delle frasi orali con le parole date, come nell'esempio a destra.

Io e Mario di solito ci incontriamo al bar.

Noi due   *conoscersi*   *vedersi*   *Tu e Laura*

non parlarsi   *Sara e Antonio*   *sposarsi*   *Io e te*

es. 3-4
p. 197

C) Vorrei spedire questa lettera

1 Conoscete questi servizi postali? Cosa sono? Ascoltate il dialogo e indicate con una **X** quelli che sentite.

☐ Pacco Ordinario Estero   ☐ Telegramma   ☐ Raccomandata   ☐ Postamail Internazionale

☐ Raccomandata con prova di consegna   ☐ Paccocelere Internazionale

2 Ascoltate di nuovo il dialogo e rispondete alle domande.

a. Chi sono i due destinatari?

b. Cosa contengono la lettera e il pacco?

c. Quali servizi sceglie la signora?

d. Quanto paga in tutto?

3 Ascoltate di nuovo e scrivete le espressioni usate per chiedere e dare informazioni alla posta.

impiegato

• Dove li deve _____?
• La lettera, come _____ ordinaria?
• C'è anche il _____ Raccomandata con prova di consegna: costa 9 euro e 43 centesimi.
• Per questo pacco conviene il Pacco Ordinario _____.
• Costa 20 euro e ci _____ dai 10 ai 15 giorni.
• C'è anche il Paccocelere _____: costa 30 euro e 50 e in 2-4 giorni è a destinazione.
• Può _____ questo cedolino, per favore?

signora

• Vorrei spedire...
• ...forse è meglio fare una _____.
• ...va bene la Raccomandata _____.
• _____ costa?

Ricordate cosa risponde Gianni a Bruno alla fine del dialogo di pag. 80? Fate l'attività D1.

AB 4 Lavorate in coppia. A va a pag. 150 e B a pag. 156.

es. 5-7
p. 198

Torniamo alla storia

D) È entrato mio zio...

 1 Mettete in ordine le vignette a pag. 83 (vi diamo le prime 3). Secondo voi, perché Ferrara è andato in banca?

 2 Ascoltate il dialogo per controllare le vostre risposte e indicate le affermazioni presenti.

a. Gianni chiede di aprire il conto corrente "blu". ○
b. Gianni ha già un conto in quella banca. ○
c. Gianni ha con sé il codice fiscale. ○
d. L'impiegato della banca vede Ferrara per la prima volta. ○
e. Ferrara sale le scale e vede Gianni. ○
f. Le scale portano alle cassette di sicurezza. ○
g. Secondo Bruno, nel tubo c'era un oggetto di valore. ○
h. Gianni decide di continuare a seguire Ferrara. ○

Cassetta di sicurezza

3 Leggete il dialogo o guardate l'animazione per controllare le vostre risposte.

- Hai una penna?
- Sì, ce l'ho.

4 Sottolineate la *parola* giusta.

1. Mi sono appena/presto trasferito.
2. Peccato/Chissà, mio zio è uscito.
3. Ho fatto tardi/finta di essere un cliente.
4. Aveva in mano/tasca un tubo portadisegni.

5. Per fortuna/caso ha visto mio zio?
6. Non ho con te/me il passaporto.
7. Ho bisogno il/del tuo aiuto.
8. È andato via dopo/poco fa.

es. 8-1(
p. 19$

E) Sì, grazie!

 1 Ascoltate i mini dialoghi e abbinateli alle immagini.

a

b

c

d

e

2 Ascoltate di nuovo e completate la tabella.

Offrire aiuto	Accettare/Rifiutare aiuto
Posso _____?	No, grazie.
Buongiorno, _____ per caso?	Sì, grazie.
Prego, ha bisogno d'aiuto?	Sì, _____.
Signorina, vuole una mano?	No, _____!
Posso _____ per Lei?	Non _____, grazie.

3 In queste situazioni, a turno, uno di voi offre aiuto e l'altro accetta o rifiuta.

chiedere informazioni   lavare i piatti   correggere i compiti   cercare qualcosa

es. 11-12
p. 200

F Mi sono...

1 Quanti verbi riflessivi al passato prossimo usa Gianni nel dialogo di pag. 83? Sottolineateli.

2 Completate le frasi con i verbi dati e osservate le parti in blu.

vi siete conosciute | mi sono iscritto | ci siamo sentiti
si sono sposati | ti sei svegliata | si è addormentato

I verbi riflessivi al passato prossimo

Oggi _____ a un corso di tennis.
Stefania, perché _____ così tardi?
Giovanni _____ davanti alla tv.
Io e mio padre _____ ieri per telefono.
Maria, tu e Valentina quando _____?
I miei genitori _____ molto giovani.

3 Scrivete una frase con un verbo riflessivo al passato prossimo. Poi leggetela ai compagni.

es. 13-14
p. 200

G) Scrivere e spedire

1 Compilate il cedolino con i vostri dati (mittente) e con quelli di chi riceve (destinatario) la lettera raccomandata.

Posteitaliane

Mod. 22 - R- Cod. W8150E - Ed. 10/01 (00) **L1**

NON RIMUOVERE L'ETICHETTA

Accettazione **RACCOMANDATA**   ATTI UFFICIO

È vietato introdurre denaro e valori nelle raccomandate: Poste Italiane SpA non ne risponde

Si prega di compilare a cura del mittente a macchina o in stampatello

DESTINATARIO

DESTINATARIO

VIA / PIAZZA   N° CIV.

C.A.P.   COMUNE   PROV.

MITTENTE

MITTENTE

VIA / PIAZZA   N° CIV.

C.A.P.   COMUNE   PROV.

2 Scrivete A accanto alle espressioni che usiamo per aprire una lettera/email e C accanto a quelle che usiamo per chiuderla. Poi sottolineate le espressioni informali/amichevoli e cerchiate quelle formali.

Gentile signor Rossi,   Caro Paolo,   Cordiali saluti   A presto   Un abbraccio

Le auguro buon lavoro   Un saluto cordiale   Egregi signori,   Baci   Ciao Luca,

3 Scrivete una mail a un compagno di classe che non viene a lezione da due settimane e vuole sapere com'è andata avanti la storia del libro (dialoghi delle pagine 80 e 83).

50-60

4 Giocate in due squadre. Avete 3 minuti per abbinare le parole a una o a entrambe le categorie. Ogni abbinamento corretto vale 1 punto. Vediamo quale squadra fa più punti!

denaro ◆ raccomandata ◆ busta ◆ codice fiscale ◆ passaporto
modulo ◆ lettera ◆ ritirare ◆ compilare ◆ conto corrente ◆ bolletta
postino ◆ cassetta di sicurezza ◆ pacco ◆ aprire ◆ spedire

banca

posta

es. 15-16
p. 201

5 *Specchio*

❯ A, in piedi, mima una delle azioni date sotto in blu, senza parlare.
❯ B, a libro chiuso, fa esattamente quello che fa A (come uno specchio, appunto) e poi dice di quale azione si tratta.
❯ Poi i ruoli cambiano. Mimate almeno 6 azioni.

scrivere una lettera ◆ suonare il pianoforte ◆ cantare
consegnare un pacco ◆ ascoltare la musica
scendere le scale ◆ seguire qualcuno per strada
preparare la valigia ◆ fare un selfie

Firenze

Capitale del Rinascimento, è una vera e propria città-museo, piena di tesori architettonici. Allora... prendete la macchina fotografica e cominciate a camminare!

es. 1-2
p. 202

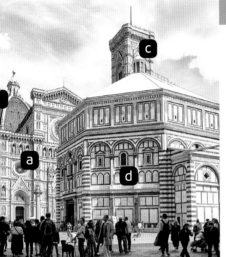

Piazza del Duomo

Raccoglie i monumenti più famosi di Firenze:

◆ Santa Maria del Fiore (a) è il duomo della città ed è tra le chiese più grandi e belle d'Europa.

◆ La Cupola del Brunelleschi (b), massimo esempio di architettura rinascimentale, è la costruzione più alta di Firenze. Gli affreschi del 1500, di Giorgio Vasari e Federico Zuccari, ricoprono 3.600 m² della sua superficie!

◆ A destra, il Campanile di Giotto (c): dovete fare a piedi 85 metri di scale... ma la vista è eccezionale!

◆ Di fronte, il Battistero (d) con i suoi bellissimi mosaici.

La Galleria degli Uffizi

Non potete perdervi uno dei più importanti musei del mondo, che ospita ogni giorno 10.000 visitatori!

Potete vedere le opere dei più grandi artisti del Rinascimento italiano: Botticelli, Leonardo, Michelangelo, Tiziano... E non solo!

Palazzo Pitti

Nel passato casa dei granduchi di Toscana e dei re d'Italia, oggi ospita importanti collezioni di dipinti e oggetti d'arte. Il Giardino di Boboli è tra i più belli d'Italia.

Quando siete stanchi di camminare, rilassatevi con un aperitivo con vista sul Ponte Vecchio!

COMUNICAZIONE

Esprimere disaccordo

Macché... entro a fare cosa?! Ma che stai dicendo?!-	Cosa?! / Non posso... No, io in quella banca non ci entro!

Chiedere e dare informazioni alla posta

• Vorrei spedire questa lettera e questo pacco. • Dove li deve spedire?

• La lettera, come posta ordinaria?
• No, forse è meglio fare una raccomandata.

• C'è anche il servizio Raccomandata con prova di consegna: costa 9 euro e 43 centesimi.
• No, no, è troppo, va bene la Raccomandata semplice.

• Per questo pacco conviene il Pacco Ordinario Estero.

• Quanto costa? • Costa 20 euro e ci mette dai 10 ai 15 giorni.

• C'è anche il Paccocelere Internazionale: costa 30 euro e 50 e in 2-4 giorni è a destinazione.

• Può compilare questo cedolino, per favore?

Offrire aiuto

• Posso aiutarla?
• Buongiorno, ti posso aiutare per caso?
• Prego, ha bisogno d'aiuto?
• Signorina, vuole una mano?
• Signora, posso fare qualcosa per lei?

Accettare/Rifiutare aiuto

• No, grazie.
• Sì, grazie.
• Sì, per favore.
• No, faccio da sola!
• Non fa niente, grazie.

lettera/email	Formule di apertura	Formule di chiusura
formale	Gentile signor Rossi, Egregi signori,	Cordiali saluti Le auguro buon lavoro Un saluto cordiale
informale	Caro Paolo, Ciao Luca,	A presto Un abbraccio Baci

GRAMMATICA

I verbi riflessivi reciproci

Io e Chiara ci vediamo stasera.
Tu e Pietro vi sentite spesso?
Paolo e Stella si conoscono bene.

I verbi riflessivi al passato prossimo

Oggi mi sono iscritto a un corso di tennis.
Stefania, perché ti sei svegliata così tardi?
Giovanni si è addormentato davanti alla tv.
Io e mio padre ci siamo sentiti ieri per telefono.
Maria, tu e Valentina quando vi siete conosciute?
I miei genitori si sono sposati molto giovani.

In questa unità impariamo a:

- parlare di viaggi
- esprimere cosa occorre o quanto tempo è necessario per fare qualcosa
- esprimere gioia, rammarico/dispiacere

Ritorno a Roma

Pronti?

1 *Lavorate in coppia. Abbinate le parole alle foto come nell'esempio in blu.*

a. strada • b. autostrada • c. automobile • d. cartello stradale • e. parcheggio
f. stazione di servizio • g. cintura di sicurezza • h. semaforo • i. navigatore satellitare

2 *Ascoltate il dialogo e indicate le immagini relative alle parole che sentite, come nell'esempio in rosso.*

3 *Preferite viaggiare in macchina o in aereo/treno/nave e perché?*

A) Viva l'avventura!

1 **a** *Guardate il video o riascoltate il dialogo e mettete in ordine le azioni, come nell'esempio in blu. Qualcuno...*

b *Leggete il dialogo e abbinate le frasi ai personaggi.*

a. ⬜ ...propone di tornare indietro.

b. ⬜ ...propone di fare delle foto.

c. 1 ...prende in giro Gianni.

d. ⬜ ...sa che la stazione di servizio non è vicina.

e. ⬜ ...vuole fare una sosta a Siena.

f. ⬜ ...esce dall'autostrada.

g. ⬜ ...propone di usare il navigatore.

h. ⬜ ...dice che ama le avventure.

Anna

Bruno

Carla

Gianni

Bruno: Vi siete allacciate le cinture là dietro?

Carla: Sì. Aah, Firenze... mi manchi già. Senti, Gianni... hai salutato tuo zio?

Gianni: Chi?! Ah... "zio Massimo", eh? Sì, ora gli telefono, se no, si preoccupa...

Bruno: Che fai, perché esci dall'autostrada?!

Gianni: Perché c'è molto traffico e poi... perché non ci godiamo un po' la Toscana?

Anna: Che bello, mi piacciono le avventure! Dove andiamo?

Gianni: Pensavo di fare una sosta a San Gimignano e poi a Siena per mangiare. Vi piace come idea?

Anna: Ok... ma conosci la strada?

Gianni: Scherzi? Come no! Quando tornavamo da Firenze, sai quante volte io e mio cugino ci siamo persi...

Carla: Avete visto quel cartello? C'era scritto "Pisa 50 chilometri". Non mi dire che ci siamo persi!

Bruno: Senti, Gianni, ce l'hai il navigatore, no? Che aspetti a metterlo?

Gianni: Ok, ok... mannaggia, è scarico. Aspettate, mi fermo un attimo.

Anna: Bravo, così facciamo anche qualche foto...

Anna: Che bello, ragazzi, è meraviglioso!

Carla: Ma guardate che bel paesaggio, una foto tutti insieme, dai!

Bruno: Il navigatore è a posto? Non funziona ancora?!

Anna: Ma dove siamo?!

Bruno: Ancora in Italia... Senti, è ovvio che abbiamo sbagliato strada, torniamo indietro. Che succede, perché suona adesso?

Anna: Gianni! Non mi dire che sta finendo la benzina?!

Gianni: Tranquilli, mi sembra di aver visto una stazione di servizio poco fa!

Carla: Hai detto bene, ti sembra: l'abbiamo vista mezz'ora fa! Viva l'avventura!

2 Completate le frasi con la forma giusta delle espressioni in blu nel dialogo.

1. _____! Ma ho messo 50 euro ieri!
2. In macchina, devi sempre _____ di sicurezza.
3. Secondo me, _____... forse è meglio se torniamo indietro.
4. Non prendere la macchina oggi, _____ in centro.

3 Quali espressioni usa nel dialogo Gianni al posto di quelle date?

Certo!
_____

Credo di...
_____

Accidenti!
_____

Calma!
_____

es. 1
p. 203

4 Secondo voi, in quale punto della cartina si trovano i ragazzi quando Carla vede il cartello stradale?

5 Voi vi siete mai persi durante un viaggio? Che cosa avete fatto? Preferite i viaggi organizzati o andare all'avventura come Anna?

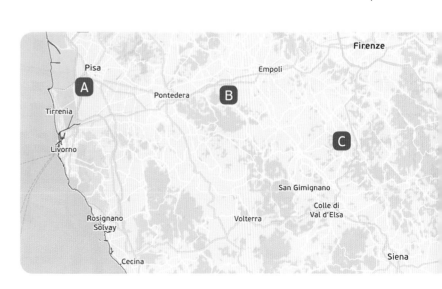

B) Ora gli telefono

1 *Trovate le seguenti frasi nel dialogo. Poi abbinate i pronomi alla persona giusta.*

1. Ora gli telefono.
2. Mi piacciono le avventure!
3. Vi piace come idea?
4. Hai detto bene: ti sembra...

a me

a lui

a voi

a te

I pronomi indiretti

2 *Completate la tabella con i pronomi dell'attività B1.*

_____ piace	(piace a me)	ci interessa	(interessa a noi)
_____ scrivo	(scrivo a te)	_____ spiego	(spiego a voi)
_____ regalo	(regalo a lui)	gli racconto	(racconto a loro/ai ragazzi)
le telefono	(telefono a lei)	gli dico	(dico a loro/alle ragazze)
Le chiedo	(chiedo a Lei)		

3 *Cerchiate il pronome indiretto giusto.*

1. Ciao Luca, ora non posso parlare... Ti/Gli telefono io più tardi.
2. Ragazze, se mi/vi interessa il corso d'inglese, dovete fare subito l'iscrizione!
3. Domenica c'è il matrimonio di Paola e Sandro, cosa pensi di regalargli/vi?
4. Purtroppo la somma che ci/le offrono per la nostra casa non è molto alta.
5. Tania vuole informazioni su quel ristorante, ora Le/le mando un messaggio.

es. 2-
p. 20

AB **4** *Lavorate in coppia. A rimane su questa pagina, B va a pag. 157.*

1. il semaforo   2. il parcheggio   3. l'incrocio
4. il pedone   5. le strisce pedonali   6. il marciapiede

Sei A:

❯ *Guarda l'immagine a sinistra e spiega a B il significato delle parole, secondo l'esempio.*

> *Il ... è una persona/un posto/ un oggetto che...*

❯ *Poi copri le parole: B deve guardare l'immagine e dire come si chiamano gli elementi numerati.*

❯ *In seguito B ti spiega le "sue" parole e tu prendi appunti.*

❯ *Vai a pag. 157 e di' come si chiamano gli elementi numerati sul disegno di B.*

es.
p. 20

C) Siamo salvi!

1 *Ricordate com'è finito il dialogo precedente?*
Secondo voi, cosa succede ora?

2 *Ascoltate la prima metà del dialogo e verificate le vostre ipotesi.*
Poi indicate se le affermazioni sono vere o false.

	V	F
a. Carla non ha avuto per niente paura.	☐	☐
b. Gianni ha chiesto indicazioni per l'autostrada.	☐	☐
c. I ragazzi decidono di fermarsi all'Autogrill.	☐	☐
d. Bruno non si fida ancora di Gianni.	☐	☐
e. Il navigatore continua a non funzionare.	☐	☐

 4 **a** *Leggete l'intero dialogo, anche insieme a un compagno se volete, o guardate l'animazione e controllate le vostre risposte.*

 b *Fate un breve riassunto orale.*

3 *Ascoltate la seconda parte del dialogo e rispondete alle domande.*

a. Perché Anna è andata a Firenze? Dove abita adesso?

b. Perché secondo Alice, Ferrara è nervoso?

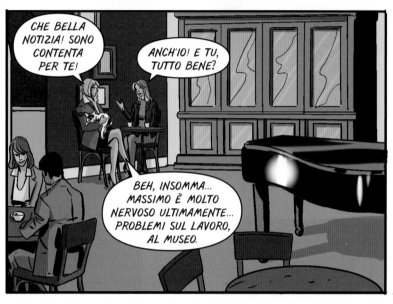

5 Cosa significano le espressioni e le parole in blu?

1 BASTA AVVENTURE, GIANNI.

a. niente più avventure
b. viva le avventure

2 HAI CHIESTO QUANTO CI VUOLE PER L'AUTOSTRADA?

a. quanti chilometri mancano per arrivarci?
b. quanto tempo è necessario per arrivarci?

3 BEH, INSOMMA...

a. così così
b. quindi

> Ci vuole un'ora.
> Ci vogliono due ore.

6 a Rileggete il dialogo e completate la tabella.

Esprimere gioia	Esprimere rammarico/dispiacere
_____	_____
_____	Non so che dire...
Sono contenta per te!	_____

 b A turno, date una bella o brutta notizia al compagno che esprime gioia o dispiacere.

es. 7-8
p. 205

D) Fammi un favore!

1 Leggete le battute e indicate le affermazioni corrette.

Per favore, Alice, non gli dire niente...

Con i verbi all'imperativo tutti i pronomi vanno:
a. dopo il verbo
b. prima del verbo

Però fammi un favore...

Con l'imperativo negativo i pronomi vanno:
a. solo dopo il verbo
b. prima o dopo il verbo

Ma spiegami un po'...

2 Completate le frasi con i pronomi dati a destra. Poi osservate la loro posizione e verificate le risposte che avete dato nell'attività D1.

a. Per favore, porta_____ un bicchiere di acqua, ho sete!
b. Se incontri Stefano, non dir_____ che siamo usciti ieri!
c. Ragazzi, inviate_____ le foto che abbiamo fatto l'altroieri!
d. Cristina è sempre stata sincera con te: dil_____ la verità!
e. Lo so che hanno problemi, ma non _____ prestare così tanti soldi!
f. Papà, per favore, dam_____ il telecomando: è lì, sul tavolo!

gli	ci
mi	gli
mi	le

es. 9-10
p. 206

E) Al volante

1 **a** Ascoltate i due mini dialoghi e abbinateli alle foto. Attenzione: c'è una foto in più!

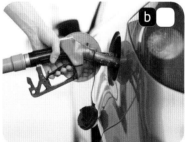

DIVIETO DI SOSTA
LASCIARE LIBERO IL PASSAGGIO

b Riascoltate i mini dialoghi e indicate l'affermazione corretta.

1. La ragazza del primo dialogo
   a. ha già superato l'esame di guida
   b. ha già fatto un po' di pratica
   c. ha bisogno di almeno 30 lezioni

2. Il signore del secondo dialogo
   a. non ha visto il cartello
   b. parcheggia spesso in quel posto
   c. alla fine sposta la macchina

2 Secondo voi, quale parola manca nel titolo dell'articolo?

Fa benzina, dimentica la _____ al distributore e guida per 100 km.

3 Leggete il testo e sottolineate le parole giuste, come nell'esempio in rosso.

Lui si ferma a fare benzina in un distributore in (1), poi riparte e solo dopo cento chilometri si accorge di aver lasciato la moglie alla (2) di servizio! Incredibile ma vero: è successo a Prato.

Come racconta l'agente di polizia, la donna è (3) dalla macchina durante una sosta. Il marito, con il figlio quattordicenne, è tornato al (4) e ha scoperto l'assenza della signora solo dopo un centinaio di (5).

Mentre lui era distratto a fare il (6), lei è andata a comprare un pacco di biscotti. Siccome (7) della sosta la donna dormiva sul sedile posteriore, né il marito né il figlio, seduto (8) al padre e ipnotizzato da un videogioco, hanno notato che mancava.

La moglie ha anche cercato il marito e il figlio al telefono, ma senza risultato. E alla fine è dovuta intervenire la (9): "Lei non poteva proprio giustificare la distrazione del marito. Era davvero (10)" – ha raccontato l'agente.

adattato da *La Nazione*

1. <u>autostrada</u>/macchina   2. strada/stazione   3. salita/scesa   4. volante/motorino
5. minuti/chilometri   6. pieno/lavoro   7. durante/prima   8. accanto/davanti
9. moglie/polizia   10. calma/arrabbiata

es. 11
p. 200

4 Giocate a coppie o a piccoli gruppi. L'insegnante sceglie una lettera dell'alfabeto e voi avete un minuto per scrivere una parola che inizia con questa lettera per ognuna delle categorie date. Continuate con un'altra lettera e così via: ogni parola giusta vale 1 punto! Vediamo chi fa più punti!

cinema │ viaggi e vacanze │ posta o banca │ musica │ parte del corpo o del viso

5 "Un'avventura in macchina". Raccontatela usando alcune di queste parole:
motore, benzina, parcheggio, navigatore, gomma, autostrada, perdersi, cartello.

60-70

es. 12-13
p. 20?

6 Girate per la classe e intervistate alcuni compagni. Vince lo studente che per primo scopre due dei seguenti casi! Attenzione: se un compagno vi ferma per farvi delle domande, dovete rispondere!

qualcuno che: ha la moto o la bici │ ha o ha avuto una macchina italiana
usa il navigatore satellitare │ è rimasto senza benzina │ si è perso
è stato in Toscana │ sta facendo lezioni di guida │ guida da più di 20 anni

Tes

Italia&italiani

Un giro in Toscana

Madre dell'arte, della cultura e della lingua italiana... oltre a Firenze, questa regione ha tanti luoghi davvero belli. Ecco cosa vedere assolutamente!

Massa Carrara • • Lucca • Pistoia • Prato
• Pisa • Firenze
Livorno • (San Gimignano)
Arezzo
Siena
Elba • Grosseto

PISA

Il bellissimo Campo dei Miracoli raccoglie i principali monumenti religiosi della città: la Torre, il Duomo, il Battistero e il Camposanto.

E la sera? Prendete un drink nei locali sul fiume Arno!

SIENA

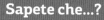

Sapete che...?

Il Carnevale di Viareggio, con i suoi carri mascherati, è tra i più popolari d'Europa!

Non perdetevi la piazza più bella e famosa, a forma di conchiglia: Piazza del Campo, con il Palazzo Comunale e la Torre del Mangia.

Due volte l'anno, il 2 luglio e il 16 agosto, la piazza ospita il Palio di Siena: la gara di cavalli più famosa d'Italia.

SAN GIMIGNANO

ISOLA D'ELBA *Portoferraio*

Prendete il traghetto o l'aereo e arrivate nella terza isola più grande d'Italia! Un paradiso con acque azzurre e spiagge bianche, come quelle di Capo Bianco e di Cavoli.

L'Elba, con le altre isole dell'Arcipelago Toscano, forma il più grande Parco Nazionale Marino d'Europa!

Curiosità

Napoleone ha "scelto" quest'isola per il suo esilio.

Fate una passeggiata nel centro storico di questa città medievale, patrimonio mondiale UNESCO. E arrivate fino a Piazza della Cisterna, il punto più alto.

es. 1-2 p. 208

Cosa provare in cucina?

Sicuramente il pecorino, il vino rosso Chianti, la ribollita (una zuppa di pane e verdure) e la bistecca alla fiorentina.

COMUNICAZIONE

Esprimere gioia

Che bello!
Che bella notizia!
Sono contenta per te!

Esprimere rammarico/dispiacere

Accidenti!
Non so che dire...
Mi dispiace.

GRAMMATICA

I pronomi indiretti

mi piace	(piace a me)	ci interessa	(interessa a noi)
ti scrivo	(scrivo a te)	vi spiego	(spiego a voi)
gli regalo	(regalo a lui)	gli racconto	(racconto a loro/ai ragazzi)
le telefono	(telefono a lei)	gli dico	(dico a loro/alle ragazze)
Le chiedo	(chiedo a Lei)		

Ci vuole, ci vogliono

ci vuole

Ci vuole un'ora per arrivare a Firenze.
Per aprire un conto ci vuole il codice fiscale.

ci vogliono

Ci vogliono due ore per arrivare a Roma.
Per fare il tiramisù ci vogliono i biscotti savoiardi.

L'imperativo affermativo con i pronomi indiretti

Per favore, portami un bicchiere di acqua, ho sete!
Ragazzi, inviateci le foto che abbiamo fatto l'altroieri!
Cristina è sempre stata sincera con te: dille la verità!
Papà, per favore, dammi il telecomando: è lì, sul tavolo!
Gianni, fammi un favore!

L'imperativo negativo con i pronomi indiretti

Non gli dire niente!　　=　　Non dirgli niente!

Cercare casa

In questa unità impariamo a:

▶ parlare di case, appartamenti e altre abitazioni
▶ chiedere e dare informazioni su un'abitazione
▶ incoraggiare qualcuno
▶ descrivere un appartamento
▶ parlare dell'arredamento
▶ localizzare oggetti nello spazio

Pronti?

1 Scrivete le parole che ricordate relative alla casa. Poi confrontatevi con i compagni di classe.

2 Secondo voi, dove abitano le persone delle foto in basso? Confrontatevi con i vostri compagni e motivate le vostre risposte.

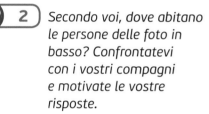
monolocale/mansarda

appartamento in città

attico

villetta fuori città

cascina in campagna

a

b

c

d

3 Quale di queste abitazioni vi piace di più? Secondo voi, quale costa di più da comprare o da affittare? Discutete tra di voi e poi fate l'attività A1.

a

Bruno: Hmm... per questo sei stata così scortese?

Anna: Ah, sì?! Incontriamo la tua ex, mi presenti dopo 10 minuti e quella scortese sono io ora?!

Bruno: La mia che?! Ma quale ex?! È solo una vecchia compagna di scuola!

b

Anna: Piacere! Ma guarda che coincidenza, eh? Vogliamo vedere l'appartamento?

Claudia: Certo... Allora, questo è il salotto..., la cucina..., la camera da letto..., il bagno... e il terrazzo.

c

Claudia: Sì, cioè dei miei, abitiamo al piano di sopra. E tu, che mi racconti?

Bruno: Io... studio archeologia, mi mancano pochi esami. Tu? Oh, scusami, questa è Anna. Claudia è una vecchia amica, andavamo a scuola insieme.

d

Anna: Certo... e guarda caso, questo annuncio l'hai trovato tu e sempre tu hai preso appuntamento...

Bruno: Oh, ma di cosa stai parlando?! Ma se non la vedevo da anni!

e 8

Anna: Certo. E hai capito subito che questo è l'appartamento che fa per noi, no?

Bruno: Pronto! Oh, ciao Gianni. L'appartamento? Sì, bello... ah, ricordi Claudia Cerini? È appena diventata la mia ex!

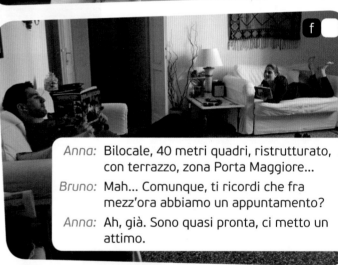

f

Anna: Bilocale, 40 metri quadri, ristrutturato, con terrazzo, zona Porta Maggiore...

Bruno: Mah... Comunque, ti ricordi che fra mezz'ora abbiamo un appuntamento?

Anna: Ah, già. Sono quasi pronta, ci metto un attimo.

g

Bruno: Buongiorno. Claudia?!

Claudia: Bruno! Non ci posso credere! Ma da quanto tempo? Come stai?

Bruno: Bene! Non mi dire che l'appartamento è tuo!

h

Bruno: Bello, vero? Spazioso, luminoso e... una vista bellissima. Il migliore tra quelli che abbiamo visto. E l'affitto poi non è alto... e anche la zona non è male.

Anna: Sì... anche i vicini di casa, veramente carini...

A) Ma guarda che coincidenza!

1 a *Osservate le foto a pag. 100: secondo voi, chi è questa ragazza e cosa succede?*

b *Leggete il dialogo e mettete le foto in ordine.*

2 *Ascoltate il dialogo o guardate il video per controllare le vostre risposte.*
Poi indicate l'affermazione corretta.

1. Claudia
   a. è una collega di Anna
   b. andava a scuola con Bruno
   c. è un'amica di Anna e Bruno

2. Anna e Bruno vogliono
   a. prendere in affitto un appartamento
   b. comprare un appartamento
   c. vendere un appartamento

3. Anna è un po' scortese perché
   a. non vuole cambiare casa
   b. non le piace l'appartamento
   c. Bruno non l'ha presentata subito

4. Bruno si arrabbia perché
   a. Anna non gli crede
   b. l'affitto è molto alto
   c. Gianni lo chiama sul cellulare

es. 1-2
p. 209

3 *Discutete in coppia e poi riferite ai compagni. Secondo voi, Bruno dice la verità o no?*
In quali punti del dialogo Anna è ironica?

4 *Trovate nel crucipuzzle le parole per completare le quattro espressioni.*
Poi inserite le espressioni nelle frasi sotto.

A	D	G	M	A
C	I	U	A	L
E	L	A	L	I
D	I	R	E	D
I	P	D	O	R
F	R	A	S	E

1. _____ che coincidenza...

2. ...non è _____ .

3. Non _____ posso credere...

4. Non mi _____ che...

_____
_____:
ho lasciato il cel-
lulare al lavoro!

a

_____
_____
tuo fratello ha
cambiato di nuovo
macchina?!

b

c

d

• Come ti sembra
  questo tavolo?

• Per la cucina? Sì,
  _____
  _____
  _____ .

_____
_____:
abbiamo comprato
le stesse scarpe!

es. 3
p. 209

5 In coppia. Leggete le frasi e completate la tabella con le preposizioni in *rosso*.

La camera da letto...

...fra mezz'ora abbiamo un appuntamento.

Sì, cioè dei miei.

...di cosa stai parlando?

...abitiamo al piano di sopra.

...non la vedevo da anni.

Quale preposizione usiamo per indicare...?

momento futuro _____

possesso _____

scopo/uso _____

argomento _____

tempo/durata _____

luogo _____

 6 *Scambio di preposizioni!* A va a pag. 150 e B a pag. 157.

es. ◄
p. 21(

B) Quanti metri quadri?

 1 Ascoltate la telefonata.
Quali di queste informazioni
sono presenti?

○ camere   ○ prezzo
○ zona   ○ mobili
☒ piano   ○ m²

2 Riascoltate la telefonata
e indicate con una **✗**
l'appartamento che vuole
vedere il sig. Martino.

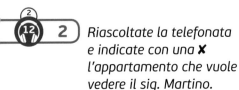 **3** Formate tre gruppi.
Ogni gruppo legge un
annuncio e disegna la pianta
dell'appartamento descritto.
Poi la condividete con
la classe.

 4 Scrivete un annuncio per mettere in affitto la vostra casa.

20-30

 5 A vuole prendere in affitto
l'appartamento di B: lo chiama
e chiede delle informazioni.

Appartamento nuovo,
al primo piano composto da
ingresso, soggiorno con angolo
cottura, grande camera da
letto, corridoio e bagno con
doccia idromassaggio.
Riscaldamento
autonomo.

14 📷

**Appartamento recente-
mente ristrutturato,**
al terzo piano, molto luminoso,
con soggiorno, cucina, una
camera, bagno e due balconi.
Il palazzo è fornito di
ascensore.
Non arredato.

5 📷

**Quadrilocale in ottimo
stato,** al secondo piano di
uno stabile ristrutturato a 300
metri dalla metro. Silenzioso
e luminoso, composto da
ampio ingresso, salone,
cucina, camera matrimoniale,
2 camere da letto, bagno,
ripostiglio e balcone.
Completamente
arredato.

12 📷

successiva ❯ 1 2   adattati da *casa.it*

C) E questo di chi è?

 1) Ascoltate il dialogo e indicate le affermazioni veramente presenti.

a. I Ferrara hanno comprato un divano. ◯
b. Inoltre, hanno comprato delle poltrone e un tavolo. ◯
c. Il divano è grande e non entra dalla porta. ◯
d. Inizialmente Alice non sa dove mettere il divano. ◯
e. Il sig. Ferrara dice di spostare anche il quadro. ◯
f. Al sig. Ferrara non piace il colore del divano. ◯
g. Il divano consegnato non è quello giusto. ◯

2) Leggete il dialogo o guardate l'animazione e controllate le vostre risposte.

3) Quali espressioni usa Matteo per incoraggiare Gigi? Completate la tabella.

Incoraggiare qualcuno

_____
_____
_____

Coraggio!
Continua così!
Avanti!

es. 7
p. 211

4) Leggete la frase a destra e indicate la risposta giusta.

La parola in blu significa:
    a. alcuni
    b. due

DEVO SOLO COMPRARE DEI CUSCINI.

5) Completate la tabella con le preposizioni date.

degli ◆ dei ◆ delle

L'articolo partitivo

Se fai la spesa, prendi anche _____ banane.

Stasera vengono _____ amici.

Ho comprato _____ bicchieri da vino.

es. 8-9
p. 211

D) Arrediamo casa?

1 Ascoltate i dialoghi e abbinateli alle stanze. Poi cerchiate i mobili e gli elettrodomestici che sentite.

a

b

c

es. 10
p. 212

2 *Spiegami e ti spiego!* Lavorate in coppia. A va a pag. 150 e B a pag. 157.

1. _____

2. _____

3. _____

4. _____

5. _____

6. _____

7. _____

8. _____

9. _____

10. _____

11. _____

12. _____

13. _____

14. _____

3 **Cos'è?** *Giocate in coppia. Guardate l'immagine. A turno fate una domanda al compagno come nell'esempio a destra. Se indovina cos'è, vince 1 punto. Potete usare alcune delle parole in* blu. *Vediamo chi arriva per primo a 4 punti.*

> *È in camera da letto, sul comodino. Cos'è?*

dietro • di fronte a • sotto • sopra • di fianco a • dentro • davanti a
accanto a • a destra di • a sinistra di • al centro di • tra • intorno a

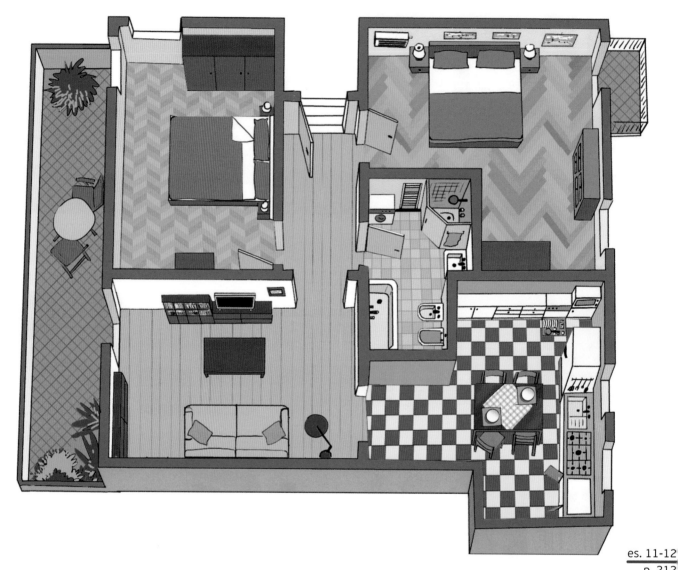

es. 11-12
p. 212

4 **a** *Secondo voi, è meglio comprare o affittare casa? Motivate le vostre risposte.*

b *Ascoltate e ricostruite le risposte di cinque persone alla stessa domanda.*

1. È un buon momento per comprare
2. È un investimento
3. La casa è una sicurezza ed eviti di
4. Con gli affitti alti meglio investire i soldi
5. Con gli stipendi di oggi è molto difficile

a. buttare soldi nell'affitto.
b. perché i prezzi sono scesi.
c. comprare una casa.
d. per chi ha la possibilità.
e. per l'acquisto dell'immobile.

5 *Finalmente ti sei trasferito nel tuo nuovo appartamento! Sei molto felice. Scrivi un'email a un amico per raccontargli com'è la tua nuova casa e come l'hai arredata.*

es. 13-15
p. 212

Italia&italiani

Abitazioni italiane e curiosità

Le abitazioni delle città italiane hanno spesso un diverso stile architettonico. Famosi e apprezzati sono soprattutto i borghi medievali, ma pochi conoscono le particolarità architettoniche che ogni città nasconde... Ecco qualche interessante esempio!

Le altane di Venezia

Sono piccole terrazze costruite sopra i tetti. In una città con strade strette e spesso buie, nelle altane i veneziani possono stendere i panni o prendere il sole tra i fiori; cenare all'aperto o chiacchierare con gli amici, durante le calde serate estive.

Sapete che...?

Potete visitare questi luoghi nascosti nella giornata "Cortili aperti": ogni anno alcuni proprietari di edifici storici aprono al pubblico i cortili delle proprie case!

Chiostro di Casa Ucelli di Nemi

I cortili interni di Milano

C'è una Milano segreta, nascosta dietro i portoni chiusi e le facciate dei palazzi. Una Milano bellissima, fatta di cortili, chiostri e giardini, tutti da scoprire.

I dammusi di Pantelleria

Tetti bianchi, grossi muri di pietra, finestre piccole e porte strette sono le caratteristiche delle abitazioni tipiche di Pantelleria. Da secoli infatti, i siciliani costruiscono i dammusi in questo modo per proteggersi dal clima dell'isola: forte vento, caldo e poche piogge...

Sapete che...?

Per le vacanze potete affittare queste particolari case con una splendida vista sul mare!

es. 1-2
p. 214

Curiosità

I panni stesi di Napoli e Genova

Strade strette, palazzi alti e balconi piccoli caratterizzano queste due affascinanti città.

Basta passeggiare tra le strade per ammirare la magia e i colori dei panni stesi ad arte tra un palazzo e l'altro.

COMUNICAZIONE

Chiedere informazioni su un'abitazione

- Di quanti metri quadri (quadrati) è l'appartamento?
- Quanto è grande l'appartamento?
- E quant'è l'affitto?

Dare informazioni su un'abitazione

- Il riscaldamento è autonomo.
- La zona è molto bella, ben collegata: la metro dista appena un chilometro.
- Il palazzo è di recente costruzione.
- In tutto sono sei gli appartamenti, due per piano.
- Per le spese di condominio, bisogna calcolare intorno ai 60 euro al mese.
- C'è l'ascensore.
- L'appartamento è come nuovo, l'abbiamo ristrutturato due mesi fa.
- 700 euro al mese.
- Può sembrare piccolo, ma le assicuro che ne vale la pena: molto luminoso, ha una bella vista...

Incoraggiare qualcuno

Dai!	Coraggio!
Forza!	Continua così!
Su!	Avanti!

GRAMMATICA

Uso delle preposizioni

momento futuro	Fra mezz'ora abbiamo un appuntamento.
scopo/uso	Allora, questo è il salotto... la cucina... la camera da letto...
tempo/durata	...non la vedevo da anni.
possesso	• Non mi dire che l'appartamento è tuo! • Sì, cioè dei miei.
argomento	Ma di cosa stai parlando?!
luogo	Abitiamo al piano di sopra.

L'articolo partitivo

Se fai la spesa, prendi anche delle banane.
Stasera vengono degli amici.
Ho comprato dei bicchieri da vino.

Preposizioni per localizzare oggetti nello spazio

sul comodino, sulla libreria, sulla parete
sopra la macchina per il caffè
sotto la finestra
al centro della stanza
tra il divano e il televisore
tra le poltrone
dietro la porta
davanti al televisore
di fronte al divano

dentro la lavastoviglie
nel soggiorno, nell'armadietto
in soggiorno, in frigorifero
intorno al tavolo
accanto al lavandino
di fianco alla cucina
fuori della stanza, fuori dalla finestra
a destra del letto
a sinistra del letto

1 Partite dalla freccia blu e cerchiate le lettere che formano le parole relative alle 3 immagini. Poi partite dalla freccia rossa e trascrivete le lettere rimaste, nell'ordine dato, per completare il proverbio al centro dello schema.

FIRENZE

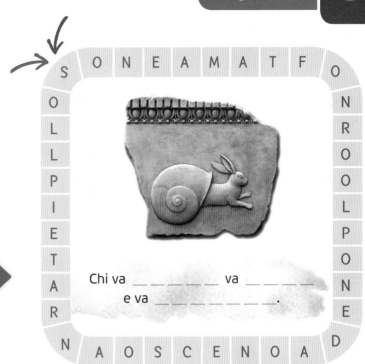

Chi va _ _ _ _ _ _ _ va _ _ _ _ _ _
e va _ _ _ _ _ _ _ .

2 Camera d'artista. Osservate la camera da letto di Van Gogh e completate la descrizione con le parole date.

accanto | angolo | destra | dietro | fra | fuori | sotto | sulla

La camera di Vincent è molto semplice: a _____(1) c'è un letto con due cuscini gialli. Sopra il letto, _____(2) parete, ci sono quattro quadri; _____(3) il letto ci sono tre giacche e un cappello. Nell'_____(4) a sinistra c'è un piccolo tavolo; sopra il tavolo c'è uno specchio; _____(5) lo specchio e un altro quadro, c'è anche una grande finestra. Nella stanza ci sono anche due sedie: una è _____(6) alla porta, l'altra è _____(7) la finestra, vicino al letto. E Van Gogh? È _____(8) dal quadro!

⤳ L'antiquario di Via del Corso ↝

Andate dall'antiquario di Via del Corso per la vostra **Collezione** d'arte italiana! Giocate in 3 o in 3 piccoli gruppi. Ogni giocatore parte da una delle **Collezioni** (**A, B** o **C**) a sinistra del negozio. A turno, tirate il dado: ogni volta potete decidere se andare a destra o a sinistra. Le opere d'arte, gli edifici e gli oggetti di design sono le caselle e sono divisi in quattro categorie: Design, Scultura, Pittura, Architettura. Quando arrivate su una casella, il giocatore alla vostra sinistra sceglie per voi uno dei compiti della lista **Oggetti di valore** a pag. 111. Se rispondete correttamente, mettete una **✗** nella categoria corrispondente della vostra **Collezione**. Ad esempio, se siete su un quadro e rispondete correttamente, mettete una **✗** in Pittura. Dopo, il turno passa al giocatore successivo. Vince chi completa per primo la sua **Collezione**.

Se...

...arrivate su una categoria che avete già completato, fate comunque il compito: se rispondete correttamente, mettete una **✗** negli **Extra**;

...finiscono i compiti e nessuno ha completato la **Collezione**, vince chi ha più oggetti di valore in totale.

Collezione A
Design
Scultura
Pittura
Architettura
Extra

Collezione B
Design
Scultura
Pittura
Architettura
Extra

Collezione C
Design
Scultura
Pittura
Architettura
Extra

Modigliani, Jeanne Hébuterne con Cappello

Palazzo Vecchio, Firenze

La Rotonda, Vicenza

Palazzo della Civiltà italiana, Roma

Michelangelo, Pietà

Botticelli, Nascita di Venere

Donatello, David

Auditorium Parco della Musica, Roma

De Chirico, L'incertezza del poeta

Bosco verticale, Milano

Leonardo da Vinci, La Gioconda

Canova, Amore e psiche

Vespa, Piaggio

Morandi, Natura morta

Eclisse, Artemide

Boccioni, Forme uniche della continuità nello spazio

Moka, Bialetti

Lettera 22, Olivetti

Giacometti, L'Homme au doigt

Algol, Brionvega

❦ Oggetti di valore ❦

- 3 monumenti in piazza del Duomo a Firenze.
- "Oddio! Ho dimenticato di chiamare Silvia! ... telefono subito!"
- Un amico ti dice: "Compra una casa in centro!" Non sei d'accordo. Cosa dici?
- Le terrazze sopra ai tetti di Venezia.
- Le case tipiche di Pantelleria.
- Sabato esco con degli/dei/dello amici.
- Incontri un vecchio amico per caso dopo molti anni: "Guarda che ...!"
- Anna va a vivere con Bruno. Sei felice per loro. Cosa dici?
- Per arrivare alla posta ci ... 15 minuti.
- La poltrona è accanto alla/la/della finestra.
- "Se non vuoi parlare con Ada, fai ... di non vederla."
- In macchina ti devi sempre allacciare la ... di sicurezza.
- Trova e correggi l'errore: *Il bagno è di fronte della camera.*
- 3 parti della macchina.
- "Emanuela, ... un favore, passami le chiavi."
- 3 piatti o prodotti da provare in Toscana.
- "Hai una penna?" Rispondi.
- 2 formule per chiudere una lettera formale.
- Non si trova mai in bagno: *lavandino – lavatrice – lavastoviglie*
- "Ti posso aiutare?" Rifiuta.
- 3 tipi di casa.
- La persona che manda una lettera.
- All'incrocio è rosso, giallo o verde.
- Un amico ti dice: "Non ho superato l'esame!" Ti dispiace. Cosa dici?
- È il compleanno di Elsa, la/gli/le compri un regalo?
- "Tu e Ilenia ... sentite spesso?"
- "500 € al mese". Fai la domanda.
- Per spedire una raccomandata devi compilare un ...
- Partiamo per il mare in/tra/a due settimane.
- Qual è la parola estranea? *marciapiede – benzina – strisce pedonali – incrocio*
- Tua sorella è stanca di studiare. Incoraggiala.
- 2 servizi postali per inviare un pacco.
- La tua vicina anziana arriva con una valigia pesante. Offri il tuo aiuto!
- 3 città della Toscana.
- "Sta finendo la benzina, mi fermo alla prossima ..."

3 *Amore... in banca! Completate le email di Irene e Marta: negli spazi blu mettete i verbi (al passato prossimo e all'imperativo); negli spazi rossi le parole baci, conto corrente, gli, viva.*

← 🗑 ❗ 🗑 ✉ 📥 🏷 ⋮   14 di 2.364   ‹ ›   ⌨ ▾   ⚙

Novità   [Posta in arrivo ×]   🖨 ↗

Irene Dalto <irene.dalto@gmail.com>   8 mag, 01:04   ☆ ↩ ⋮
a Marta, me ▾

Ciao Marta,

come stai? Sei ancora a Londra? Ti scrivo perché ho una grande notizia!! Vado a vivere con Elio! Vuoi sapere chi è?!

_____ (1. conoscersi) qualche mese fa: lui è impiegato alla banca di Piazza Garibaldi, io dovevo aprire un _____(2), quindi sono entrata e _____(3) ho chiesto tantissime informazioni. Alla fine il conto non l'ho aperto, ma... ho trovato il fidanzato! 😍

Da quella mattina _____
(4. vedersi) ogni giorno per sei mesi e la prossima settimana andiamo a vivere insieme: sono molto emozionata!

Tu torni in Italia a settembre, vero?
_____(5),

Irene

↩ **rispondere**   ➡ **inoltrare il messaggio**

Re: Novità   − ↗ ×

Irene Dalto <irene.dalto@gmail.com>

Re: Novità

Ciao Irene!
Che bella notizia, sono contenta per te!
_____(6) l'amore! Senti, però,
_____ (7. fare - a me) un favore: non _____ (8. voi - sposarsi) prima di settembre!!! Non voglio perdermi il vostro matrimonio! ;-)
Marta

Sans Serif ▾ ┬T ▾ **B** *I* U̲ A̲ ▾ ▤ ▾ ☰ ▾

Invia A̲ 📎 🔗 ☺ 🔺 🖼 🕐   🗑 ⋮

Al lavoro!   "Casa dolce casa"

La casa dei vostri sogni è... in Italia! Tutti insieme scegliete una città dove trovare casa.

1. *Dividetevi in gruppi di 3/4 persone e scegliete un nome per la vostra agenzia immobiliare.*
2. *Cercate informazioni sulle zone della città: distanza dal centro, prezzo, mezzi di trasporto disponibili, aree verdi, negozi, scuole, ospedali ecc.*
3. *Scegliete il tipo di casa (appartamento, villetta, attico ecc.), le dimensioni (metri quadri), il numero delle stanze (monolocale, bilocale ecc.) e le caratteristiche che sono importanti per voi (es. piano, giardino, terrazzo, aria condizionata, tipo di riscaldamento, ascensore ecc.).*
4. *Disegnate la piantina della casa e preparate l'annuncio di vendita.*
5. *Esponete gli annunci in classe e passate a leggere gli annunci dei vostri compagni.*
6. *Due di voi diventano clienti e vanno a chiedere informazioni e a comprare una delle case esposte; gli altri "rimangono" in agenzia e sono gli agenti a disposizione dei compagni che vogliono comprare la casa del vostro annuncio.*

In questa unità impariamo a:

▶ parlare dei social network e di internet
▶ parlare di eventi futuri
▶ esprimere incertezza
▶ fare progetti e programmi
▶ esprimere un dubbio
▶ fare una previsione

Problemi d'amore

Unità
10

Pronti?

1 Quali social network usate più spesso? Discutete tutti insieme e compilate la "mappa social" della classe. Nei quadratini celesti scrivete il numero degli studenti che usano ogni social.

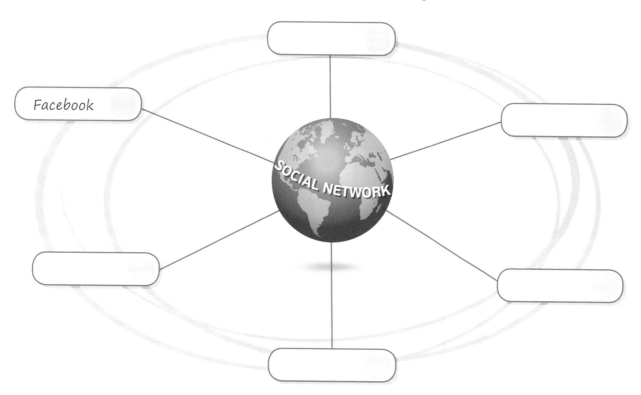

Facebook

SOCIAL NETWORK

2 Che cosa fate più spesso sui social network? Parlatene.

☐ carico foto
☐ seguo cosa fanno i miei amici
☐ condivido link
☐ scrivo i miei pensieri

☐ mi tengo informato
☐ guardo video
☐ commento i post degli altri
☐ mando messaggi/chatto
☐ altro: _____

3 Secondo voi, chi sta scrivendo il messaggio a destra e a chi? Poi fate l'attività A1.

Carla: Ecco, ti ho mandato le foto per email.

Anna: Vediamo se sono arrivate... Eeh?! Senti... ti richiamo tra un po'. Non è possibile...

Anna: Pronto!

Carla: Perché hai messo giù?

Anna: Perché... perché Bruno è veramente un cretino!

Carla: Eh?! Che cos'ha combinato questa volta?

Anna: Ti ricordi di Claudia, l'ex compagna di scuola di Bruno?

Carla: Eh...

Anna: Si scambiano messaggi su Facebook: faccine, baci ecc.

Carla: Ah... Qualcos'altro? Che so... si sono anche incontrati?

Anna: Può darsi: ora leggo tutta la chat e poi gli scriverò un bel messaggio... anzi lo chiamerò!

Carla: Aspetta, Anna: prima bisogna capire bene cosa c'è tra loro. Senti, vengo da te e ne parliamo, va bene? Mi raccomando, non fare niente per ora!

Anna: Ok... hai ragione, ti aspetto...

Bruno: Pronto!

Anna: Bella la tua amica! Soprattutto nella foto in costume da bagno... e tu hai messo anche "mi piace", bravo!

Bruno: Quale amica, quale foto, di cosa stai parlando?

Anna: Di Claudia! Da quanto tempo va avanti questa storia?

Bruno: Ma quale storia! Ascolta, Anna, quando torno a casa, ne parliamo con calma, ok?

Anna: Quando torni, non so se mi troverai ancora qui!

Bruno: Anna, ti posso spiegare... aspetta un attimo... Pronto! Cavolo!

Gianni: Ho capito: è entrata nel tuo profilo Facebook e ha visto tutto!

Bruno: Ma quale tutto, non ho fatto niente di male!

Gianni: Sì, come no... Senti, mi fai vedere questa foto? No, per capire quanto è grave la situazione!

A) Ti posso spiegare...

1 *Ascoltate il dialogo o guardate il video. Erano giuste le vostre ipotesi sul messaggio?*

2 *Riascoltate o riguardate e completate le frasi con una parola.*

a. Anna scopre che Bruno e la sua ex compagna di scuola si scambiano _____.

b. Anna dice che scriverà un messaggio a _____.

c. Carla consiglia ad Anna di non fare _____ per il momento.

d. Anna risponde a Carla che ha _____ e che la aspetterà.

e. Quando scrive "Bella la tua amica", Anna si riferisce a _____.

f. Bruno dice ad Anna che parleranno dopo a casa con _____.

g. Bruno dice a Gianni che non ha fatto niente di _____.

> ne parliamo
> = parliamo di
> questa cosa

3 *Scegliete un personaggio e interpretate l'episodio con i vostri compagni. Se volete, potete cambiare il finale.*

4 *Completate le frasi con la forma giusta delle espressioni in blu del dialogo.*

a. È una situazione difficile che _____ da molti anni.

b. Non so ancora se vengo con voi... _____.

c. Stavamo parlando al telefono, quando all'improvviso Lucia _____!

d. _____ capire la gelosia di Anna: Bruno non è stato sincero!

es. 1-3
p. 215

B) Non so se mi troverai ancora qui!

1 *Sottolineate nel dialogo tutti i verbi al futuro, tempo che incontriamo per la prima volta.*

2 *In coppia scoprite nel parolone le forme verbali per completare la tabella.*

f i n i r à s c r i v e r a n n o t r o v e r a i f i n i r e t e t r o v e r e m o s c r i v e r ò

Il futuro

	trovare	scrivere	finire
io	troverò	_____	finirò
tu	_____	scriverai	finirai
lui, lei, Lei	troverà	scriverà	_____
noi	_____	scriveremo	finiremo
voi	troverete	scriverete	_____
loro	troveranno	_____	finiranno

3 Completate le frasi con il futuro dei verbi dati.

1. Cattivo tempo domani: _____ tutto il giorno.   (piovere)
2. Quando _____ i tuoi genitori dalla Sicilia?   (tornare)
3. Se ti dico cos'ha fatto ieri Caterina, non ci _____!   (credere)
4. Domani _____ con un ragazzo che ho conosciuto ieri.   (uscire)
5. Sai quando _____ Mario per le vacanze?   (partire)
6. Se tutto va bene, fra un anno io e Sara _____.   (sposarsi)

es. 4-5
p. 215

C) Amore... "sbagliato"

1 Chi cerca l'amore on line, ha più possibilità di trovarlo se sa scrivere bene!
In coppia trovate gli errori, uno in ogni messaggio.

a Stare con te e bellissimo!

d Da quando ti o visto, penso solo a te.

b La cosa più bella sai qual'è? Sei tu!

e Sei già arrivata? Io arrivo fra un pò.

c Ciao, ci siamo conosciuti due giorni fà.

f Non ce nessuno come te!

2 E voi? Quali sono gli errori che fate più spesso in italiano?
Tutti insieme create la... top 5 degli errori più frequenti.

Erro
Sbagliando s'impara ;-)

TOP 5

1. _____
2. _____
3. _____
4. _____
5. _____

SPAGLIANDO SI IMPARA
SBALLIANTO SI IPARA
SBALIANDO SE IMPARA
SBALIANDO SI IMPARA
SPALANDO SI IMPARA

es. 6
p. 216

3 Avete appena conosciuto una persona.
Scrivetele un primo messaggio per dire
chi siete e chiederle di uscire.

30-40

Secondo voi, che cosa succederà
dopo quello che ha scoperto Anna?
Poi fate l'attività D1.

Torniamo alla storia

117

D) Ora siamo solo amici...

1 Guardate le immagini di pag. 117. Secondo voi, perché Anna sembra preoccupata?

2 Ascoltate il dialogo e inserite le battute al posto giusto.

> DAI, ANNA, NON ESAGERIAMO! PERCHÉ NON APRI LA SUA PAGINA FACEBOOK?
> **a**

> MA PERCHÉ HAI CANCELLATO TUTTO? COS'HAI DA TEMERE?
> **b**

> OK, E COME FARAI A GIUSTIFICARE I MESSAGGI CANCELLATI?
> **c**

> HMM, VABBÈ, FAMMI VEDERE I MESSAGGI!
> **d**

3 Leggete il dialogo o guardate l'animazione e indicate se le affermazioni sono vere o false.

	V	F
a. Carla legge i messaggi di Bruno.	○	○
b. Tra gli amici di Claudia c'è Ferrara.	○	○
c. Ferrara ha fatto molti viaggi insieme a Claudia.	○	○
d. Da una foto capiscono che probabilmente Ferrara li seguiva.	○	○
e. In passato Bruno e Claudia sono stati insieme.	○	○
f. Gianni ha cancellato per sbaglio i messaggi di Bruno.	○	○

4 Completate le espressioni usate da Carla e Gianni per confermare una loro ipotesi.

> Ne _____ !

> Lo _____ !

5 **a** Trovate nel dialogo le espressioni per completare la tabella.

Esprimere incertezza

Non lo so, forse...
Non sono sicuro/a, probabilmente...
_____ _____ _____

b In coppia. A turno, osservate le foto e usate le espressioni in blu per fare una domanda al compagno. Il compagno risponde con incertezza.

> Sai se...? / Come...? Quando...?

Luca
nuova casa

Elena
patente

chiamarsi
regista

posta
apre

es. 7-8
p. 216

E) Non sarà facile

1 a *Riascoltate alcune battute di Gianni e completate le caselle bianche.*

Verbi irregolari al futuro

	essere	avere	fare
io	_____	_____	_____
tu	_____		
lui, lei, Lei		_____	_____
noi	_____	_____	
voi	_____	_____	_____
loro	_____	_____	_____

Altri verbi irregolari alle pagine 242 e 243.

b *In coppia inserite nella tabella le forme date a destra.*
Vince la coppia che indovina per prima le tre forme
che non diamo.

> sarete faranno avremo saremo
> avrete faremo saranno farò
> avranno farete sarò avrà

2 *Ascoltate le domande e abbinatele alle seguenti risposte (quadratini* celesti*).*

☐ Mah, fanno sempre così. Secondo me, alla fine verranno. ☐
☐ Andremo dai miei suoceri, a Bologna. ☐
☐ Sarà tuo fratello... ha chiamato anche prima. ☐

3 *Ascoltate i dialoghi completi e controllate*
le vostre risposte.
Poi abbinate le funzioni a destra alle frasi
dell'attività E2 (quadratini rossi*).*

> a. fare una previsione
> b. esprimere un dubbio (riferito al presente)
> c. fare progetti/programmi

es. 9-11
p. 217

F) Vita sociale e... social

1 *Rispondete alle domande e discutete*
tutti insieme.

a. Quanto tempo passate sui social
network?

b. Quanti amici virtuali avete? E nella
vita reale?

c. E l'amore? È più facile trovarlo sui
social?

2

a *Siete d'accordo con queste affermazioni? Sono cose che fate/pensate anche voi? Discutetene.*

b *Ascolterete una ragazza parlare di Facebook: indicate le affermazioni presenti.*

Se incontriamo per strada un amico di Facebook, facciamo finta di non vederlo.

A causa di Facebook dedichiamo meno tempo ai nostri passatempi.

Su Facebook parliamo troppo di noi stessi.

Se abbiamo pochi "mi piace", rimaniamo delusi.

Curiosiamo nella vita di persone che non conosciamo bene.

Se ci cancelliamo da Facebook, gli "amici" non ci cercheranno più.

AB **3** *Lo studente A va a pag. 151 e lo studente B a pag. 158.*

es. 12-13
p. 218

 4 *Leggete il testo e discutete:*

a. quali di queste cose fate e quali no?

b. che cosa è più facile oggi grazie alla tecnologia?

L'amore prima e dopo Internet

Cose che facevamo per amore e che abbiamo dimenticato

Comporre playlist – Anche oggi comunichiamo i nostri sentimenti con le canzoni, ma sono sotto gli occhi di tutti. Postare una canzone sul profilo dell'amato significa rivelare a centinaia di persone i nostri sentimenti. Una volta era più intimo, esprimevamo le nostre emozioni registrando un CD per le sole orecchie della persona amata.

Evitare i corteggiatori – Quando qualcuno voleva conoscervi, doveva dire una cosa carina o farsi presentare da un amico comune. Oggi basta un click per inviare la richiesta d'amicizia. Basta mezzo minuto su Facebook per scoprire tutto di una persona. Pochi istanti per trasformarsi da corteggiatore a stalker.

Cancellare dalla vista gli ex – L'aspetto peggiore dei social network è l'impossibilità di cancellare gli ex dalla propria vita. Per non far vedere che soffriamo, continuiamo a tenerli tra le nostre amicizie. Quindi, spesso vediamo cosa fanno, con chi escono, se sembrano tristi o se si divertono con gli amici. Così soffriamo ancora di più.

Mandare messaggi d'amore senza emoticon – Da quando ci sono i cellulari, l'attesa di fronte al telefono di casa è finita. O meglio, si è trasformata in un'osservazione continua dello schermo del cellulare, ma almeno nel frattempo puoi uscire a fare due passi. Il problema è che tre parole e una faccina non sono come una telefonata. E non lo saranno mai.

adattato da www.grazia.it

 5 *Secondo voi, i social media come hanno cambiato le relazioni umane (amicizia, amore, famiglia)?*

60-70

es. 14-15
p. 219

 Test

Amore all'italiana

Gli italiani... romantici gentiluomini?

Secondo un'idea diffusa, l'uomo italiano...

- ♥ ti apre la porta,
- ♥ ti regala fiori,
- ♥ ti porta le borse,
- ♥ ti viene a prendere a casa,
- ♥ insiste per pagare il conto,
- ♥ fa molti complimenti,
- ♥ sa conquistarti con le parole,
- ♥ ama portarti in posti eleganti, soprattutto al primo appuntamento!

...Sarà vero?

L'amore prima di Facebook

Nel passato gli uomini suonavano e/o cantavano una canzone d'amore (una serenata) alla loro donna, solitamente di sera sotto la finestra di casa.
Qualcuno lo fa ancora oggi la notte prima del matrimonio!

Perché si dice "Sei un Casanova"?
Giacomo Casanova era uno scrittore e avventuriero veneziano. Nel 1700 era conosciuto in tutta Europa per i suoi successi amorosi, che ha deciso di raccontare nella sua autobiografia. Da allora, Casanova è diventato sinonimo dell'uomo seduttore!

Il santo che protegge gli innamorati di quasi tutto il mondo è italiano! Era vescovo di Terni, dove è nato nel 176.

Chi è San Valentino?

es. 1-2
p. 220

Curiosità d'amore

Il luogo più romantico?
La casa di Giulietta, a Verona.*

Qui le coppie si promettono eterno amore lasciando un messaggio romantico o un lucchetto.

In questa città, infatti, Shakespeare ha ambientato la sua celebre tragedia, Romeo e Giulietta!

LUIGI E AURELIO DE LAURENTIIS PRESENTANO
CARLO **VERDONE** SILVIO **MUCCINO**
LUCIANA **LITTIZZETTO**
SERGIO **RUBINI** MARGHERITA **BUY**
JASMINE **TRINCA**

MANUALE D'AMORE
L'uomo non sa perché s'innamora... viene travolto e basta!

UN FILM DI GIOVANNI **VERONESI**
PRODOTTO DA AURELIO DE LAURENTIIS

Manuale d'amore

Storie d'amore e vita di coppia... Non perdetevi la trilogia del regista Giovanni Veronesi, con un cast composto dai migliori attori italiani!

FEDERICO MOCCIA

TRE METRI SOPRA IL CIELO

Lo scrittore e regista contemporaneo più romantico?
Federico Moccia!

I suoi romanzi raccontano storie di giovani innamorati...
Dai suoi libri hanno ricavato gli omonimi film.

Dire cosa facciamo sui social

Carico foto.	Mi tengo informato/a.
Seguo cosa fanno i miei amici.	Guardo video.
Condivido link.	Commento i post degli altri.
Scrivo i miei pensieri.	Mando messaggi. / Chatto.

Esprimere incertezza

Non lo so, forse...
Non sono sicuro/a, probabilmente...
Che ne so!
Chissà!
Boh...

Ne

ne = di questa cosa

Anna, quando torno a casa, ne parliamo con calma, ok?

Futuro dei verbi regolari

	trovare	scrivere	finire
io	troverò	scriverò	finirò
tu	troverai	scriverai	finirai
lui, lei, Lei	troverà	scriverà	finirà
noi	troveremo	scriveremo	finiremo
voi	troverete	scriverete	finirete
loro	troveranno	scriveranno	finiranno

Futuro dei verbi irregolari

	essere	avere	fare
io	sarò	avrò	farò
tu	sarai	avrai	farai
lui, lei, Lei	sarà	avrà	farà
noi	saremo	avremo	faremo
voi	sarete	avrete	farete
loro	saranno	avranno	faranno

Usi del futuro

fare progetti/programmi

• Che cosa farete a Capodanno?
• Andremo dai miei suoceri, a Bologna.

fare una previsione

• Hanno detto che non vengono alla festa.
• Mah, fanno sempre così. Secondo me, alla fine verranno.

esprimere un dubbio riferito al presente

• Ma chi può essere a quest'ora?
• Sarà tuo fratello... ha chiamato anche prima.

In questa unità impariamo a:

▶ fare la spesa
▶ motivare la scelta di un prodotto
▶ specificare la quantità
▶ chiedere e dire il prezzo

Fare la spesa

Unità
11

Pronti?

1 Scrivete *pasta, pomodori, pesce, latte, carne, vino* sotto l'immagine giusta.

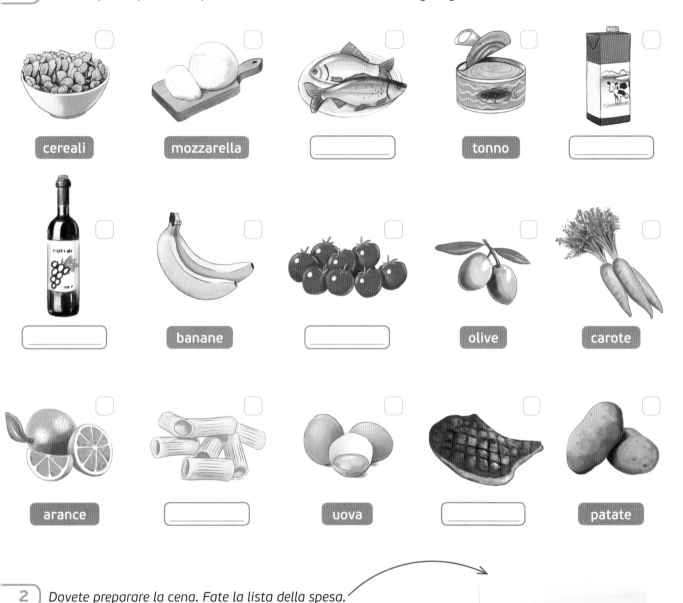

cereali   mozzarella   _____   tonno   _____

_____   banane   _____   olive   carote

arance   _____   uova   _____   patate

2 Dovete preparare la cena. Fate la lista della spesa. Potete comprare da un minimo di 5 a un massimo di 7 prodotti dell'attività 1. Poi confrontatevi con i compagni: quali sono i prodotti più frequenti nelle liste?

3 Ascoltate il dialogo e scrivete, accanto ai prodotti dell'attività 1, C per quelli che nomina Carla e G per quelli che nomina Gianni.

Carla: È questa la lista della spesa? Dammi, ci penso io... Allora?

Anna: Niente, quando è tornato a casa, mi ha spiegato come stanno le cose...

Carla: E cioè? ...Pasta... quanti pacchi? La Divella è in offerta! Ne prendo due?

Anna: ...cioè che con Claudia non c'è niente, non c'è mai stato niente.

Gianni: E ti ha creduto?

Bruno: Penso di sì... Comunque, raccontarle tutto ora poteva solo peggiorare le cose. Sai com'è fatta Anna...

Gianni: Infatti... ma come l'hai convinta? Cereali, questi li hai mai provati? Buoni e senza zucchero!

Bruno: Eh... ho telefonato a Claudia!

Carla: Che vuoi dire?! Ah, le uova... ne prendo sei, ok?

Anna: L'ha chiamata davanti a me e le ha chiesto di confermarmi che sono solo amici...

Carla: Hai visto? Che ti dicevo? Pomodori... Basta mezzo chilo? Due bottiglie di vino... Va bene il Barolo?

Bruno: E Claudia le ha detto che erano anni che non ci vedevamo.

Gianni: Quindi, tutto a posto, no? La mozzarella biologica... eccola!

Bruno: Eh, sì... dovevi vedere Anna: era felicissima!

Carla: Tonno... Rio mare? Tre scatolette al prezzo di due.

Anna: Ho fatto male a non fidarmi di Bruno, mi vuole bene veramente...

Carla: Lo so. La carne, la compriamo qui o in macelleria?

Anna: Però, ora che ci ripenso... perché aveva il suo numero di cellulare?!

Carla: Anna, non ricominciare! Ah, le banane, le prendo?

Anna: Ehi!! Anche voi qui?! Ma tu, come mai avevi il suo numero?!

A) Era felicissima!

1 Ascoltate di nuovo o guardate il video e rispondete alle domande.

a. Che cosa ha detto Bruno ad Anna quando è tornato a casa?

b. Come l'ha convinta?

c. Come ha reagito Anna?

d. Perché alla fine Anna cambia umore?

FARE SPESE   FARE LA SPESA

2 Leggete il dialogo e controllate le vostre risposte. Poi recitatelo usando i prodotti di pag. 123 non nominati da Carla e Gianni.

3 a A coppie. Senza riguardare il dialogo fate il cruciverba.

1. Mi ha spiegato come ... le cose.
2. Con Claudia non c'è niente, non c'è mai ... niente.
3. È questa la lista della spesa? Dammi, ci ... io.
4. Ho fatto ... a non fidarmi di Bruno.
5. Infatti, ma come l'hai ...?
6. Ma tu, ... mai avevi il suo cellulare?!
7. Quindi, tutto a ..., no?

b Secondo Gianni, quale prodotto deve provare Bruno? Scopritelo mettendo in ordine le lettere delle caselle rosse.

i __ __ r __ __ __ __

4 Trovate nel dialogo le espressioni usate per parlare di...

PRODOTTI IN OFFERTA

QUALITÀ DI UN PRODOTTO

QUANTITÀ DI UN PRODOTTO

5 Leggete la frase di Carla a destra: che cosa sostituisce il pronome ne? Poi nelle frasi sotto cerchiate il pronome giusto.

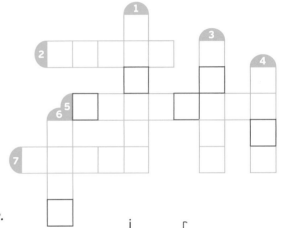

Pasta... quanti pacchi?
Ne prendo due?

a. Ma le poltrone nuove, sai a che ora le/ne porteranno?
b. Veramente buoni questi cioccolatini! Ne/Li mangio almeno 3-4 al giorno!
c. Queste sono proprio le scarpe che cercavo! Cosa dici, ne/le compro adesso?
d. Senti, prendi anche delle bistecche di maiale... prendile/ne quattro.

6 Lavorate in coppia. Volete far provare ai vostri amici un piatto classico della cucina italiana: le tagliatelle al ragù alla bolognese. Leggete gli ingredienti che dovete comprare e, usando le espressioni dell'attività A4, fate un dialogo al supermercato.

RAGÙ ALLA BOLOGNESE

CIPOLLE

CAROTE

OLIO DI OLIVA

CARNE MACINATA

PASSATA DI POMODORO

SALE + PEPE

PARMIGIANO

es. 1-
p. 22

B) E ti ha creduto?

1 Trovate i seguenti verbi nel dialogo e completate le frasi nei riquadri sotto, come nell'esempio in rosso. Poi osservate le lettere in blu: cosa notate?

...mi ha spiegato...

Bruno _____

...l'hai convinta...

Bruno ha convinto Anna

...l'ha chiamata...

Bruno _____

...le ha chiesto...

Bruno _____

2 Completate le frasi con mi, ti, gli, ci e vi come nell'esempio in rosso.

- Pasta... quanti pacchi?
  - Ne ho presi due.

I pronomi indiretti con il passato prossimo

Ragazzi, dove eravate? _____ abbiamo telefonato più volte.

Mi fai vedere le foto che _____ ha mandato Paola?

Per il loro anniversario di matrimonio gli abbiamo regalato un viaggio.

I nostri amici _____ hanno fatto una bellissima sorpresa!

Ho sentito Mario poco fa e _____ ha detto che sta arrivando.

es. 4-
p. 22

C) Cosa desidera?

1 Ascoltate il dialogo e indicate se le affermazioni sono vere o false.

V   F

a. Anna compra mezzo chilo di pecorino. ⃝ ⃝
b. Anche Carla compra del pecorino. ⃝ ⃝
c. Anna è ancora arrabbiata con Bruno. ⃝ ⃝
d. Le ragazze vanno a comprare la frutta. ⃝ ⃝
e. Anna nota un uomo che le osserva. ⃝ ⃝
f. L'uomo è un amico di Ferrara. ⃝ ⃝

> 1 etto =
> 100 grammi

2 Leggete il dialogo e completatelo con questi prodotti. Poi riascoltatelo o guardate l'animazione e controllate le vostre risposte.

 a mozzarella

 b yogurt

 c latte

 d prosciutto

 e melanzane

 f formaggio

3 Lavorate in coppia. Leggete il dialogo: uno di voi scrive le espressioni che usano Anna e Carla (cliente) per chiedere un prodotto e indicare la quantità; l'altro scrive le espressioni che usano i due negozianti. Poi condividete con il compagno quello che avete scritto.

> Vorrei della mozzarella di bufala.

cliente	negoziante
Vorrei del prosciutto crudo, due etti.	Cosa desidera?

4 Lavorate in coppia. Uno di voi è il cliente e l'altro il commesso di un negozio di alimentari. Il cliente vuole comprare i seguenti prodotti.

salame

salsicce

pasta fresca

burro

ricotta

4 *Scrivete un dialogo simile a quello dell'attività precedente, usando questi prodotti:*
prosciutto cotto, uova, pecorino, olive, parmigiano.

es. 6-8
p. 222

D) Certo che ce l'ho!

1 *Completate le frasi con la forma giusta delle espressioni evidenziate in blu nel dialogo a pag. 128.*

a. Puoi abbassare un po' la tv? Mi _____.
b. Non comprare il pane, _____ non lo mangia nessuno.
c. • Il mio pc si è bloccato! • _____, mi è successo più volte.
d. Oddio, non ho pagato i caffè: _____!

2 *Osservate le battute a destra.*
Poi completate le frasi con ce l'ho,
ce l'ha, ce li ho, ce l'abbiamo.

...mezzo chilo di pecorino.
Toscano, se ce l'ha.

Certo che
ce l'ho...

• Avete tutti il libro?
• Sì, _____ tutti.

• Hai gli occhiali da sole?
• Sì, _____.

• Chi ha il mio passa-porto?
• _____ Giulio.

• Hai una penna per caso?
• No, non _____.

3 *Completate le frasi con le preposizioni date alla rinfusa.*

a. Andrea ci ha portato due bottiglie _____ vino, ne apriamo una?
b. Non dimenticarti il burro: una confezione _____ 200 grammi.
c. Già che ci vai, puoi prendere anche un chilo _____ mele rosse?
d. Se vuoi delle melanzane fresche, vai _____ fruttivendolo in piazza.
e. Solo _____ macelleria troverai le salsicce che ti piacciono.

da
di
di
in
dal

es. 9-11
p. 223

E) Dove fare la spesa?

1 *Leggete il titolo di un articolo*
e discutete tutti insieme:
dove preferite fare la spesa?
Perché?

@greenMe

HOME VIVERE ▾ MUOVERSI ▾ TECNO ▾ MANGIARE ▾ CONSUMARE ▾ ABITARE ▾ INFORMARSI ▾ VIAGGIARE ▾ CORSI VIDEO

Marta Albè CONSUMARE ECO-SPESA

Supermercati o piccoli negozi?

2 a *Leggete l'articolo: con quali punti siete d'accordo?*

Entrare in un piccolo negozio di alimentari dopo tanto tempo può riservare delle sorprese inaspettate:

1. I prezzi non sono così alti come tanti credono, anzi, a volte risultano davvero convenienti.

2. Andare a fare la spesa a piedi è piacevole e per una volta possiamo lasciare l'auto in garage.

3. Dal fornaio di quartiere troviamo dell'ottimo pane fresco e dei prodotti locali.

4. Fare la spesa sotto casa più spesso ci permette di comprare meno e meglio e di avere a disposizione prodotti sempre freschi.

5. I proprietari di negozi specializzati possono diventare i nostri esperti di fiducia e consigliarci i migliori prodotti alimentari.

6. Conoscere e avere un rapporto cordiale con le persone che lavorano nel negozio e scambiare quattro chiacchiere ci rende più umani e cortesi.

7. Alcuni negozianti si occupano personalmente di consegnare a casa il pane o la spesa: un servizio utile per gli anziani, per chi non ha l'auto e in caso di emergenza.

8. Fare la spesa nei piccoli negozi è meno stressante e ci porta ad essere più attenti alla qualità.

adattato da *www.greenme.it*

b *Ascolterete tre dialoghi: a quali punti dell'articolo corrispondono? Attenzione: al dialogo b corrispondono due punti!*

| a. | b. 4, | c. |

3 *Giocate in coppia. Avete un minuto per scrivere sul quaderno quanti più abbinamenti possibili tra negozi, prodotti e quantità/confezioni (esempio: fruttivendolo–uva–chilo). Ogni combinazione di due parole vale 1 punto e di tre parole 3! Sono possibili più combinazioni. Vediamo chi fa più punti!*

macellaio ◆ fruttivendolo
negozio di alimentari ◆ panificio
pasticceria ◆ pescheria

pacco ◆ confezione
scatola ◆ vasetto
bottiglia ◆ etto ◆ chilo

 4 *A va a pag. 151 e B a pag. 158.*

es. 12-1!
p. 22

Sapori d'Italia

La cucina italiana (fortunatamente) non è solo pizza
e pasta... anche se sono davvero buone! 😊 Ci sono centinaia di prodotti
dal gusto unico, che ancora non conoscete, ma che vale la pena assaggiare!

es. 1-2
p. 226

Ogni regione ha i suoi prodotti tipici: salumi, formaggi, vini, olio...
Ecco i più conosciuti ed esportati in tutto il mondo!

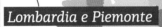

Prosecco

È un vino bianco, secco e frizzante,
che beviamo di solito come aperitivo.

Gorgonzola

È un formaggio dal
sapore forte e dal colo-
re blu, prodotto per la
prima volta nel 1400 a
Gorgonzola (Milano).

È perfetto per prepara-
re sughi gustosi!

Lombardia e Piemonte

Veneto

Emilia-Romagna

Sapete che...?

È più ven-
duto dello
champagne!

Campania

Sardegna

Mozzarella

La più famosa è
la mozzarella di
bufala, prodotta con
il latte di questo
simpatico animale.

Se andate in Puglia
però, ricordatevi di
provare la burrata!

Prosciutto di Parma

Così morbido e delica-
to... è prodotto solo con
carne di maiale e sale.

dolce

maturo

**Aceto balsamico
di Modena**

Questo particolare
aceto, dal sapore dolce,
può costare molto...!

Pecorino sardo

È un formaggio di latte di
pecora. Può essere di due
tipi: dolce o un po' piccante.

Curiosità

Creata in Piemonte da
Michele Ferrero, dopo la
Seconda Guerra Mondiale,
quando il cacao era scar-
so, la Nutella è da allora
la crema alle nocciole
più amata al
mondo!

Sapete che...?

Eataly è una catena di negozi di prodotti alimentari italiani di alta
qualità, ma a prezzi contenuti. Nata a Torino nel 2007, oggi ha negozi in tutto il mondo.

Qui potete acquistare molti prodotti, preparati secondo la nostra
tradizione, oppure assaggiarli nei tanti punti di ristoro all'interno.

Parlare dei prodotti in offerta

La Divella è in offerta!
Tonno... Rio mare? Tre scatolette al prezzo di due.

Parlare della qualità di un prodotto

Cereali, questi li hai mai provati? Buoni e senza zucchero!
La mozzarella biologica... eccola!
Vorrei del prosciutto crudo.
Pecorino toscano, se ce l'ha.
Le mele sono freschissime!

Parlare della quantità di un prodotto

Ah, le uova... ne prendo sei, ok?
Pasta... quanti pacchi? Ne prendo due?
Pomodori, quanti? Basta mezzo chilo?
Due bottiglie di vino...
Vorrei del prosciutto crudo, due etti, per favore.
Mezzo chilo di pecorino.
Prendo un litro di latte.
Vorrei un chilo di mele e delle melanzane.
Di melanzane ne metto 4-5?

Chiedere e dire il prezzo

- Quanto costa?
- 14 euro al chilo.

Il **ne** partitivo

Pasta... quanti pacchi? Ne prendo due?
Ah, le uova... ne prendo sei, ok?

I pronomi indiretti con il passato prossimo

Ragazzi, dove eravate? Vi abbiamo telefonato più volte.
Mi fai vedere le foto che ti ha mandato Paola?
Per il loro anniversario di matrimonio gli abbiamo regalato un viaggio.
I nostri amici ci hanno fatto una bellissima sorpresa!
Ho sentito Mario poco fa e mi ha detto che sta arrivando.

L'articolo partitivo al singolare

Vorrei della mozzarella di bufala.
Vorrei dell'uva bianca.
Carla compra del pecorino.
Prendo dello zucchero.

ce l'ho, ce le ho, ce li ho...

- Chi ha il mio passaporto? • Ce l'ha Giulio.
- Avete tutti il libro? • Sì, ce l'abbiamo tutti.
- Hai gli occhiali da sole? • Sì, ce li ho.
- Hai una penna per caso? • No, non ce l'ho.

In questa unità impariamo a:

▶ parlare di televisione e programmi televisivi
▶ fare paragoni
▶ precisare
▶ parlare dei pro e dei contro della televisione

Un dipinto famoso

Unità **12**

Pronti?

1 Lavorate in coppia. Abbinate i programmi televisivi ai disegni come nell'esempio in blu. Poi confrontate le vostre risposte con quelle delle altre coppie.

a. telegiornale ◆ b. talent show ◆ c. reality ◆ d. documentario ◆ e. film
f. soap opera ◆ g. trasmissione sportiva ◆ h. talk show ◆ i. gioco a premi

2 Ascoltate il dialogo: di quale genere televisivo è stanca Carla?

3 Guardate la televisione? Quali sono i vostri programmi preferiti? Perché?

UHM CHE PROFUMINO... È PRONTO?

QUASI. VOI AVETE FINITO DI APPARECCHIARE LA TAVOLA?

SÌ, MANCANO SOLO I BICCHIERI. ABBIAMO PREPARATO ANCHE L'INSALATA. ORA POSSO VEDERE "NIENTE SCHERZI"?

MA CHE DICI? TRA POCO INIZIA "L'ISOLA DEI CAMPIONI".

E DAI, BASTA CON QUESTI REALITY! NON VI HANNO STANCATO?

MA IO L'ISOLA LA GUARDO UNA VOLTA OGNI TANTO. È PIÙ DIVERTENTE DI "NIENTE SCHERZI".

SÌ, CERTO... MAGARI PER TE CHE NON CAPISCI LA SATIRA DI "NIENTE SCHERZI"!

BEH, IN EFFETTI, È UN PROGRAMMA INTELLIGENTE...

GRAZIE, CARLA, GENTILE COME SEMPRE!

SMETTETELA, RAGAZZI, LA CENA È QUASI PRONTA. NON VORRETE MICA GUARDARE LA TV ADESSO, SPERO.

HAI RAGIONE, ANNA... ALLORA, METTO SU RAI 1, STA PER COMINCIARE IL TELEGIORNALE!

GIANNI, SEI IMPOSSIBILE!

STO SCHERZANDO... ECCO, L'HO SPENTA.

FALSO CARAVAGGIO

OH, AVETE VISTO? C'ERA QUALCOSA SU CARAVAGGIO!

E ALLORA?

NON LO SO, MA SONO CURIOSA DI SENTIRE. RIACCENDI, PER FAVORE.

SECONDO IL PROFESSOR ZACCARONI, CRITICO ED ESPERTO D'ARTE, LA "CENA IN EMMAUS", IL FAMOSO DIPINTO DI CARAVAGGIO ESPOSTO AL MUSEO, È UN FALSO!

Rai 1

AVETE SENTITO? INCREDIBILE! UN CARAVAGGIO FALSO IN UN MUSEO!

MA DOVE, IN ITALIA?

RAGAZZI, MA QUELLO È IL MUSEO ROMANO!

Rai 1

MISTERO AL MUSEO ROMANO

A) È un falso!

1 *Ascoltate di nuovo o guardate l'animazione e indicate la risposta giusta.*

1. "L'isola dei campioni" piace molto a
   a. Gianni
   b. Bruno
   c. Carla

2. "Niente scherzi" è un
   a. documentario
   b. reality
   c. programma di satira

3. Anna chiede a Gianni di
   a. spegnere la tv
   b. cambiare canale
   c. preparare un'insalata

4. Chi ha scoperto che il dipinto è un falso?
   a. Un impiegato del Museo Romano
   b. Il direttore Massimo Ferrara
   c. Un noto esperto d'arte

2 *Leggete il dialogo e verificate le vostre risposte.*

3 *Completate le frasi con quattro di queste parole:*
spesso / effetti / per / smettetela / tanto / cominciate.

a. Ragazzi, ma dove siete? Il treno sta _____ partire!
b. Perché non fai tu la spesa una volta ogni _____?
c. Tutti parlano bene dell'avvocato Battista: in _____, è una persona in gamba!
d. Dai, ragazzi, _____ di gridare, sono le 10 di sera!

Caravaggio, Cena in Emmaus (1606)

4 *Sottolineate nel dialogo le espressioni che usano i ragazzi per parlare di televisione e delle trasmissioni da guardare. Poi in coppia fate tre dialoghi nelle situazioni date.*

1. A e B vogliono guardare programmi diversi.
2. A propone un programma che B non conosce.
3. A vuole cambiare canale e spiega a B perché.

stare per + infinito
a pag. 244

es. 1-2
p. 227

B) Più o meno?

Il comparativo

1 *Osservate la frase sotto. Poi completate la tabella.*

È più divertente di "Niente scherzi".

L'Italia è _____ grande della Svizzera.
(L'Italia ha _____ abitanti della Svizzera.)

Una Fiat è meno costosa di una Ferrari.
(Una Fiat costa meno di una Ferrari.)

Firenze è grande quanto/come Bologna.

2 *Lavorate in coppia. Osservate le immagini e fate almeno sei paragoni con il verbo essere e la forma giusta degli aggettivi dati. Poi confrontatevi con le altre coppie.*

giovane | *interessante* | *simpatico* | *fresco* | *conveniente* | *luminoso* | *rumoroso* | *noioso*

io / te

carote / arance

mio appartamento / tuo

telegiornale / quiz

questo albergo / quello

treno / aereo

es. 3-4
p. 227

C) Che cosa stai guardando?

 1 *Ascoltate e abbinate i dialoghi ai titoli a destra.*
Attenzione: c'è un titolo in più!

| Grande e moderno | La tv fa male |
| Un nuovo programma | Cambiamo canale? |

 2 *Ascoltate di nuovo e indicate le parole che sentite.*

serie (TV)   conduttore   televisore   schermo   documentario
concorrenti   puntata   quiz   canale   episodio   film
pollici   telespettatori   pubblico   trasmissione   telecomando

Precisare

_____ a dire

cioè

nel _____ che

 3 *Ascoltate tre frasi dei dialoghi precedenti e individuate le espressioni da inserire nella tabella.*

 4 *Lavorate in coppia. Usate una parola dell'attività C2 e un'espressione dell'attività C3 per scrivere una frase. Poi confrontatevi con le altre coppie.*

 5 *Intervistate quattro compagni e cercate di scoprire:*
a. un programma che piace a due di loro
b. chi tra loro guarda di più la televisione
c. chi la guarda ancora solo sul televisore

Poi riferite alla classe quello che avete scoperto.

es. 5-7
p. 228

Carla: Che cos'hai detto?!

Anna: Eccolo, non vedi? Museo Romano!

Bruno: Incredibile! Un falso nel museo di Ferrara! Adesso sì che finirà nei guai!

Carla: Ma perché, secondo te, Ferrara è coinvolto in qualche modo?

Gianni: Coinvolto o meno, è sempre il direttore. Comunque, noi che ci possiamo fare?

Anna: Infatti. Lasciamo perdere, forse stiamo esagerando.

Bruno: Sì, forse lui non c'entra niente. Dai, ragazzi, mangiamo!

Carla: E quindi non capivo da dove veniva l'acqua... e invece era il tubo di quello di sopra!

Gianni: Non può essere!

Bruno: Cosa? Che c'è?

Gianni: Il tubo! Ricordate il tubo portadisegni a Firenze?

Anna: Noooo! Quindi, nel tubo...

Bruno: Ma certo! Chi va in banca con un tubo?!

Carla: State dicendo che conteneva...

Anna: Il dipinto originale! Forse è stato Ferrara a rubarlo! Ecco perché ultimamente parlava spesso di Caravaggio, ricordate le parole di Alice?

Carla: Com'è possibile?! Si tratta di un'opera famosissima, probabilmente la più importante del museo! Comunque, a chi interessano le nostre teorie?

Gianni: Aspettate! Ho la foto... di Ferrara... mentre entra in banca col tubo in mano... Eccola!

Carla: E allora? Non possiamo dimostrare niente comunque...

Gianni: Infatti, noi possiamo solo mandare la foto alla polizia... Loro sapranno cosa fare.

Bruno: Ok... ma se la mandiamo, nessuno dovrà mai capire che siamo stati noi!

D) La foto

1 Ascoltate il dialogo o guardate il video e rispondete alle domande.

   a. Perché Ferrara finirà nei guai, secondo i ragazzi?

   b. Che cosa ricorda Gianni?

   c. Dov'è il dipinto originale, secondo i ragazzi?

   d. Che cosa propongono di fare i ragazzi alla fine?

   e. Secondo voi, che cosa succederà?

col: con il

2 Leggete (o recitate) il dialogo e controllate le vostre risposte.

3 Osservate le espressioni in blu e indicate la risposta giusta.

Adesso sì che finirà nei guai!

Infatti. Lasciamo perdere.

1. Secondo Bruno, Ferrara
   a. avrà dei problemi
   b. farà tanti soldi

3. Anna propone di
   a. fare qualcosa
   b. non fare niente

Coinvolto o meno, è sempre il direttore.

Sì, forse lui non c'entra niente.

2. Secondo Gianni,
   a. non importa se Ferrara è coinvolto
   b. Ferrara è meno coinvolto di altri

4. Secondo Bruno, Ferrara
   a. ha rubato il dipinto
   b. non ha rubato il dipinto

es. 8
p. 229

4 Che cosa pensa Carla del dipinto di Caravaggio? Completate la frase.

...si tratta di un'opera _____, probabilmente la _____ del museo.

5 Osservate le immagini e formate delle frasi come nell'esempio. Attenzione: antico: antichissimo / lungo: lunghissimo!

Il Duomo di Firenze è bellissimo, (forse) è il duomo più bello del mondo.

Basilica di San Pietro / grande mondo

Torre di Pisa / famosa Italia

Cattedrale di Palermo / bella Sicilia

Fiume Tevere / lungo Centro Italia

Campanile di San Marco / alto Venezia

Colosseo / antico / monumento Roma

es. 9-10
p. 229

E) Televisione: sì o no?

1 Leggete le seguenti frasi e discutete in coppia: con quali siete d'accordo? Poi confrontatevi con i compagni e motivate le vostre risposte. La tv...

a. può creare dipendenza
b. trasmette molte brutte notizie
c. è solo un passatempo
d. ci rende più pigri

e. ci fa perdere molto tempo
f. non fa molto bene
g. ci rende più attivi
h. ci insegna tante cose

2 Ascoltate una o due volte una persona che spiega perché non guarda più la TV. Di quali aspetti dell'attività E1 parla?

3 Ascoltate di nuovo e indicate se le affermazioni sono vere o false.

	V	F
a. Un tempo guardava spesso telegiornali e talk show.	○	○
b. Ha smesso di guardare la tv pochi mesi fa.	○	○
c. Adesso ha molto più tempo libero.	○	○
d. È diventato più attivo, più creativo.	○	○
e. Ogni tanto guarda la sua serie tv preferita.	○	○
f. La tv crea una forte dipendenza, come Facebook.	○	○

es. 11-12
p. 230

4 Completate il testo con le parole date, come nell'esempio in blu. Poi rispondete alle domande.

puntata ◆ conduttore ◆ televisione ◆ televisiva ◆ programma
concorrenti ◆ trasmissione ◆ televisore

La TV ha unito l'Italia!

Forse la vera unità d'Italia è nata con la _____(1). *Lascia o raddoppia*, il primo gioco a quiz della storia della TV italiana, è stato senza dubbio il _____(2) che più ha unito il Nord, il Centro e il Sud Italia. Il 26 novembre del 1955 è andata in onda la prima *puntata* (3).

Al quiz potevano partecipare tutte le persone che pagavano il canone di abbonamento RAI. I _____(4) potevano scegliere un argomento tra musica, teatro, cinema, arti, storia d'Italia, letteratura ecc. La prima risposta esatta valeva 2.500 lire e il diritto di passare alla successiva, che valeva il doppio. Dopo un certo numero di domande, il concorrente poteva decidere se lasciare e andare via con i soldi vinti fino a quel momento, oppure raddoppiare, con il rischio, se sbagliava, di perdere tutto!

Chi non aveva la televisione, era costretto a uscire per andare al bar o da amici che avevano il _____(5). I bar facevano concorrenza ai cinema, ai ristoranti e alle sale da ballo. Nel 1956, l'anno di maggior successo della _____(6), i televisori presenti nelle case italiane sono passati da 40 mila a 400 mila!

Il successo di *Lascia o raddoppia* era dovuto alla personalità di alcuni concorrenti e alle alte vincite. E poi c'era il _____(7) Mike Bongiorno, personaggio veramente affascinante.

Secondo una ricerca, in quegli anni il vocabolario degli italiani è diventato più ricco ed è migliorata la capacità di esprimersi in italiano rispetto al dialetto. *Lascia o raddoppia*: una trasmissione _____(8) che ha unito l'Italia, anche linguisticamente!

adattato da *www.inventarioitaliano.it*

a. Che decisione dovevano prendere i concorrenti dopo alcune domande?

b. Che cosa poteva fare chi non aveva il televisore?

c. Perché la tramissione "ha unito l'Italia anche linguisticamente"?

d. Nel vostro Paese c'è stata una trasmissione così importante?

es. 13-14
p. 23

 5 *Tabù... al contrario. A va a pag. 152 e B a pag. 159.*

 6 *Scegli uno dei seguenti compiti.*

60-90

a Cos'è successo in questo volume? Fai un riassunto.

b Immagina il finale della storia. Può essere un racconto o un dialogo.

c "La mia trasmissione preferita."

7 *Come finisce veramente la storia del libro? Andate a pagina 233 per scoprirlo...*

 Tes

Italia&italiani

La televisione italiana

es. 1-3
p. 232

La Rai

Nel 1954 nasce la televisione italiana. Da allora, la Rai rappresenta il servizio pubblico radiotelevisivo in Italia.

Sapete che...?

Nel 1960 va in onda *Non è mai troppo tardi*: un programma, condotto dal maestro Manzi, per insegnare agli adulti italiani a leggere e a scrivere. In quegli anni, grazie al programma, trasmesso fino al 1968, è aumentata la frequenza alla scuola dell'obbligo!

I quiz televisivi

Oltre a *Lascia o raddoppia*, Mike Bongiorno ha condotto tanti altri giochi a premi che hanno fatto la storia della televisione italiana, come ad esempio *La ruota della fortuna*.

Raffaella Carrà, showgirl

I varietà

Nel 1976 va in onda, con il celebre conduttore Corrado, il varietà *Domenica in*. Il programma nasce per "tenere in casa" le famiglie italiane in un periodo di forte crisi petrolifera, evitando le gite fuori città della domenica!

Maurizio Costanzo

I talk show

I talk show entrano nelle case degli italiani negli anni '80 con il *Maurizio Costanzo Show* e, più tardi, *Porta a Porta*. Condotti da grandi giornalisti, trattano di politica e attualità, e ospitano i personaggi più importanti dello spettacolo, della cultura e della politica.

Bruno Vespa

Il cabaret

Negli anni '70 il cabaret arriva in televisione, con sketch comici di artisti provenienti dal *Derby*, lo storico locale di Milano. Ma sarà *Zelig* il programma di cabaret di maggior successo. Nato negli anni '90, ha aperto le porte a grandi artisti comici.

I programmi satirici

Fin dagli anni '90, i programmi di satira *Le iene* e *Striscia la notizia* sono molto amati dagli italiani, perché trattano l'attualità in modo critico e provocatorio, spesso con umorismo o ironia.

I talent show

Dagli anni 2000 in poi, molti ballerini, cantanti e attori italiani sono diventati famosi grazie a talent show come *Amici di Maria De Filippi*!

COMUNICAZIONE

Parlare di televisione

Ora posso vedere *Niente scherzi*?

Tra poco inizia *L'isola dei campioni*.

E dai, basta con questi reality! Non vi hanno stancato?

Ma io *L'Isola* la guardo una volta ogni tanto. È più divertente di *Niente scherzi*.

Sì, certo... per te che non capisci la satira di *Niente scherzi*!

Beh, in effetti è un programma intelligente...

Metto su Rai 1, sta per cominciare il telegiornale.

L'ho spenta.

Riaccendi, per favore.

Precisare

Ah, gioca anche il pubblico, vale a dire ci sono tre concorrenti che rispondono con l'aiuto del pubblico in studio e dei telespettatori!

Era in offerta, cioè l'ho pagato la metà.

Alla fine sai che penso? Che non è cambiato niente: nel senso che guardo gli stessi stupidi programmi, solo che ora è tutto un po' più grande!

GRAMMATICA

stare per + infinito

Sta per cominciare il telegiornale.

Il comparativo degli aggettivi

MAGGIORANZA ⊕	L'Italia è più grande della Svizzera.
MINORANZA ⊖	Una Fiat è meno costosa di una Ferrari.
UGUAGLIANZA ⊜	Firenze è grande quanto/come Bologna.

Il superlativo degli aggettivi

ASSOLUTO	Si tratta di un'opera famosissima.
RELATIVO	Probabilmente la più importante del museo.

1 Conoscete il nome della famosa specialità della città di Alba in Piemonte?
Per scoprirlo scrivete i nomi dei prodotti.
Poi completate lo schema in basso, come nell'esempio in blu: a ogni simbolo corrisponde la lettera iniziale dei prodotti.

insalata

__ __ __ __ __ __ __ __ __ / __ __ __ __ __

2 La TV del futuro. Completate il dialogo: negli spazi blu mettete i verbi al futuro; negli spazi rossi le parole date. Attenzione: ci sono due parole in più!

cioè ✦ gli ✦ più ✦ programma ✦ televisori ✦ ti ✦ trasmissione

Lidia: Che cosa stai facendo, Lucio? Sempre con il cellulare in mano!

Lucio: Sto leggendo un articolo sui _____(1) del futuro. Sembra che nei prossimi anni _____ (2. fare) tutto loro nelle nostre case, _____(3) chiuderanno le finestre, _____ (4. accendere) l'aria condizionata, spegneranno le luci...

Lidia: Incredibile!

Lucio: Sì, dallo schermo _____ (5. noi - vedere) anche cosa è rimasto nel frigo o chi suona alla porta. E il televisore _____ (6. parlare) e ci consiglierà quale programma vedere, in base ai nostri gusti.

Lidia: Ma se tu guardi solo la tua _____(7) preferita?! Non _____(8) servono consigli!

Lucio: Non è vero!

Lidia: Dai, sto scherzando! Ma la domanda _____(9) importante è: quanto _____ (10. costare) un televisore così?!

In giro per la Toscana

Siete pronti per il giro della Toscana? Giocate in 3 o in 3 piccoli gruppi. A turno, tirate il dado. Quando arrivate su una casella blu, il giocatore alla vostra destra sceglie per voi uno dei compiti proposti. Se la risposta non è giusta, tornate indietro di una casella. Dopo, il turno passa al giocatore successivo. Vince chi arriva per primo alle bellissime spiagge dell'Isola del Giglio! Attenzione al colore delle caselle: leggete la Legenda!

CARRARA · VIAREGGIO · COLLODI · PISTOIA · LUCCA · VINCI · PRATO · MUGELLO · FIRENZE · CHIANTI · SAMMEZZANO · AREZZO · CORTONA · MONTEPULCIANO · SIENA · SAN GIMIGNANO · CASTAGNETO CARDUCCI · LIVORNO · ISOLA DI GORGONA · PISA

PARTENZA

MONTE AMIATA

PITIGLIANO

26

27

25

MONTALCINO

28

TERME DI SATURNIA

24

GROSSETO

29 MONTE ARGENTARIO

23

PIOMBINO

ISOLA DEL GIGLIO 30

21 ISOLA DI CAPRAIA

22

ISOLA D'ELBA

ARRIVO

Legenda
caselle verdi: tirate il dado un'altra volta!
caselle rosse: tornate indietro di due caselle!

- 3 cose che facevamo per amore prima di Internet.
- 4 ingredienti del ragù alla bolognese.
- "Amo viaggiare: in TV guardo solo i ... di viaggio".
- Se voglio frutta davvero fresca, vado da/in/dal fruttivendolo.
- Ci compriamo la carne.
- Trova e correggi l'errore: *Sta per cominciando il film, zitti!*
- "Chi ha le chiavi della macchina?" "... ha Mario."
- "Lia e Ivano stanno di nuovo insieme!" Non ti sorprendi. Come rispondi? "... ero sicuro!"
- Tu andavi/andrai/va' alla festa di Giulia sabato?
- Firenze è grande ... Bologna.
- "Quanto prosciutto hai comprato?" "... due etti".

- Chi è San Valentino?
- "Cos'hai regalato a Erica?" "... ho preso un libro."
- "Se vai al supermercato, compra una ... di burro!"
- Ci compriamo pane, cornetti e pasticcini.
- Partecipa a un quiz televisivo: il ....
- "Sai che ore sono?" "Boh, ... le cinque."
- Le persone che guardano la televisione.
- "Se continua a chattare con quella persona, finirà nei ..."
- "Non guardo i reality tutti i giorni, solo ... ogni tanto."
- "Avete pomodori freschi?" "Sì, certo che ... abbiamo!"
- La città di Romeo e Giulietta.

- 3 famosi conduttori italiani.
- Programma TV per tenersi informati.
- 3 cose che fai sui social.
- "Cosa?! Hai visto il tuo ex?" "... parliamo dopo con calma!"
- 3 prodotti regionali tipici italiani.
- L'opera di Caravaggio è ... importante del Museo Romano.
- "Vorrei due mozzarelle di bufala, grazie."
Fai la domanda.
- "Il tonno è in offerta. Tre scatole ... prezzo di due."
- "Lia verrà stasera?" "Non lo so, può ..."
- Smetti di guardare la TV: almeno 2 benefici.

3 Leggete le informazioni e completate i confronti usando gli aggettivi e i verbi tra parentesi, come negli esempi in *blu*.

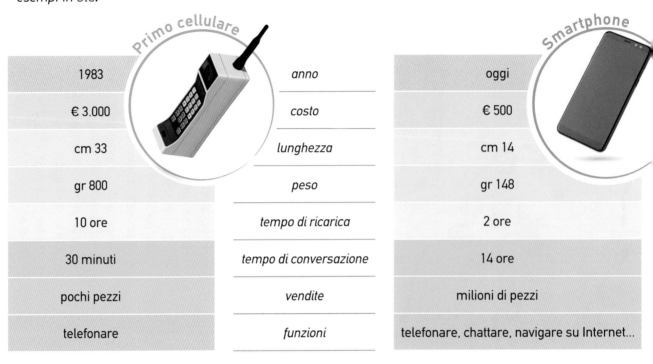

Primo cellulare		Smartphone
1983	*anno*	oggi
€ 3.000	*costo*	€ 500
cm 33	*lunghezza*	cm 14
gr 800	*peso*	gr 148
10 ore	*tempo di ricarica*	2 ore
30 minuti	*tempo di conversazione*	14 ore
pochi pezzi	*vendite*	milioni di pezzi
telefonare	*funzioni*	telefonare, chattare, navigare su Internet...

1. Lo smartphone è ___*più moderno del*___ primo cellulare. (moderno)
2. Il primo cellulare ___*costava più*___ dello smartphone. (costare)
3. Lo smartphone è _____ primo cellulare. (lungo)
4. Il cellulare era _____ smartphone. (pesante)
5. Lo smartphone _____ in fretta del cellulare. (ricaricarsi)
6. Le telefonate con il cellulare _____ di quelle con lo smartphone. (durare)
7. Lo smartphone _____ pezzi del cellulare. (vendere)
8. Il cellulare _____ funzioni dello smartphone. (avere)

Al lavoro! L'appetito viene... cliccando! 👍

1. Dividetevi in gruppi di 4/5 persone. Ogni gruppo sceglie una regione italiana.

2. Cercate quali sono i prodotti tipici della regione (almeno 3) e raccogliete più informazioni possibili (luogo di produzione, periodo di produzione, caratteristiche, curiosità ecc.).

3. Aprite una pagina Facebook per promuovere i prodotti. Scegliete un nome per la vostra pagina, un'immagine di copertina e scrivete una breve descrizione.

4. Caricate delle immagini dei prodotti e postate dei brevi testi per descriverli. Potete anche realizzare un breve video per presentare i prodotti e le informazioni che avete raccolto e poi caricarlo sulla pagina Facebook.

5. Visitate le pagine degli altri gruppi, commentate i post, mettete "mi piace" e, se volete, condividete con i vostri contatti!

Chi ha ottenuto più "mi piace"?

STUDENTE A

Unità 1
B5

) *Osservate le parole a fianco. Date alla squadra B una parola blu, una nera e una rossa (oralmente o scritte alla lavagna).*

) *La squadra B deve formare una frase al passato prossimo con tutte e tre le parole (più preposizioni, articoli ecc.).*

) *Se il verbo ausiliare è corretto, vince 1 punto. Se è corretto anche il participio passato, i punti sono 2. Attenzione però: la frase deve essere completa e avere senso!*

) *Poi i ruoli cambiano.*

) *Il gioco finisce quando avete usato tutte le parole: quale squadra ha fatto più punti?*

fare | città | scorso
mare | mese | rimanere
sapere | fa | estate
già | viaggio | andare

Unità 1
E3

) *Hai due minuti di tempo per aiutare B a indovinare quante più parole possibili, senza dire però quelle in rosso. Puoi usare le espressioni in blu.*

) *Dopo due minuti, i ruoli cambiano e tu devi indovinare le parole di B.*

) *Ogni parola indovinata fa guadagnare 1 punto a tutti e due. Vediamo quale coppia fa più punti.*

È una cosa che indossiamo...   È un oggetto che troviamo...

È una cosa che usiamo per/quando...

cartina / carta

maglietta / maglione

costume da bagno / nuotare

crema solare / sole

cappello / sole

scarpe / piedi

libro / leggere

soldi / pagare

ombrello / pioggia

Unità 2
D6

*Adesso puoi capire alcuni modi di dire,
ma anche "insegnarli" a B.*

"in bocca al lupo" = buona fortuna
"non muove un dito" = non fa niente
"è in gamba" = è molto bravo, abile

❭ *Leggi a B la spiegazione (in blu) di un modo di dire: se indovina subito il modo di dire, vince 3 punti!*

❭ *Se B non indovina, puoi: a) dare una parola (ma non quelle in rosso); b) fare un disegno alla lavagna (ad es. un lupo); c) fare un gesto (ad es. toccare la bocca).*

❭ *Se B indovina il modo di dire, ognuno di voi vince 2 punti; se B non indovina, nessuno vince dei punti.*

❭ *In ogni caso, il turno passa a B. Vediamo chi fa più punti alla fine!*

Unità 3
C5

Prendi la classifica generale che avete creato per l'attività C3, scegli un film e un attore o un regista e chiedi a B il suo parere.

Il tuo scopo è ottenere un parere positivo e uno negativo, quindi cerca di ricordare o prevedere le preferenze di B.

Infine, chiedi a B di giustificare la sua opinione.

Poi i ruoli cambiano.

Unità 3
F3

*Proponi a B di andare a vedere "Veloce come il vento".
B ti fa delle domande e poi ti propone un altro film.
Anche tu vuoi sapere tutti i particolari.
Alla fine quale film andate a vedere?*

DOMENICO PROCACCI e RAI CINEMA presentano
ISPIRATO A UNA STORIA VERA
★★★★★
"LA MIGLIOR PROVA AD ALTA VELOCITÀ DEL CINEMA ITALIANO"
SCREENWEEK
★★★★★
"UNO STREPITOSO STEFANO ACCORSI"
BEST MOVIE
★★★★★
"IMPERDIBILE"
MYMOVIES.IT

STEFANO ACCORSI
MATILDA DE ANGELIS
VELOCE
COME IL
VENTO
UN FILM DI MATTEO ROVERE

Titolo: Veloce come il vento
Regista: Matteo Rovere
Cast: Stefano Accorsi, Matilda De Angelis
Genere: Drammatico
Paese: Italia
Durata: 119 min.
Premi: 2 Nastri d'Argento
Data di uscita: 5 novembre
Voto di mymovies.it: ★ ★ ★ ★ ☆

Trama

Giulia viene da una famiglia di campioni di corse automobilistiche. Anche lei è pilota, un talento eccezionale che a soli diciassette anni partecipa al Campionato GT, sotto la guida del padre Mario. Quando lui muore, tutto cambia. La situazione si complica con il ritorno del fratello Loris, ex pilota di straordinario talento, ormai tossicodipendente. I due fratelli sono obbligati a lavorare insieme e a scoprire quanto è difficile e importante essere una famiglia.

Unità 4
A4

Vai a Roma insieme a B per due giorni. Puoi usare le espressioni a destra per proporre di fare qualcosa o di visitare un luogo.

Senti anche le proposte di B e decidete insieme cosa fare (al massimo 6 attività).

...possiamo...
...perché non...
...dobbiamo assolutamente...
...andiamo a...

una pizza

passeggiata a Villa Borghese

Musei Vaticani

Pantheon

Terme di Caracalla

Piazza di Spagna

Unità 4
C4

Lavori alla biglietteria della stazione Roma Termini. Guarda gli orari e rispondi alle domande di B.

Partenza ▲	Arrivo ▼	Durata ▼	Treno	Offerta	Prezzo
14:00 Roma Termini	16:55 Milano Centrale	02:55	*FRECCIAROSSA* Frecciarossa 1000 9634	Economy	a partire da **79,90 €** ›
14:20 Roma Termini	17:40 Milano Centrale	03:20	*FRECCIAROSSA* Frecciarossa 9536	Economy	a partire da **79,90 €** ›
14:30 Roma Termini	17:29 Milano Centrale	02:59	*FRECCIAROSSA* Frecciarossa 1000 9636	Economy	a partire da **79,90 €** ›
15:00 Roma Termini	17:55 Milano Centrale	02:55	*FRECCIAROSSA* Frecciarossa 1000 9638	Economy	a partire da **79,90 €** ›
15:20 Roma Termini	18:42 Milano Centrale	03:22	*FRECCIAROSSA* Frecciarossa 9540	Base	a partire da **89,00 €** ›

Cambiano i ruoli: adesso sei tu il passeggero.

Sei a Firenze e vuoi essere a Perugia per le 15:30. Chiedi a B, che è l'impiegato della biglietteria, quali treni ci sono, quanto ci mette il treno, se devi cambiare (e dove) e quanto costa il biglietto.

Unità 6
B3

*Descrivi a B tre di questi stati d'animo, senza usare la parola data,
come nell'esempio a destra. Poi i ruoli cambiano.*

Per ogni aggettivo che tu e B riuscite a indovinare, la vostra coppia vince 2 punti.

Vediamo quale coppia fa più punti!

> Quando sono con i miei amici, mi sento così.

allegro • contento • deluso • arrabbiato • preoccupato • stufo

Unità 7
C4

*Vivi in Italia. Vai alla posta per spedire due pacchi, uno è un po' urgente. Fai all'impiegato
tutte le domande necessarie per decidere qual è il modo migliore per spedire i due pacchi.*

Unità 9
A6

Tu e B avete ognuno alcune frasi e alcune preposizioni.

Le tue preposizioni sono la soluzione delle frasi di B e le preposizioni di B sono la soluzione delle tue frasi.

) *Tu dici a B una preposizione scelta a caso tra quelle nel riquadro blu e lui ti dice una delle sue.*

) *Poi cercate di completare una delle vostre frasi.*

) *Continuate così: chi completa per primo le sue 5 frasi alza la mano e chiede all'insegnante di controllare!*
   Se le frasi sono corrette vince, altrimenti vince il compagno.

1. Maria parla molto spesso _____ sue amiche.

2. È quella ragazza _____ la gonna lunga.

3. Cinzia va in Spagna _____ lavoro.

4. _____ mia città in inverno fa molto freddo.

5. Ciao papà, in questo momento sto salendo _____ aereo.

dal, di,
a, tra,
nel, per,
con, sulla

Unità 9
D2

Tu e B dovete collaborare per completare il piccolo vocabolario visuale a pag. 105.

) *Scrivi sotto le immagini di numero dispari le seguenti parole (solo quelle in nero):*

1. Vasca da bagno [fare il bagno]

3. Televisore [guardare film, partite]

5. Lavandino [lavarsi]

7. Frigorifero [conservare cibi]

9. Lavastoviglie [lavare piatti]

11. Sedia [in piedi]

13. Cucina a gas [cucinare]

❭ Spiega a B i tuoi oggetti, in ordine casuale e senza dire il numero corrispondente, con l'aiuto delle parole in blu (es. "La sedia serve per riposarci e non stare in piedi").

❭ Se B riesce ad abbinare la parola alla foto giusta del vocabolario visuale, il turno passa a lui che ti spiega uno dei suoi oggetti.

❭ Vince la prima coppia che completa tutte le immagini con le parole corrispondenti, usando solo l'italiano ovviamente.

Unità 10
F3

❭ Tu e B avete ognuno 5 stati Facebook da abbinare ad alcune delle emoticon date sotto.

❭ Le emoticon cerchiate in rosso sono la soluzione degli stati di B e sono date in ordine.

❭ Completa i tuoi stati con le emoticon e poi leggi le frasi a B che ti conferma se hai usato quelle giuste.

❭ Poi B ti leggerà le sue frasi e tu gli dirai se le ha completate con le emoticon giuste.

❭ Ogni abbinamento corretto vale 1 punto: vediamo chi ne fa di più!

I tuoi stati Facebook sono:

a. Oggi mia moglie mi ha regalato un bellissimo cane! Che bella sorpresa! ⟮＿＿＿⟯

b. Oggi è il primo giorno di scuola di mio figlio: la macchina fotografica è pronta! ⟮＿＿＿⟯

c. Che giornata, ragazzi! Sono fuori casa da stamattina alle 9. ⟮＿＿＿⟯

d. Che bello avere accanto persone come voi... cos'altro posso volere dalla vita? ⟮＿＿＿⟯

e. Non so cosa fare... mi serve un consiglio! ⟮＿＿＿⟯

Mi sento...

felice · stufo · fortunato

emozionato · amato · perso

stanco · malato · arrabbiato

in gran forma · sorpreso · giù

Unità 11
E4

Arrivi al supermercato poco prima della chiusura, ma hai dimenticato la lista della spesa. Chiedi a B, che è a casa, che cosa comprare e la quantità.
Sai che non farai in tempo a trovare tutto, quindi prendi solo questi prodotti:

Quanto/i/e ne compro?

Non faccio in tempo! Altro?

| olive verdi | pecorino | uova | vino rosso | prosciutto cotto | yogurt |

Unità 12
E5

Tu e B avete ciascuno 6 categorie e per ogni categoria 8 parole.

❭ *Leggi il titolo di una categoria: B ha 30 secondi per indovinare le parole relative.*

❭ *Per ogni parola indovinata B vince 1 punto.*

❭ *Poi B ti dice una categoria e tocca a te indovinare le parole.*

❭ *Quando finiscono le carte, contate quanti punti avete fatto: chi ha vinto?*

in macchina
autostrada
cartello stradale
navigatore
cintura di sicurezza
semaforo
incrocio
patente
parcheggiare

fare la spesa
supermercato
macelleria
fruttivendolo
pasticceria
negozio di alimentari
cassiera
panificio
pescheria

medici e salute
febbre
raffreddore
influenza
sciroppo
tosse
dentista
dolore
Pronto soccorso

case e appartamenti
cucina
camera da letto
affitto
garage
soggiorno
riscaldamento
agenzia immobiliare
palazzo

vacanze
spiaggia
ombrellone
montagna
agriturismo
estate
viaggio
mare
albergo

cinema
attore/attrice
regista
sala
trama
spettatore
film
commedia
premio

Unità 1
B5

〉 *Osservate le parole a fianco: date alla squadra A una parola blu, una nera e una rossa (oralmente o scritte alla lavagna).*

〉 *La squadra A deve formare una frase al passato prossimo con tutte e tre le parole (più preposizioni, articoli ecc.).*

〉 *Se il verbo ausiliare è corretto, vince 1 punto. Se è corretto anche il participio passato, i punti sono 2. Attenzione però: la frase deve essere completa e avere senso!*

〉 *Poi i ruoli cambiano.*

〉 *Il gioco finisce quando avete usato tutte le parole: quale squadra ha fatto più punti?*

ricevere	montagna	scorsa
settimana	scegliere	venire
luglio	ancora	gita
partire	messaggio	per

Unità 1
E3

〉 *Devi indovinare le parole che descrive A.*

〉 *Dopo due minuti, i ruoli cambiano e tu hai due minuti di tempo per aiutare A a indovinare quante più parole possibili senza dire quelle in rosso. Puoi usare le espressioni in blu.*

〉 *Ogni parola indovinata fa guadagnare 1 punto a tutti e due. Vediamo quale coppia fa più punti.*

È una cosa che indossiamo…   È un oggetto che troviamo…

È una cosa che usiamo per/quando…

macchina fotografica
foto

jeans
pantaloni

carta di credito
pagare

gonna
donna

sandali
piedi

biglietti
viaggiare

occhiali da sole
occhi

giubbino
sopra

passaporto
estero

Unità 2
D6

Adesso puoi capire alcuni modi di dire, ma anche "insegnarli" ad A.

"non ho chiuso occhio" = non sono riuscito a dormire

"parla spesso alle spalle" = parla spesso male delle persone non presenti

"do una mano a qualcuno" = aiuto qualcuno

〉 *Leggi ad A la spiegazione (in blu) di un modo di dire: se indovina subito il modo di dire, vince 3 punti!*

〉 *Se A non indovina, puoi: a) dare una parola (ma non quelle in rosso); b) fare un disegno alla lavagna (ad es. occhio); c) fare un gesto (ad es. chiudere gli occhi).*

〉 *Se A indovina il modo di dire, ognuno di voi vince 2 punti; se A non indovina, nessuno vince dei punti.*

〉 *In ogni caso, il turno passa ad A. Vediamo chi fa più punti alla fine!*

Unità 3
C5

Pensa a un famoso film e a un regista o attore non presenti nella classifica generale che avete creato per l'attività C3 e chiedi ad A il suo parere.

Il tuo scopo è ottenere due pareri positivi, quindi cerca di ricordare o prevedere le preferenze di A.

Infine, chiedi ad A di giustificare la sua opinione.

Unità 3
F3

A ti propone di andare a vedere un film. Chiedi delle informazioni e poi cerchi di convincere A ad andare a vedere "Perfetti sconosciuti". Alla fine quale film andate a vedere?

Titolo: Perfetti sconosciuti

Regista: Paolo Genovese

Cast: Kasia Smutniak, Marco Giallini, Valerio Mastandrea, Anna Foglietta

Genere: Commedia

Paese: Italia

Durata: 97 min.

Premi: 3 Nastri d'Argento, 2 David di Donatello

Data di uscita: 12 novembre

Voto di mymovies.it: ★ ★ ★ ★ ★

Trama

Un gruppo di amici decide di passare un'allegra serata in compagnia. Allegra, fino a quando Eva, la padrona di casa, propone un gioco: mettere tutti i cellulari al centro del tavolo e permettere a ognuno di leggere i messaggi e ascoltare le chiamate in arrivo! Anche se non volentieri, tutti accettano di partecipare al gioco. E così, piano piano scoprono di avere troppi segreti e di essere... dei perfetti sconosciuti.

Unità 4
A4

Vai a Roma insieme ad A per due giorni. Senti le proposte di A e poi fai tu delle proposte: puoi usare le espressioni a destra per proporre di fare qualcosa o di visitare un luogo.

Alla fine decidete insieme cosa fare (al massimo 6 attività).

...possiamo...
...perché non...
...dobbiamo assolutamente...
...andiamo a...

Piazza Navona

spese in Via del Corso

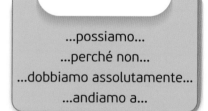

Colosseo

Antico Caffè Greco

passeggiata al Pincio

San Pietro

Unità 4
C4

Ti trovi a Roma e vuoi essere a Milano prima delle 18:00. Cerchi la soluzione più economica e chiedi ad A, che è l'impiegato della biglietteria, quali treni ci sono, quanto ci mette il treno, se devi cambiare (e dove) e quanto costa il biglietto.

Cambiano i ruoli: adesso tu lavori alla biglietteria della stazione di Firenze.

Guarda gli orari a destra e rispondi alle domande di A.

Partenza ▲	Arrivo ▼	Durata ▼	Treno	Offerta	Prezzo
10:15 Firenze S. M. Novella	**12:20** Perugia	02:05	*FRECCIALINK* Freccialink **LK005**		🚫
12:13 Firenze S. M. Novella	**14:22** Perugia	02:09	Regionale Veloce **3157**	Ordinaria	a partire da **14,55 €** ›
13:13 Firenze S. M. Novella	**15:33** Perugia	02:20 Cambi: 1 Vedi ▲	Regionale Veloce **2311** Regionale **22817**	Ordinaria Ordinaria	a partire da **14,55 €** ›
13:13 Firenze S. M. Novella	**14:39** Terontola-Cortona	01:26	Regionale Veloce **2311**		Chiudi ✖
14:51 Terontola-Cortona	**15:33** Perugia	00:42	Regionale **22817**		

Unità 5
C6

Vivi a Firenze e sei al Duomo (freccia).

Guarda la cartina (senza farla vedere ad A) e dai indicazioni ad A e ai suoi amici per arrivare in Via del Corso, 2 (pallino bianco), secondo il percorso bianco.

Puoi usare queste parole: dritto, sinistra, destra, girare, traversa.

Alla fine confronta la tua cartina con quella di A: se ha segnato il percorso giusto, avete vinto tutti e due!

Unità 6
B3

A descrive tre stati d'animo che tu devi indovinare. Poi tu descrivi tre di questi stati d'animo (senza usare la parola data), come nell'esempio a destra.

Per ogni aggettivo che tu e A riuscite a indovinare, la vostra coppia vince 2 punti.

Vediamo quale coppia fa più punti!

> *Quando piove, mi sento così.*

tranquillo · felice · triste · spaventato · nervoso · sorpreso

Unità 7
C4

Sei l'impiegato delle poste italiane. Rispondi alle domande di A e chiedi anche tu delle informazioni per capire quale servizio o quali servizi proporre tra questi:

Pacco Ordinario

A partire da

€ 9,00

✓ Consegna in 4 giorni (sabato e festivi esclusi)
✓ Tracciato e con firma alla consegna
✓ Spedisci fino a 20 kg
✓ Giacenza di 7 giorni in ufficio postale

SCOPRI DI PIÙ >

Paccocelere 1

A partire da

€ 12,90

✓ Consegna in 1-2 giorni (sabato e festivi esclusi)
✓ Spedisci pacchi fino a 30 kg, anche online
✓ Due tentativi di consegna
✓ Tracciato e con firma alla consegna
✓ Giacenza di 10 giorni in ufficio postale

SCOPRI DI PIÙ >

Paccocelere Internazionale

A partire da

€ 30,50

✓ Consegna indicativa in 2 giorni (sabato e festivi esclusi) in UE
✓ Consegna indicativa in 2-4 giorni (sabato e festivi esclusi) nei Paesi Extra UE
✓ Spedisci pacchi fino a 30 kg, anche online
✓ Hai 2 tentativi di consegna

SCOPRI DI PIÙ >

Unità 8
B4

❱ *A ti spiega il significato di alcune parole, e tu prendi appunti.*

❱ *Vai a pag. 92, guarda l'immagine e di' come si chiamano gli elementi numerati.*

❱ *In seguito tu dai ad A la definizione delle parole a destra, come nell'esempio:*

> *Il ... serve a / è quella cosa che...*

❱ *Poi copri le parole e A deve dire come si chiamano gli elementi numerati.*

1. il volante, 2. il bagagliaio, 3. lo sportello, 4. la gomma/ruota, 5. la targa, 6. il motore

Unità 9
A6

Tu e A avete ognuno alcune frasi e alcune preposizioni.

Le tue preposizioni sono la soluzione delle frasi di A e le preposizioni di A sono la soluzione delle tue frasi.

❱ *A ti dice una preposizione e tu dici ad A una preposizione scelta a caso tra quelle nel riquadro rosso.*

❱ *Poi cercate di completare una delle vostre frasi.*

❱ *Continuate così: chi completa per primo le sue 5 frasi alza la mano e chiede all'insegnante di controllare! Se le frasi sono corrette vince, altrimenti vince il compagno.*

1. Mettilo là, _____ il piatto e la bottiglia.

2. Ha lavorato _____ quattro anni negli Stati Uniti.

3. Oggi devo portare la macchina _____ meccanico.

4. Questa sciarpa non è mia, è _____ mia madre.

5. Stasera noi andiamo _____ teatro, voi invece cosa fate?

delle, per, nella, a, sull', da, con, in

Unità 9
D2

Tu e A dovete collaborare per completare il piccolo vocabolario visuale a pag. 105.

❱ *Scrivi sotto le immagini di numero pari le seguenti parole (solo quelle in nero):*

2. Forno a microonde [cucinare]

4. Lampada [fare luce]

6. Libreria [libri]

8. Lavatrice [lavare abiti]

10. Cassettiera [mobile con cassetti]

12. Comodino [mobile accanto al letto]

14. Armadio [vestiti]

》 *A ti spiega gli oggetti delle immagini dispari (quelli che non hai).*

》 *Se riesci ad abbinare la parole alla foto giusta del vocabolario visuale, il turno passa a te.*

》 *Spiega ad A i tuoi oggetti, in ordine casuale e senza dire il numero corrispondente.*
   Puoi usare le parole in blu *(es. "La lavatrice è un elettrodomestico che usiamo per lavare gli abiti").*

》 *Se A abbina la parola all'immagine giusta, il turno passa di nuovo a lui, e così via.*

》 *Vince la prima coppia che completa tutte le immagini con le parole corrispondenti, usando solo l'italiano ovviamente.*

Unità 10
F3

》 *Tu e A avete ognuno 5 stati Facebook da abbinare ad alcune delle emoticon date sotto.*

》 *Le emoticon cerchiate in* blu *sono la soluzione degli stati di A e sono date in ordine.*

》 *Completa i tuoi stati con le emoticon e poi leggi le frasi ad A che ti conferma se hai usato quelle giuste.*

》 *Poi A ti leggerà le sue frasi e tu gli dirai se le ha completate con le emoticon giuste.*

》 *Ogni abbinamento corretto vale 1 punto: vediamo chi ne fa di più!*

I tuoi stati Facebook sono:

a. Oggi è un giorno importante al lavoro: credo che andrà tutto bene!

b. Buongiorno cari amici. Basta con questa pioggia, mi manca il sole!

c. Tosse, raffreddore e 37,5 di febbre… Sarà proprio un bel fine settimana!

d. Sapete quanto costa sostituire lo schermo del mio cellulare? 100 euro! Incredibile!

e. Non dovevo guardare il telegiornale, ci sono solo brutte notizie.

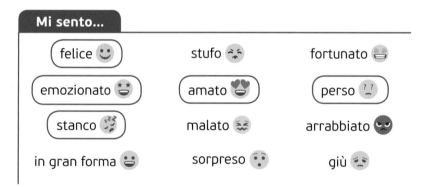

Mi sento…

felice 😊	stufo 😖	fortunato 😁
emozionato 😃	amato 😍	perso 😕
stanco 😴	malato 🤢	arrabbiato 😡
in gran forma 😀	sorpreso 😮	giù 😞

Unità 11
E4

Vivi insieme ad A, che è andato al supermercato, ma ha dimenticato la lista della spesa.

Ti chiama e tu gli leggi cosa comprare, ma devi specificare anche la quantità: confezione, etto, scatoletta, bottiglia, vasetto, chilo, pacchetto ecc.

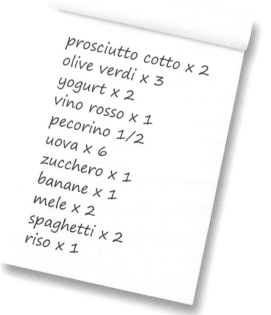

prosciutto cotto x 2
olive verdi x 3
yogurt x 2
vino rosso x 1
pecorino 1/2
uova x 6
zucchero x 1
banane x 1
mele x 2
spaghetti x 2
riso x 1

Unità 12

E5

Tu e A avete ciascuno 6 categorie e per ogni categoria 8 parole.

⟩ *A ti legge il titolo di una categoria: hai 30 secondi per indovinare le parole relative.*

⟩ *Per ogni parola indovinata vinci 1 punto.*

⟩ *Poi leggi tu il titolo di una tua categoria e tocca ad A indovinare le parole.*

⟩ *Quando finiscono le carte, contate quanti punti avete fatto: chi ha vinto?*

albergo
bagagli
prenotazione
cameriere
receptionist
camera
colazione
piscina
ristorante

mobili
poltrona
divano
comodino
armadio
letto
scrivania
libreria
tavolo

posta e banca
ritirare
spedire
pacco
lettera
raccomandata
conto corrente
cassetta di sicurezza
postino

musica
concerto
suonare
bassista
cantare
pianoforte
chitarra
microfono
cantante

viaggiare
treno
pullman
nave
biglietteria
aeroporto
viaggiatore
binario
porto

cibo e alimenti
tonno
banana
arancia
uovo
mozzarella
pane
olio
salame

1 Ascolta di nuovo il dialogo di pag. 12 e inserisci le preposizioni date.

a ◆ in ◆ al ◆ per ◆ di ◆ con

1. Anna è stata _____ Sicilia con Bruno _____ una settimana.

2. Gianni è rimasto _____ città _____ Ferragosto.

3. Carla è stata spesso _____ Siracusa in passato.

4. Gianni è andato _____ mare solo un paio _____ volte.

5. Carla ha passato le vacanze _____ sua sorella: è stata in Svizzera _____ due settimane.

6. Bruno è stato _____ Anna _____ Cefalù.

2 Abbina le battute delle due colonne.

1. Che cosa avete fatto a San Valentino? Raccontate!

2. Ferragosto stupendo in Costa Smeralda: sole, spiaggia e tante feste!

3. Le vacanze? Un disastro: primo giorno dal dottore e poi a letto per due settimane!

4. Ho saputo che Camilla e Alberto si sposano.

5. Martina è stata a Napoli a Capodanno, no?

6. Andate in vacanza a Firenze? Ho saputo che piove.

a. Boh... è tanto che non ci sentiamo.

b. Mamma mia! Un vero incubo!

c. Allora... cena romantica e passeggiata in centro!

d. Ci credo! La Sardegna ha un mare da cartolina.

e. Sì, ho visto le previsioni. Mi sa che devo portare l'ombrello.

f. Sì, è vero! A proposito di matrimonio, tu e Luca dove siete stati in viaggio di nozze?

3 Completa i testi con le parole date. Per controllare le tue risposte ascolta di nuovo le interviste di pag. 14.

sono svenuta ◆ bel tempo ◆ ha scoperto ◆ mi
l'ombrellone ◆ rovinate ◆ in poi ◆ completamente

1
Il secondo giorno in spiaggia sotto _____ con cappello e protezione altissima, _____ sono alzata per andare in camera e _____ per un colpo di calore!

Sì, quest'anno, vacanze _____ solo a metà, per fortuna!

2
Tutti hanno trovato _____, caldo e sole, noi invece dal terzo giorno _____ un incubo: vento forte e pioggia!

3
Ricordo una vacanza in Croazia _____ rovinata da un'amica che _____ in spiaggia il tradimento del fidanzato.

San Lorenzo al Mare, Imperia

4) *Ascolta di nuovo la terza intervista: secondo te, qual è il messaggio ricevuto per errore?*

> Incredibile: piove anche a Ibiza! Per fortuna, i miei colleghi hanno portato le carte... **1**

> Amore, siete arrivati? Che peccato non essere lì con te! **2**

> Qui è fantastico: che colori! Che profumi! Che mare! Mi manchi da morire... **3**

> Sono appena tornato. Tu quando torni? Hai visto le foto? Ci vediamo sabato alla partita! **4**

> Ciao amore!!! Sono appena arrivato a Ibiza. Ci vediamo in albergo! **5**

5) *Completa le frasi con i verbi dati.*

abbiamo saputo ◆ siete usciti ◆ ha incontrato ◆ sono andati ◆ siete andati
ho affittato ◆ hanno noleggiato ◆ siamo stati ◆ è nata ◆ abbiamo sciato

1. Per Capodanno io e mio marito _____ in montagna e _____ tutto il giorno. E voi? _____ in Inghilterra, a Londra?

2. Lo sai che Sara _____ Giovanni in un villaggio turistico in Egitto? Pensa che a Roma sono vicini di casa. Incredibile, no?

3. A Pasqua i miei cugini _____ in aereo a Parigi. Poi da lì _____ una macchina per girare la Francia del Nord... Che paesaggi... da cartolina!

4. Per il mese di giugno _____ un appartamento a Vernazza, alle Cinque Terre.

5. _____ che due giorni fa _____ tua nipote. Congratulazioni!

6. Franco, alla fine tu e Paola _____ insieme ieri sera, sì o no?

6) *Leggi questa email e sottolinea l'ausiliare giusto.*

Da ▾	pietrofoscari@yahoo.it
A...	matteosarzello@yahoo.it
Cc...	
Oggetto:	Un consiglio

Invia

Caro Matteo, come va?

Ti scrivo perché ho bisogno di un avvocato e ho/sono (1) pensato a te.
Non sai che cosa ha/è (2) successo a me e a Giulia! Venti giorni fa abbiamo/siamo (3) prenotato un pacchetto per una settimana bianca sulle Dolomiti, a Falcade. Un'offerta incredibile: 150 euro a persona per una camera matrimoniale con colazione inclusa! Come noi, altre tredici persone hanno/sono (4) prenotato e pagato in anticipo sul sito *viandanti.com*. Quando abbiamo/siamo (5) arrivati in albergo, però, non hanno/sono (6) trovato la nostra prenotazione! Ho/Sono (7) chiamato l'agenzia, ma non ha/è (8) risposto nessuno! Alla fine siamo dovuti tornare a casa... Cosa possiamo fare?
Ho bisogno di un consiglio.

Grazie, Pietro

7 Completa con le espressioni date. Poi abbina i dialoghi alle situazioni.

Davvero ◆ Scusami ◆ Non fa niente ◆ Oddio

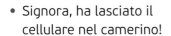

• Mi dispiace tanto, signora, le lasagne che ha ordinato sono finite.

• _____, prendo le pappardelle.

a

• Ci sono molte offerte interessanti! Hai visto che sconti per l'estero?

• _____?! Ho proprio bisogno di una vacanza!

b

• Signora, ha lasciato il cellulare nel camerino!

• _____, il telefono! Grazie!

c

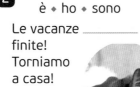

• _____! Sono in ritardo. Ho perso l'autobus e sono venuto a piedi...

• Ma va'! Hai fatto tardi come sempre! Allora, oggi offri tu il caffè!

d

SITUAZIONI

☐ In un negozio
☐ Al ristorante
☐ Al bar
☐ All'agenzia viaggi

---

8 Guarda le immagini e scegli l'ausiliare corretto per completare le frasi.

1 hai ◆ ho ◆ è

Da quando _____ cominciato ad andare in palestra, mi sento più forte!

2 è ◆ ho ◆ sono

Le vacanze _____ finite! Torniamo a casa!

3 è ◆ ho ◆ sono

Non _____ ancora finito il libro che mi hai regalato...

4 è ◆ ho ◆ sono

Pronto per partire! _____ passato troppo tempo dall'ultimo viaggio!

5 ha ◆ è ◆ sono

Finalmente, _____ cominciato il relax!

6 è ◆ ho ◆ sono

In montagna _____ iniziato a sciare. Che bella esperienza!

7 è ◆ ho ◆ sono

_____ passato due settimane al mare in Sardegna... Che colori!

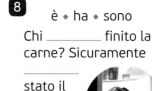

8 è ◆ ha ◆ sono

Chi _____ finito la carne? Sicuramente _____ stato il gatto!

---

9 Completa con il passato prossimo dei verbi dati, come nell'esempio in blu.

1. Per andare a Palermo a visitare la Cattedrale, il professore di storia dell'arte e gli studenti *hanno dovuto* (dovere) prendere il treno delle 6:30.

2. Perché, sabato, tu e Giacomo non _____ (volere) venire a Torino con noi?

3. Siamo partiti tardi perché _____ (dovere) passare a prendere Carolina che abita dall'altra parte della città.

4. Ieri non _____ (potere) giocare a tennis a causa del brutto tempo.

5. Mio fratello _____ (volere) andare in aeroporto con l'autobus e ha perso il volo per Berlino. Per fortuna, _____ (potere) prendere quello successivo.

10 Ascolta di nuovo il dialogo tra Ilaria e suo marito Giorgio e indica chi ha fatto queste azioni.

	Giorgio	Ilaria	nessuno dei due
1. Non ha ancora finito di fare la valigia.			
2. Mette l'ombrello in valigia.			
3. Ha messo le gonne in valigia.			
4. Ha comprato la guida turistica della Sicilia.			
5. Ha la cartina della Sicilia.			
6. Ha messo i teli e le magliette in valigia.			
7. Ha fatto il check-in on line.			
8. Ha salvato le carte d'imbarco sul cellulare.			

11 Completa il cruciverba. Nelle caselle verdi scopri che cosa nessuno dimentica di portare in vacanza!

1. Non dimenticare gli ... da sole!

3. Hai preso i ... del treno?

5. Ho tre ... da bagno. E tu?

6. Prendi la crema ... per il mare!

7. Ho dimenticato il ... a casa! E ora? Come faccio a fare il check-in?

8. Abbiamo comprato una macchina ... che fa le foto sott'acqua.

9. Pago sempre con la carta di ... quando sono in vacanza.

12 Perché quella faccia? Completa con le espressioni giuste. Attenzione: c'è un'espressione in più!

Certo ◆ Allora ◆ Oddio ◆ Boh ◆ Mannaggia

Hai preso tu le carte d'imbarco?

_____(2)!
Io non dimentico mai niente!

_____(1),
le carte d'imbarco!
Ora perdiamo il volo!

_____(4)...
Nella mia borsa?
O nel tuo zaino?

_____(3)!
Sono rimaste
in macchina...

13 *Cerchia la parola estranea.*

1. colpo di calore – incubo – turista – attacco di panico
2. tosse – carta d'imbarco – passaporto – volo
3. ombrellone – giubbino – jeans – magliette
4. montagna – spiaggia – villaggio turistico – aeroporto

14 *Completa la mail con i possessivi corretti, come nell'esempio in blu.*

Ciao Herbert,
come stai? Che cosa fate tu e ____tua____(1) moglie quest'estate? Perché non venite a Venezia con
le _____(2) bambine? Ti ricordi che la _____(3) famiglia ha una casa al mare? Di solito i
_____(4) genitori ci passano l'estate con i _____(5) figli, mentre io e Marco ci andiamo il
fine settimana. Qualche volta viene anche sua sorella con _____(6) marito e le _____(7)
figlie. La casa è grande e c'è sempre una camera libera. Venite? Dai! È bello, sai? Se volete, portate anche
il _____(8) cane: abbiamo un grande giardino!
Un abbraccio
Elena

15 *Completa con il passato prossimo dei verbi dati.*

1. Lo sai che Marisa _____ (lasciare) il lavoro in banca e _____ (aprire) un ristorante?!
2. Chi _____ (spegnere) le luci? Dai, niente scherzi!
3. _____ (io - passare) in pasticceria e _____ (prendere) un dolce per stasera.
4. Loro _____ (diventare) famosi quando _____ (partecipare) a un talent show.
5. _____ (voi - conoscere) la fidanzata di Antonio, Elena?
6. _____ (noi - vincere)! _____ (essere) bravissimi!
7. Silvia, quando _____ (andare) a Firenze, _____ (visitare) gli Uffizi?

16 *Inserisci l'articolo giusto. Poi guarda la vetrina e indica cosa vedi, come nell'esempio in blu.*

__i__ sandali ✗
_____ guanti
_____ borsetta
_____ pantaloni
_____ zaino
_____ occhiali da sole
_____ cappotto
_____ vestito
_____ maglia
_____ scarpe da ginnastica

EDILINGUA

1) *Cosa puoi fare...? Abbina le attività alle località giuste.*

1 ...sulle Dolomiti

2 ...in Sicilia

3 ...nella Maremma Toscana

4 ...al Lago di Como

a. salire sull'Etna

b. visitare le ville antiche

c. raccogliere funghi

d. organizzare un matrimonio da VIP

e. sciare sulla neve

f. rilassarmi alle terme di Saturnia

g. prendere il sole sulle spiagge di Pantelleria

h. fare escursioni a cavallo

 2) *Conosci bene la geografia dell'Italia? Guarda il video e fai il quiz. Poi controlla il risultato in basso!*

1. Le Dolomiti si trovano
   a. in Lombardia
   b. in Veneto
   c. in tre regioni

2. Snowboard e rafting sono due sport che possiamo praticare
   a. sull'Etna
   b. sul lago di Como
   c. sulle Dolomiti

3. La Sicilia è l'isola
   a. più piccola del Mar Mediterraneo
   b. più grande del Mar Mediterraneo
   c. più grande del Mar Tirreno

4. Sul lago di Como possiamo
   a. praticare sci nautico e barca a vela
   b. visitare le città vicine di Trapani e Siracusa
   c. dormire in un romantico rifugio

5. Se vuoi fare una vacanza in campagna, vai
   a. sulla Marmolada
   b. in Maremma
   c. a Pantelleria

Da 8 a 10 punti: Complimenti! Fai la valigia e... buon viaggio!
Da 5 a 7 punti: Bravo/a! Ora puoi cominciare a organizzare una bella vacanza in Italia!
Da 0 a 4 punti: Forse hai bisogno di fare un ripasso... Guarda di nuovo il video!
1. a=0, b=1, c=2; 2. a=1, b=0, c=2; 3. a=0, b=2, c=1; 4. a=2, b=0, c=1; 5. a=0, b=2, c=1

1 Completa con le parole date. Attenzione: ci sono due parole in più!

mal di schiena ◆ bene ◆ il raffreddore ◆ farmacia ◆ raffreddato ◆ la febbre ◆ ospedale ◆ mal di denti

1. • Starnutisci ogni due minuti, ma sei stato dal medico?
   ◦ Ma no, non è niente... Sono solo _____.

2. • Devo comprare l'antibiotico.
   ◦ Perché? Hai ancora _____ alta?

3. • Andiamo a correre al parco oggi pomeriggio?
   ◦ Non posso, mi dispiace, ho un terribile _____. Il medico ha detto di non fare sport.

4. • Ciao Luca, come va?
   ◦ Così così. La settimana scorsa ho avuto l'influenza. Non mi sento ancora _____.

5. • Prendiamo un gelato?
   ◦ Magari! Non posso... ho un forte _____ e devo evitare cibi troppo freddi.

6. • Ho finito lo sciroppo per la tosse. Puoi passare in _____ quando esci dall'ufficio?
   ◦ Certo! Nessun problema!

2 Metti in ordine le parole e forma le frasi. Comincia con le parole in verde come nell'esempio.

1. d'accordo? / bevande fredde / evita / o troppo calde,
   Evita bevande fredde o troppo calde, d'accordo?

2. devi prendere / se la / sciroppo. / non passa, / anche questo / tosse
   _____

3. dal medico / e ho scoperto / la bronchite. / sono appena / di avere / stato
   _____

4. il raffreddore / ho / e il naso / da tre giorni. / chiuso
   _____

5. perché ho / dal medico / un forte / oggi vado / mal di schiena.
   _____

3 Abbina le domande alle risposte. Se non ricordi le espressioni in blu, vai a pag. 23.

1. Mamma, esco. Vado da Francesco!

2. Posso passare da te dopo il lavoro?

3. Non ho ancora comprato il biglietto per il concerto di domani!

4. Sai se Anna è fidanzata? Vorrei uscire con lei...

5. Quindi ci vediamo davanti alla farmacia alle sei?

a. È sposata e suo marito è molto geloso! Chiaro?

b. Torna presto, mi raccomando!

c. Come no! Perfetto. Devo anche comprare lo sciroppo...

d. Meglio di no. Ho l'influenza... è contagiosa. Ci vediamo sabato, d'accordo?

e. Meno male! Ho preso io i biglietti per tutti!

4 *Leggi e sottolinea la forma corretta dei verbi all'imperativo (tu).*

1. Dormi/Dorma almeno 8 ore a notte.
2. Bevi/Beve due bicchieri d'acqua appena ti svegli.
3. Spegne/Spegni il cellulare per qualche ora.
4. Cammino/Cammina almeno 30 minuti al giorno.
5. Cucini/Cucina cibi freschi e di stagione.
6. Mangi/Mangia molta frutta.
7. Scegli/Sceglie uno sport da fare due volte a settimana.
8. Usi/Usa di più la bicicletta e meno la macchina.
9. Impari/Impara a rilassarti nei momenti difficili.
10. Evita/Eviti le persone negative: causano stress.

consigli per
vivere
« « « « « « « « meglio

5 *Completa i mini dialoghi con l'imperativo dei verbi dati. Attenzione: i verbi non sono in ordine!*

1. • Giacomo, hai davvero una brutta tosse! _____ subito lo sciroppo!

   • Esagerata! È solo un po' di raffreddore!

   • Mmh... Allora _____ al caldo e _____ molte arance!

   prendere
   mangiare
   rimanere

2. • Ragazzi, avete sentito il campanello? _____ chi è!

   • _____ tu la porta, mamma! Io mi devo finire di preparare e Michele è in bagno. È sicuramente Lucia... andiamo al cinema insieme.

   • Cosa?! Uscite di nuovo? _____ di studiare prima!

   finire
   chiedere
   aprire

3. • Mariangela, sei sempre stanca! _____ di rimanere in ufficio fino a tardi!

   • Magari... Ho troppe cose da fare!

   • Così non va bene: _____ una settimana di ferie e _____!

   partire
   evitare
   chiedere

4. • Che sonno stamattina!

   • Sei in ritardo! Dai, su, _____ un caffè doppio e _____ a lavorare!

   • Ma _____ chi parla! Ieri tu sei arrivato alle 11!

   cominciare
   sentire
   bere

5. • Stasera _____! Ho voglia di mangiare una buona carbonara!

   • Sì! Ottima idea! Dai, _____ in quel locale dove abbiamo pranzato lunedì, la trattoria in Via Roma!

   • Lì il sabato è pieno di gente: _____ un altro posto!

   scegliere
   uscire
   tornare

6 *Leggi e indica in quale dialogo (a o b) l'espressione in blu è usata in modo giusto.*

1
- Non dire a Maria che ho visto Luca. Mi raccomando, acqua in bocca!
- Hai ragione! Non dico niente a Maria!

a   b

- Bevi troppa acqua gassata...
- Mi piace troppo!
- Acqua in bocca o ti senti male!

2
- Andiamo a teatro stasera?
- Non posso. Se no, devo studiare!

a   b

- Metti il giubbotto per uscire! Se no, domani ti svegli con la febbre!
- Va bene, mamma.

3
- Andiamo a correre al parco?
- Certo! Visto che piove.

a   b

- Visto che portano fortuna, per il cenone di Capodanno preparo le lenticchie.
- Ottima idea!

4
- Com'è Andrea?
- Mah, parla sempre di lavoro... insomma, è proprio noioso!

a   b

- Ma non c'è niente da mangiare?
- Insomma? Andiamo a cena fuori!

7 *Osserva le immagini e scrivi sotto l'imperativo negativo corretto.*

1 Tu   **2** Voi   **3** Tu   **4** Noi   **5** Voi

Non fumare!

8 *Completa il cruciverba. Vedi anche pag. 236.*

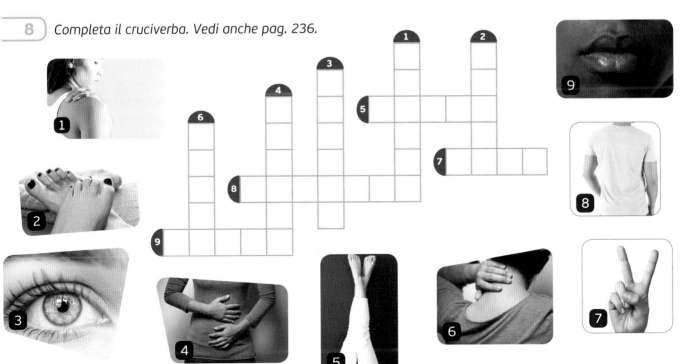

EDILINGUA

9 *Alcune parole in* rosso *sono sbagliate. Sottolinea e correggi tutti gli errori, come nell'esempio.*

1. Se va così male, cosa aspetti? Va dal medico nel pomeriggio! → _Va'_

2. Una settimana fa' sono stato dall'ortopedico. → _____

3. Di la verità: non sei ancora andato dal medico, giusto? → _____

4. Cara, come va? Hai ancora mal di' testa? → _____

5. Corri a chiamare il medico. La nonna sta male! Fa in fretta! → _____

10 *Leggi e abbina gli annunci di lavoro allo specialista giusto.*

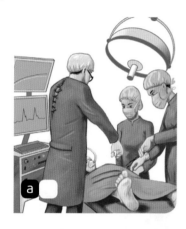

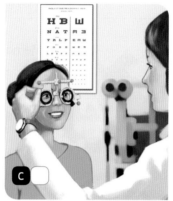

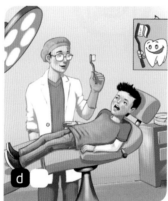

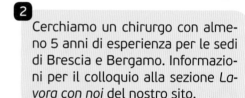

Studio privato cerca un ortopedico specializzato in medicina dello sport. Necessaria esperienza con calciatori e sciatori. **1**

2 Cerchiamo un chirurgo con almeno 5 anni di esperienza per le sedi di Brescia e Bergamo. Informazioni per il colloquio alla sezione *Lavora con noi* del nostro sito.

3 Negozio di occhiali nel centro storico cerca oculista per visite ai clienti il mercoledì e il venerdì dalle 16 alle 19.

Siamo un ospedale privato con sedi in tutta la regione. Cerchiamo un dentista che ha già lavorato con i bambini. Se interessati, mandare il curriculum vitae a *infocv@studiofranchestino.com*. **4**

11 *Fai l'abbinamento.*

1. Domani ho un colloquio di lavoro.

2. Davvero hai prenotato in un resort con tutti i comfort? Non sembri il tipo...

3. Che tipo è Tiziano?

4. Forte il nostro nuovo collega!

6. Che pesanti queste valigie!

5. Come mai hai sonno? Hai fatto tardi con gli amici?

a. Ti posso dare una mano?

b. È vero. È proprio una persona in gamba.

c. Allora in bocca al lupo!

d. Magari! Non ho chiuso occhio per il mal di denti!

e. Mah, non mi piace: parla spesso alle spalle.

f. Eh sì! Quando sono in vacanza io non voglio muovere un dito!

12 Leggi il dialogo tra due colleghi e completa con le parole date. Attenzione: ci sono tre parole in più!

medicine ◆ di' ◆ raffreddore ◆ senti ◆ camomilla ◆ dormi
combattere ◆ calmare ◆ tenere ◆ liberare ◆ rimedi ◆ fa' ◆ fa

Lia: Gigi, che c'è, non ti senti bene?

Gigi: Un po' di mal di testa...

Lia: E anche il naso chiuso... Ma allora hai il _____(1)!

Gigi: È probabile... dopo passo in farmacia...

Lia: In farmacia? Ancora con le solite _____(2)? Lo sai che per _____(3) davvero il raffreddore serve altro... Miele, limone, vitamine...

Gigi: Ma va'! Non ricominciare con i _____(4) della nonna! Non funzionano! E poi... ho bisogno di stare meglio subito: sabato ho la maratona!

Lia: Guarda che ti sbagli... Sono efficaci!

Ti ricordi la mia tosse, la settimana scorsa? Per _____(5) la tosse e far passare il mal di gola è bastato un cucchiaio di miele prima di andare a letto!

Gigi: Sì, come no! Allora, _____(6), cosa devo fare io? Bere un po' di _____(7) e mangiare arance?

Lia: Beh, intanto va' a casa, _____(8) una bella doccia calda e riposa!

Gigi: Basta così?

Lia: Beh, se vuoi, per _____(9) sotto controllo la tosse e _____(10) il naso, puoi preparare uno sciroppo con la cipolla e lo zucchero...

Gigi: Cosa?! Cipolla e zucchero? Bleah!

13 Sai cosa diciamo in Italia quando qualcuno starnutisce? Per scoprire l'espressione giusta, cancella la parola estranea in ogni riga e scrivi la lettera *rossa* nella colonna di destra.

#				
1.	gamba	petto	collo	sete
2.	oculista	avvocato	ortopedico	dentista
3.	sciroppo	antibiotico	lasagne	capsula
4.	utile	miele	cipolla	zenzero
5.	influenza	bronchite	testa	raffreddore
6.	sonno	fame	errore	fretta

14 Completa le frasi con l'imperativo (affermativo o negativo) dei verbi tra parentesi.

1. Se sei a dieta... _____ (fare) sport e _____ (mangiare) dolci!

2. Se andate a Venezia, _____ (fare) un giro in gondola, è troppo caro!

3. Ragazze, _____ (noi - correre), se no perdiamo l'autobus!

4. Conoscete la storia di Pinocchio, no? Allora _____ (dire) bugie!

5. Dai! _____ (Lanciare) una moneta nella fontana: così torniamo sicuramente a Roma!

6. _____ (Stare) fermo! _____ (Fare) vedere se hai qualcosa nell'occhio!

7. Se andiamo in spiaggia, _____ (noi - dimenticare) di portare la crema solare!

8. Dai, Matteo, _____ (salire) in macchina! _____ (noi - Partire)!

1 *Che cosa facciamo quando stiamo male? Completa le frasi con l'informazione giusta, come nell'esempio in blu. Attenzione: devi inserire anche la preposizione o l'articolo!*

pediatra ◆ medico di base ◆ Guardia medica ◆ Pronto soccorso ◆ farmacia

1. Per comprare le medicine, andiamo ____*in farmacia*____.
2. Quando abbiamo un'emergenza, corriamo _____.
3. Per una malattia non grave o un semplice controllo, andiamo _____.
4. Quando abbiamo bisogno del medico durante la notte o nei giorni festivi, chiamiamo _____.
5. I ragazzini fino ai 14 anni vanno _____.

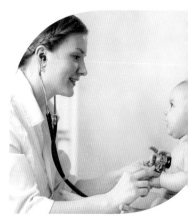

2 *Abbina i gesti al loro significato. Poi guarda il video per controllare le tue risposte!*

a. Calmati! b. Ma sei matto?! c. Stai attento...

d. Sei testardo! e. Ma cosa dici?! f. Così così.

Gioc

1 Completa i mini dialoghi con le espressioni date.

1. • Dov'è Renata?
   • È andata al concerto di Laura Pausini.
   • _____, è vero! Ha comprato il biglietto mesi fa!

2. • Ti piace il protagonista del film?
   • No, non mi piace _____!

3. • Sandro cambia lavoro e si trasferisce a Firenze!
   • Sì, lo so. _____ di lavoro, com'è andato il tuo colloquio?

4. • Guardate! Quella è un'attrice famosa! Ha recitato in un film di Benigni, no?
   • No, _____!
   • E invece è _____ lei!

a proposito

non può essere

proprio

già

per niente

2 Sottolinea a chi o a che cosa si riferiscono i pronomi in blu.

1. Se incontri Giada, la puoi salutare da parte mia?
2. I nonni stanno bene: li trovo sempre molto impegnati con i loro nipotini.
3. Se volete, potete venire anche voi. Vi passo a prendere alle 7, va bene?
4. Enzo è un po' arrabbiato con me: dice che lo prendo sempre in giro.
5. Quest'anno non ho tempo per i regali di Natale. Li compri tu, per favore?
6. Sono venute le ragazze a lezione di yoga? Non le vedo da molto tempo.
7. Anche noi vogliamo sapere quando nasce la bambina. Ci chiamate appena avete notizie?

3 Completa i mini dialoghi con i pronomi corretti.

1
• Stasera danno "Ladri di biciclette". ___ guardiamo?
• Certo! È un capolavoro del Neorealismo!

2
• Conosci le attrici che recitano nel film di Sorrentino?
• No, non ___ conosco. Sono tutte italiane?

3
• Quando ___ vede uscire di casa, il nostro cane è sempre triste!
• Poverino! Anche il mio gatto... lo sai che ___ aspetta sempre sulla porta?!

4
• Tesoro, non c'è acqua calda... Chiamiamo il receptionist?
• Sì, ___ chiamo subito!

5
• Lucia, i tuoi vestiti sono sempre bellissimi!
• Ti piacciono? ___ fa la mia sarta!
• La "tua" sarta?!
• Dai, quella in Via Campofiore, sicuramente ___ conosci!

6
• Che caldo! Ragazzi, apriamo le finestre?
• ___ apro io, professore!

4) *Abbina le battute delle due colonne.*

1. Conosci i figli di Giorgia?
2. Signori, volete un dolce? Abbiamo un ottimo tiramisù.
3. Marianna, puoi prendere l'acqua?
4. Ho un forte mal di pancia...
5. Posso fare una foto al Caravaggio?
6. Vorrei fare un dolce, ma non ho le uova...

a. Sì, signora, ma La prego di togliere il flash.
b. Io lo prendo volentieri. E un caffè, grazie.
c. Che facciamo? Ti porto al Pronto soccorso?
d. Li conosco bene: facciamo il corso di inglese insieme!
e. Se vuoi le compro io: più tardi esco.
f. Certo, mamma, la prendo subito.

5) *Abbina le battute ai fumetti e poi completa con i pronomi diretti.*

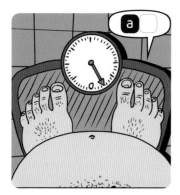

1. _____ vedo un po' stressato, Carlo, che c'è? Troppe cose da fare?
2. Il problema è che _____ trovo noioso: mio marito non ha mai niente da dire!
3. _____ conosci... Questi chili _____ perdo quando voglio! È solo un po' di pancia!
4. _____ so, ma io non ho molto da dire...
5. Tesoro, sono tutti regali utili. Dopo mi aiuti a portar_____ in casa?

6) *Leggi le domande e inserisci le lettere delle risposte nel riquadro giusto.*

1. Cosa pensi del film?	2. Come ti sembra l'attore protagonista?

a. Mi è piaciuto un sacco! Secondo me, la trama è geniale.
b. La storia è molto interessante e il regista è stato bravissimo.
c. Per me la regia è lenta. Mi sembra noioso: non parla nessuno per i primi dieci minuti.
d. Insomma! Non mi ha convinto: secondo me, non ha recitato bene.
e. Recita molto bene! Anche se è giovane, è veramente bravo.
f. Mah... Nel trailer ci sono le scene più belle. Oltre a quelle, il film non è così interessante.
g. Alcune scene sono molto belle... altre un po' meno!
h. Lo trovo fantastico! E infatti quasi ogni anno ha la nomination!

7 Leggi e indica in quale dialogo (a o b) l'espressione in blu è usata in modo giusto.

		a	b	
1	• Hai finito il romanzo di Eco? • Eh, **più o meno**. Ancora 100 pagine.			• Abbiamo uova a casa? • Eh, **più o meno**. Controllo!
2	• Stai zitto! Non sento quello che dice! • Sì, sì, scusa!			• Stai zitto! Non sento quello che dici! • Ok, parlo più forte.
3	• Lo sai che Maria ha 40 anni?! • Beh, **chiaro**... Non è sposata.			• Oh, **acqua in bocca** con la mia ragazza! • Beh, **chiaro**... se no, ti lascia!
4	• Andate in vacanza quest'estate? • **Come no**! Abbiamo già prenotato.			• Luca, ti vedo stanco... • **Come no**! Dormo più di 8 ore a notte.

8 Sottolinea il verbo in blu giusto. Vedi anche pag. 244 (2.12).

1. Per caso conosci/sai un bravo dentista? Ho un terribile mal di denti!
2. Conosci/Sai che Flavio si è sposato a giugno?
3. Abbiamo conosciuto/Abbiamo saputo Giorgio e Melina al corso di cucina.
4. Non ti ha salutato perché non ti sa/conosce. Non devi mica offenderti!
5. • Conosci/Sai dov'è Via Montessori? • Mi dispiace, non lo conosco/so.
6. Voglio portare i bambini in piscina. Tuo figlio conosce/sa nuotare?

9 Metti i pronomi diretti prima o dopo i verbi, come nell'esempio.

1. Il regalo di San Valentino? Oddio! ___ devo comprar*lo* oggi!
2. Marco, ordiniamo i libri on line? Tu ___ vuoi ricevere___ all'indirizzo di casa o dell'ufficio?
3. Se ha bisogno di informazioni, ___ può trovare___ sul sito.
4. Gianni ___ può chiamare___ domani verso le 10. A quell'ora sono sempre libero.
5. Ragazzi, ___ dobbiamo ringraziar___ per il vostro aiuto. Siete grandi!
6. Per preparare il ragù dovete pulire la cipolla e ___dovete tagliar___ in piccoli pezzi.

10 Ascolta di nuovo il dialogo di pag. 37 e indica a quale dei due film si riferiscono le affermazioni.

	Il grande furto	Amori difficili
1. È un film poliziesco.	○	○
2. L'attore principale del film è Andrea Tramonti.	○	○
3. La regia è di Alfredo Lipari.	○	○
4. Tra gli attori c'è Giacomo Dini.	○	○
5. È un thriller, anche se dal titolo non sembra.	○	○
6. Non ha ancora ricevuto i commenti del pubblico.	○	○
7. Ha qualcosa che attira Anna.	○	○
8. Lo danno al cinema Madison alle 21:30.	○	○

IL GRANDE FURTO

11 Leggi di nuovo il testo a pag. 38 e indica l'affermazione corretta.

1. Il testo parla di film:
   a. polizieschi italiani
   b. tratti da romanzi
   c. tratti da storie vere

2. *Il Padrino* ha per regista:
   a. Francis Ford Coppola
   b. Mario Puzo
   c. Marlon Brando

3. *Il Gattopardo*:
   a. ha vinto un Oscar
   b. è il centesimo film italiano
   c. è il nome del film e del romanzo

4. *Il Postino* ha per attore protagonista:
   a. Antonio Skármeta
   b. Pablo Neruda
   c. Massimo Troisi

5. Chi è Paolo Villaggio?
   a. L'autore delle avventure di Fantozzi
   b. Il regista dei film di Fantozzi
   c. Un attore drammatico

6. L'espressione "il grande schermo" significa:
   a. la televisione
   b. il cinema
   c. la letteratura

12 Completa il cruciverba sui generi cinematografici.

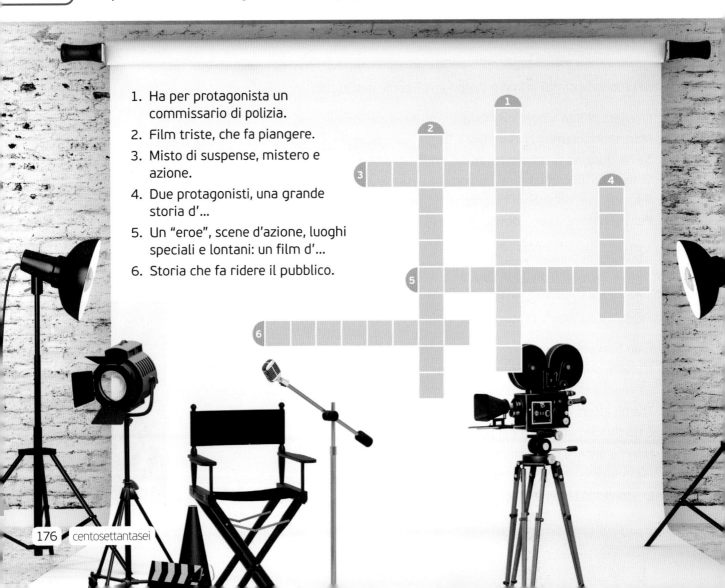

1. Ha per protagonista un commissario di polizia.
2. Film triste, che fa piangere.
3. Misto di suspense, mistero e azione.
4. Due protagonisti, una grande storia d'...
5. Un "eroe", scene d'azione, luoghi speciali e lontani: un film d'...
6. Storia che fa ridere il pubblico.

13 *Leggi le trame di tre film italiani e completa con le parole date. Poi abbina i titoli alle scene.*

diretto ◆ scena ◆ commedia ◆ vinto ◆ comico ◆ protagonista ◆ drammatico

a

Un americano a Roma di Steno

Il film, ambientato negli anni Cinquanta del secolo scorso e interpretato dal famoso attore Alberto Sordi, ha per _____(1) Nando, un giovane che vive ogni situazione pensando di essere in una _____(2) di un film americano. Porta una cintura da cowboy, il cappello da baseball, cerca di parlare inglese e di mangiare cose diverse: insomma, vuole "fare" l'americano, ma la sua "italianità" è difficile da nascondere... Questa _____(3) è un'opera d'arte!

b

Nuovomondo di Emanuele Crialese

Il film, di genere _____(4), parla del difficile viaggio della famiglia Mancuso che dalla Sicilia emigra nel Nuovo Mondo, in America, all'inizio del Novecento per avere una vita migliore. Tutti i dialoghi sono in lingua siciliana. Il film ha _____(5) tre David di Donatello e il "Leone d'Argento-Rivelazione" al Festival di Venezia.

c

Perfetti sconosciuti di Paolo Genovese

Il film, _____(6) da Paolo Genovese e vincitore di premi importanti, parla dei segreti che nascondiamo ad amici e parenti. Durante una cena tra amici Eva, la padrona di casa, propone un gioco: mettere tutti i cellulari al centro del tavolo e permettere a ognuno di leggere i messaggi e ascoltare le chiamate in arrivo! Un film un po' _____(7) e un po' drammatico. Assolutamente da vedere!

14 *Risolvi gli anagrammi sulle professioni. Poi scrivi sotto le lettere delle caselle colorate come nell'esempio in blu e scopri il femminile di un lavoro del cinema.*

1. Guida il taxi.   ASSITTAS   T A S S I S T A
2. Dirige un film.   SREITAG
3. Consegna lettere e pacchi.   OTNSIOP
4. Ha il ruolo più importante.   STAROPGATONI
5. Lavora al bar.   BISTARA
6. È il medico che cura gli occhi.   LOCIUATS
7. Insegna all'università.   FOSSOREPRE

A

1 *Leggi le frasi e completa il cruciverba con le parole mancanti.*

1. Il ... racconta la vita quotidiana nei difficili anni della guerra.
2. *I soliti ignoti* è tra i film più famosi della ... all'italiana.
3. Ogni anno al Lido si svolge il ... del Cinema di Venezia.
4. I film di Roberto Benigni e Paolo Sorrentino hanno vinto l'...
5. La città "aperta" del film con protagonista Anna Magnani.
6. *Per un pugno di dollari* di Sergio Leone è il primo film del genere ... western.
7. Vittorio De Sica e Federico Fellini sono alcuni dei più grandi ... del passato.
8. Il Leone d'oro è il ... più importante che un film può vincere a Venezia.

2 *Guarda il mini documentario e indica se le affermazioni sono vere o false.*

V F

1. Laura Milani è un'impiegata del Museo Nazionale del Cinema.
2. È un museo che vale la pena vedere solo se c'è una mostra.
3. Il cinema italiano racconta la cultura del Paese.
4. Fare un giro al museo è come fare un giro nelle proprie emozioni.
5. Il Museo del Cinema di Torino è uno dei più visitati d'Italia.
6. Il pubblico del museo è solo italiano.
7. I visitatori vanno al museo una sola volta.
8. Ogni anno nel museo organizzano nuove mostre.

 Gio

1 Per ogni mini dialogo scegli, tra quelle date, l'espressione che ha lo stesso significato delle parole in blu. Attenzione: ci sono due espressioni in più!

di nuovo ◆ vero ◆ che c'entra ◆ ci sto ◆ sul serio ◆ alla fine

1. • Tiziana ha lasciato Marco... Una settimana prima del matrimonio!
   • Ma dici davvero? Non ci posso credere! = _____

2. • Il regista è Garretti. Lo conosci, no?
   • No, non ho mai visto un suo film. Com'è? = _____

3. • Il prossimo weekend vado a Verona!
   • Ancora? Ma non ci sei andata la settimana scorsa? = _____

4. • Perché non andiamo in gita a Pisa?
   • D'accordo! La Toscana mi piace tantissimo! = _____

2 Abbina le ipotesi a sinistra alle frasi a destra. Vedi anche pag. 244 (3).

1. Se quest'inverno nevica...
2. Se ricevo una telefonata da un numero sconosciuto...
3. Se trovi un albergo economico a Napoli...
4. Se Lucia prende la macchina...
5. Se hai la febbre alta...

a. ...chiama subito il medico!
b. ...io non vado da nessuna parte!
c. ...possiamo partire un po' più tardi.
d. ...ti fermi un giorno in più per visitare il Vesuvio?
e. ...non rispondo alla chiamata.

3 Trasforma le frasi: scrivi il pronome corrispondente alle parole in blu, come nell'esempio.

1. Saluta tuo fratello. → Saluta_lo_ !
2. Chiama tua madre. → Chiama____!
3. Visitiamo i musei di Firenze. → Visitiamo____!
4. Porta le valigie in macchina. → Porta____ in macchina!
5. Provate gli gnocchi. → Sono buonissimi. Provate____!
6. Quando esci, compra il giornale. → Compra____ quando esci!
7. Prendi le medicine dopo i pasti. → Prendi____ dopo i pasti!
8. Chiamate noi domani sera. → Chiamate____ domani sera!

4 Completa le frasi con i verbi dati all'imperativo e i pronomi corretti, come nell'esempio in blu.

1. Ti sta grande questo vestito? ___Regalalo___ a me! Mi starà benissimo!

2. Vuoi prendere i biglietti in agenzia? _____ on line! È più economico!

3. Marco, io sono sempre disponibile: _____ quando vuoi.

4. Ragazzi, siete ancora a letto?! _____ subito!

5. Livia è proprio simpatica. _____ (noi) a prendere un aperitivo!

6. Dai, _____! Alle 7 parte l'autobus per l'aeroporto.

7. Hai mandato il pacco a Lucia? _____ subito!

prepararsi

alzarsi

chiamare

regalare

comprare

mandare

invitare

5 *Indica a che cosa corrisponde il pronome in* rosso.

ci = lì   ci = noi

1. Sul serio vieni a Venezia? Chiamaci quando arrivi in stazione!   ○ ○
2. Che bella Firenze! Vorrei tanto andarci per Capodanno.   ○ ○
3. Dove andate? Ci aspettate?   ○ ○
4. L'anno scorso siamo stati in Sardegna. Ci torniamo anche quest'anno!   ○ ○
5. Volete fare una gita in Toscana, giusto? Ci portate anche me?   ○ ○
6. Andiamo a dormire. Per favore, svegliateci alle 7 domani mattina.   ○ ○
7. All'estero ci capiscono subito, anche se parliamo solo italiano!   ○ ○
8. Allora, Giacomo, dal medico ci andiamo o no?   ○ ○

6 *Completa i mini dialoghi con le parole date. Attenzione: ci sono due parole in più!*
Poi ascolta e controlla le tue risposte.

colazione ◆ Regionale ◆ veloce ◆ convegno ◆ singole ◆ biglietto ◆ stelle

1. *Gianni:* Mi scusi, abbiamo prenotato due camere _____, non una matrimoniale!

   Emma: Vede, siamo qui per un _____, siamo colleghi.

   Receptionist: Certo, scusate per l'errore. Ecco le chiavi. Le vostre camere sono al secondo piano. La _____ è dalle 7 alle 10 in sala ristorante.

2. ● Scusa, è questo il _____ per Firenze?

   ● No, questo è il Frecciarossa per Roma. Non so se ferma a Firenze.

   ● Posso prenderlo con questo _____?

   ● Non lo so. Devi chiedere in biglietteria.

7 *Completa con le espressioni date. Attenzione: c'è un'espressione in più!*

dunque ◆ altrimenti ◆ caspita ◆ non conviene ◆ c'entra ◆ appunto

1. ● Quasi tutti i treni Siena-Firenze del pomeriggio non sono diretti. Dobbiamo cambiare a Empoli. Che dici? _____ c'è il pullman.

   ● Mmh... il treno con il cambio _____. Dai, andiamoci in pullman!

2. ● Tesoro, hai guardato gli orari? C'è per caso una nave che parte di sera?

   ● Ora controllo. _____... da Civitavecchia alle 21:40, oppure da Livorno alle 20:10.

3. ● Ho capito perché ti alleni con me: è perché ho fatto la maratona due volte!

   ● _____! Voglio capire qual è il tuo segreto!

4. ● I posti in classe economica sono finiti. Abbiamo solo due posti in prima classe. Vengono 315 euro a persona.

   ● _____! Sono un po' cari. Magari prendiamo il volo dopo...

8 Completa le frasi con i verbi dati all'imperativo e i pronomi corretti, come nell'esempio in blu.
Vedi anche pag. 246 (4.1.3).

1. Non sai cosa fare con i biglietti del cinema? _____*Dalli*_____ (dare + i biglietti) a me!
2. _____ (dire + quello che pensi) a Maria! Poi ti sentirai meglio!
3. _____ (fare + questo) per me! _____ (andare + lei) a prendere all'aeroporto!
4. Mario, dai, racconta una storia! _____ (fare + i bambini) ridere!
5. Se vai a Roma, _____ (stare + lì) almeno una settimana: ci sono tantissimi luoghi da visitare!
6. No, non vengo al cinema con te! _____ (andare + lì) da solo!

9 Metti in ordine le parole e forma le frasi. Cominicia con le parole in rosso.

1. mi / ho / alle 12: / importante. / non / chiamare / un esame
   _____

2. facciamoci / non / la doccia / facciamo / tardi: / in fretta!
   _____

3. mi / metto / sono / aspettami: / le scarpe e / pronta.
   _____

4. in bocca: / acqua / a Marco! / ditelo / non
   _____

5. ti / non / un raffreddore: / è solo / preoccupare.
   _____

10 Dove vanno i pronomi? Leggi gli esempi e indica l'affermazione giusta. Vedi anche le pagine 245 e 246.

1 Non mi chiamare / Non chiamarmi!

4 Chiamami appena arrivi in stazione!

2 Alzatevi, ragazzi, è tardissimo!

5 Mi puoi chiamare / Puoi chiamarmi appena arrivi?

3 Per chiamarmi, devi fare prima lo zero.

6 Appena arrivi, mi chiami, per favore?

1. Con i verbi all'imperativo negativo:
   a. prima o dopo il verbo
   b. sempre dopo il verbo

2. Con i verbi riflessivi all'imperativo affermativo:
   a. prima del verbo
   b. dopo il verbo

3. Con il verbo all'infinito
   a. prima del verbo
   b. dopo il verbo

4. Con il verbo all'imperativo affermativo:
   a. prima del verbo
   b. dopo il verbo

5. Con i verbi potere, volere, dovere:
   a. dopo il verbo all'infinito o prima del modale
   b. sempre dopo il verbo all'infinito

6. Con il verbo all'indicativo:
   a. prima del verbo
   b. dopo il verbo

11 Ascolta di nuovo il dialogo tra Anna e Carla e completa con le informazioni mancanti sul viaggio a Siena.

Partenza	Arrivo	Durata	Treno	Prezzo
Roma 16:00	Firenze _____	1h 30'	_____	_____ €
Firenze _____	Siena 19:30	1h 30'	_____	_____ €
Firenze 17:45	Siena 19:50	2h 05' 1 cambio: Empoli	Regionale	9 €

12 Ascolta di nuovo i dialoghi di pag. 51 e indica se le affermazioni sono vere o false.

		V	F

Dialogo 1   a. La prima frase è un annuncio per i passeggeri. ◯ ◯

Dialogo 2   b. Il deposito bagagli è in fondo al binario 1. ◯ ◯

Dialogo 3   c. Il prossimo treno per Perugia parte alle 15:50. ◯ ◯
   d. Il treno per Perugia è diretto. ◯ ◯

Dialogo 4   e. Il dialogo è tra due passeggeri. ◯ ◯
   f. Poggibonsi è la fermata prima di Siena. ◯ ◯

Dialogo 5   g. La passeggera ha due bagagli. ◯ ◯
   h. Il volo per Milano parte alle 10:40. ◯ ◯

13 Riordina le battute del dialogo.

◯ A: Ah, tra mezzora! E quanto ci mette?

◯ B: 14 euro e 22 centesimi.

◯ B: Prego! Buon viaggio!

[1] A: Buongiorno! Quand'è il prossimo traghetto per l'Isola del Giglio?

◯ B: Buongiorno. Il prossimo parte alle 14:45.

◯ B: Ci mette un'ora.

◯ A: Perfetto! Un biglietto di sola andata, per favore. Quant'è?

◯ A: Ecco a Lei. Grazie!

Isola del Giglio, Toscana

14 Cancella la parola estranea e scrivi la lettera *rossa* nella colonna a destra, come nell'esempio. Scopri in verticale il mezzo di trasporto più usato dagli italiani.

1.	viaggiare	~~immaginare~~	andare in gita	partire	M
2.	tram	pullman	stazione	aereo	
3.	biglietto	colazione	carta d'imbarco	prenotazione	
4.	vespa	motorino	moto	bicicletta	
5.	Regionale	diretto	hotel	Frecciarossa	
6.	ritorno	partenza	andata	binario	
7.	valigia	bagaglio	borsa	nastro	
8.	guida turistica	tabellone	sacco a pelo	zaino	

15 Completa il cruciverba con le parole mancanti.

Verticali

1. Abbiamo prenotato un resort a 5 … : ci sono tutti i comfort!
2. Curioso, ha la passione della scoperta: un viaggiatore …
4. Se non vuoi andare in giro con le valigie, puoi lasciarle al … bagagli.
5. Per lui un viaggio è un mondo tra fantasia e realtà.

Orizzontali

3. Appena salite sull'autobus, dovete … il biglietto.
6. Appunti, cartine e guida: un viaggiatore …
7. Ieri sera i vicini hanno fatto una festa e non ho chiuso …

1 *Scegli la risposta giusta.*

1. I treni italiani più veloci sono:
   - a. i Regionali
   - b. gli Intercity
   - c. le Frecce

2. Potete fare il biglietto elettronico:
   - a. in biglietteria
   - b. su www.trenitalia.it
   - c. alle macchinette

3. Con la CartaFreccia potete avere:
   - a. sconti sui biglietti
   - b. la colazione servita
   - c. il giornale gratis

4. I pendolari di solito raggiungono il posto di lavoro:
   - a. in bicicletta
   - b. in treno
   - c. in aereo

5. Milano Centrale è:
   - a. la prima stazione italiana
   - b. tra le stazioni più belle del mondo
   - c. un progetto di Santiago Calatrava

FIRENZE S.M.N.

2 *Guarda le interviste e completa le frasi con le informazioni giuste.*

Per i viaggi corti prendo i Regionali Veloci/Italo (1).

Secondo me, i treni italiani sono in ritardo/orario (2).
Preferisco acquistare i biglietti in agenzia/online (3).

Preferisco viaggiare con Italo e Frecciarossa perché i prezzi/servizi (4) sono ottimi.
Compro i biglietti online perché se prenoto in tempo/in anticipo (5), trovo buoni prezzi.

Prendo il treno per andare all'università/al lavoro (6).

Preferisco viaggiare con i Frecciarossa perché sono frequenti/economici (7), comodi e soprattutto lenti/veloci (8).

 Gio

1 a *Abbina le domande del cliente alle risposte del receptionist.*

1. Buongiorno, ho prenotato due camere singole.

2. Il parcheggio è vicino all'albergo?

3. Buongiorno! Parto stasera, ma vorrei visitare il Duomo. Posso lasciare la valigia in hotel?

4. C'è la connessione internet?

5. La colazione è inclusa nel prezzo, vero?

6. Dove si trova il centro benessere?

a. Sì ed è dalle 7 alle 10, al primo piano.

b. Certamente! Il deposito bagagli è vicino alla reception.

c. Sì, sono 5 minuti a piedi, è all'inizio della zona chiusa al traffico.

d. A che nome è la prenotazione?

e. Al terzo piano, vicino alla piscina.

f. Certo! C'è il wi-fi in tutte le stanze!

b *Ora scrivi i nomi dei servizi che offre l'albergo. Attenzione: ci sono due simboli in più!*

 _____

_____

_____

 _____

 centro benessere

_____

_____

_____

2 *Abbina le affermazioni alle immagini. Poi ascolta di nuovo il dialogo di pag. 56 e indica che cosa ha fatto davvero Gianni.*

a. Ha messo una mappa di Firenze in tasca.
b. Ha acceso il navigatore.
c. Ha stampato la prenotazione dell'albergo.
d. Ha prenotato tutte camere matrimoniali.
e. Ha fatto l'università a Firenze.
f. Ha prenotato per il mese sbagliato.

 1

 2

 3

 4

 5

 6

3 *Leggi le frasi e sottolinea la forma giusta dei verbi in blu.*

1. Davvero tu e Cecilia eri/eravate fidanzati all'università? L'amavate/amavi molto?
2. Ricordi quando tu e Lucio vivevate/vivevamo a Trieste e io venivate/venivo a trovarvi nei weekend?
3. Eccolo! Non trovavo/trovava più il passaporto! Pensavano/Pensavo di averlo perso!
4. Io e mio fratello da bambini non litigavamo/litigavo mai.
5. A dodici anni Marco giocavo/giocava già in una squadra importante.
6. L'anno scorso guardavate/guardavi le partite a casa... quest'anno andate sempre allo stadio!

4) *Cerchia i verbi all'imperfetto e indica se la funzione è parlare di un'abitudine (A) o fare una descrizione (D) nel passato.*

	A	D
1. Prima di sposarmi andavo spesso in vacanza all'estero.	◯	◯
2. Mi ricordo la mia prima macchina: era rumorosa, ma bellissima!	◯	◯
3. Sua moglie era una donna gentile e molto elegante.	◯	◯
4. Con i miei nonni, ogni estate, venivo in questa spiaggia.	◯	◯
5. Da piccoli dopo cena andavate subito a letto... Ora uscite sempre!	◯	◯
6. Alberto Sordi era un bravissimo attore e un uomo molto simpatico.	◯	◯

5) *Completa le frasi con l'imperfetto dei verbi tra parentesi. Vedi anche pag. 239 (2.3.2).*

1. Cinquant'anni fa le coppie italiane _preferivano_ (preferire) sposarsi in chiesa.

2. Non _____ (sapere) che cosa fare in aeroporto... così ho fatto spese!

3. Davvero tu e Costanza da giovani _____ (fare) ogni giorno trenta chilometri in bici per andare a scuola?

4. In quel piccolo cinema in Via Asiago _____ (proporre) sempre dei vecchi film da tutto il mondo. Ora ha chiuso... che peccato!

5. Da piccola Giuliana per l'Epifania _____ (ricevere) spesso il carbone dalla Befana.

6. Ti ricordi quando tu e Marco _____ (venire) a trovarmi in pausa pranzo?

7. Abbiamo comprato il cappotto a Luisa quando lei _____ (essere) a Milano.

8. Quando eravamo al liceo _____ (tradurre) facilmente dal latino all'italiano.

9. Eccola! Questa foto è di venti anni fa: tu _____ (avere) i baffi e io i capelli lunghi!

6) *Metti in ordine le battute del dialogo.*

◯ *Receptionist:* 15 euro a notte.

◯ *Dott. Laneri:* Laneri! L di Livorno, A di Ancona, N di Napoli, E di Empoli, R di Roma, I di Imola.

7 *Dott. Laneri:* Sì. Due notti, 3 persone. Nome Laneri.

◯ *Receptionist:* Dunque, due singole e una doppia dal 16 al 18 aprile? A che nome?

◯ *Dott. Laneri:* Solo? Va bene lo stesso, allora.

◯ *Receptionist:* Controllo... un attimo... in quei giorni abbiamo solo 2 camere singole libere; poi ci sono le camere doppie.

1 *Dott. Laneri:* Buongiorno, vorrei prenotare tre camere singole dal 16 al 18 aprile, 2 notti.

◯ *Receptionist:* Lanari? Mi può fare lo spelling per favore?

◯ *Dott. Laneri:* Ah. Quant'è la differenza? L'hotel è vicino al centro dove fanno il convegno dell'azienda ed è meglio se stiamo tutti assieme.

7 Completa il dialogo tra Bianca e Giulia con le espressioni date a destra.

- Visto? Alla fine siamo arrivate!

- Sì, certo, dopo dieci ore di viaggio! _____(1)... tu e
la tua idea di venire in pullman! Al ritorno io prendo il treno, chiaro?!

- Ma dai... _____(2): la neve, le montagne, le stelle...

- Ora sono troppo stanca e nervosa!

- Va be', non esagerare! E poi... poteva anche andare peggio!

- _____(3)? ...Non credo!

- Beh, Luca e Matteo, ad esempio non sono ancora arrivati...
Un _____(4) con la macchina...

- Luca e Matteo? Cos'è, _____(5)?

- No, è una sorpresa! Vengono anche loro!

- Oddio! Ecco a chi scrivevi prima! Beh, _____(6)
la stanchezza, io... mi sento già meglio, più... _____(7)!

- Ahahah! Lo sapevo! Ti piace davvero tanto Matteo!

**nonostante ◆ lasciamo stare
peggio di così ◆ tranquilla
guardati intorno
uno scherzo ◆ problemino**

8 Osserva il percorso in rosso dell'attività C5 di pag. 60 e completa
il dialogo con le parole date. Attenzione: ci sono due parole in più!

destra ◆ sinistra ◆ girate ◆ andate ◆ indicazioni ◆ strade

- Mi scusi, Lei sa dov'è Via del Corso?

- Via del Corso? Allora, andate dritto, alla prima traversa girate a
_____(1), poi a _____(2) in Via dei Banchi; _____(3)
avanti per circa 600 metri e arrivate in Via de' Cerretani. Lì chiedete di nuovo,
per avere altre _____(4) e arrivare in Via del Corso.

Firenze

9 Completa le frasi con la forma corretta dei verbi dati. Poi indica cosa esprime l'imperfetto:
A = un'abitudine nel passato; D = una descrizione nel passato; C = un'azione contemporanea
a un'altra nel passato; NP = un'azione passata dalla durata non precisata.

abitare ◆ costare ◆ giocare ◆ sembrare
prendere ◆ avere ◆ nuotare ◆ guardare

	A	D	C	NP
1. Da bambina _____ a pallacanestro tre volte alla settimana.	○	○	○	○
2. Da giovane Susanna _____ i capelli lunghi e biondi.	○	○	○	○
3. È questo il palazzo dove _____ tu e Mario?	○	○	○	○
4. Quando vivevamo a Firenze, _____ spesso il treno.	○	○	○	○
5. Mentre mia moglie _____ la televisione, io preparavo la cena.	○	○	○	○
6. Dalle foto sul sito le camere _____ grandi...	○	○	○	○
7. In Sicilia Salvo e Lidia _____ ogni mattina per almeno un'ora.	○	○	○	○
8. Ho preso questo vestito: non è della mia taglia, ma _____ poco!	○	○	○	○

10 *Leggi il testo e sottolinea la forma giusta dei verbi in blu.*

Quando ho conosciuto Giacomo, abitava/ha abitato (1) vicino a un piccolo albergo. Allora Giacomo non lavorava/ha lavorato (2), ma un giorno le cose cambiavano/sono cambiate (3). Mentre passeggiava/ha passeggiato (4) nel parco con i suoi due cani, Giacomo conosceva/ha conosciuto (5) il direttore dell'hotel. Il direttore cercava/ha cercato (6) una persona per tenere i cani dei clienti perché nel suo hotel non erano/sono stati (7) ammessi gli animali... Giacomo ama molto gli animali e ha chiesto/chiedeva (8) di diventare il dog-sitter dell'albergo! È così che trovava/ha trovato (9) lavoro.

11 *Completa la recensione con la forma giusta dei verbi. Scegli tra imperfetto e passato prossimo.*

Albergo davvero carino in posizione centrale. Ci _____ (1. io - passare) tre giorni ad agosto con tutta la famiglia e _____ (2. noi - essere) benissimo. All'inizio _____ (3. sembrare) una zona rumorosa perché è in centro, dove ci sono molti locali, invece, _____ (4. noi - trovare) uno splendido giardino interno dove _____ (5. noi - passare) tutte le sere a giocare a carte e chiacchierare. Insomma un hotel perfetto per il relax! Personale molto gentile!

12 *Completa con le parole date. Poi abbina le recensioni all'alloggio giusto.*

confortevole ◆ accogliente ◆ pulitissime ◆ piscina ◆ degustazione
ospiti ◆ doccia ◆ verde ◆ noleggiare

1
A pochi passi dal Duomo, ottima posizione! La qualità però... camere senza finestre, poca pulizia e _____ con acqua... fredda! E la cucina! Nel frigo c'era ancora il cibo degli _____ precedenti.

2
Ci sono stato per un convegno ed è andato tutto benissimo. Camera spaziosa e _____ con tv, internet veloce e... Perfetto anche per lo sport: _____ aperta 24 ore all'ultimo piano.
Lo consiglio!

agriturismo **a**

3
Ideale per chi vuole vivere un'esperienza di relax nel _____.
Ho trovato un pacchetto tutto incluso con _____ di vini e formaggi compresa. Potete anche _____ le biciclette!

b *appartamento*

4
Camere _____ e confortevoli. La mattina la proprietaria (che abita al piano di sopra) ci ha preparato un caffè buonissimo, pane fresco e marmellata fatta in casa!!! Insomma, atmosfera calda e _____.

c *alber...*

d *B&B*

13 Leggi di nuovo il testo di pag. 62 e indica il significato delle parole in *verde*.

1. La "sindrome del maharajah", una patologia ancora poco studiata.
   a. una malattia   b. una moda   c. una pulizia   d. un tipo di camera

2. Usa tutti gli asciugamani e li abbandona poi sul pavimento.
   a. cambia   b. lava   c. lascia   d. ordina

3. Lascia l'albergo con un grazie, un cenno della testa (e un piccolo controllo al conto).
   a. lacrima   b. gesto   c. saluto   d. pianto

4. I bambini non vogliono staccarsi dai camerieri.
   a. separarsi   b. prepararsi   c. legarsi   d. fermarsi

5. Tutti sono pieni di consigli su come caricare l'automobile.
   a. la cameriera   b. la famiglia   c. la valigia   d. la macchina

6. Ognuno suggerisce un itinerario per il ritorno.
   a. un bagaglio   b. una strada   c. un biglietto   d. un invito

14 Completa il cruciverba con le parole mancanti.

Orizzontali

3. La stagione delle vacanze al mare.
5. L'albergo è in ... centrale.
6. L'albergo ha un centro ... .
7. In ogni camera c'è la ... internet.
8. Il prezzo della camera è 55 euro a notte, ... inclusa.

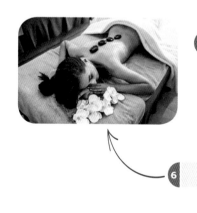

Verticali

1. Unico svantaggio dell'hotel è che manca la ... .
2. Se cerchi un alloggio nel verde devi andare in un ... .
4. Cerchiamo una camera con ... sul mare.
5. Per i clienti con la macchina l'albergo offre un grande ... .

1 *Dove prenoti se vuoi...? Abbina i desideri agli alloggi giusti.*

In un convento

In un agriturismo

In un castello

Alle Grotte della Civita

1. dormire come un principe
2. spendere moltissimi soldi
3. silenzio, pace e tranquillità
4. dormire nei "sassi"
5. cibi sani, prodotti sul posto
6. relax in mezzo alla natura
7. ammirare gli affreschi del Tiepolo

All'Aman Canal Grande

2 *Guarda il mini documentario e completa l'intervista a Ilaria e i commenti dei clienti con le informazioni mancanti (massimo 3 parole per spazio).*

giornalista: Cosa offre il vostro agriturismo?

Ilaria: Il "Toscana Ranch" offre _____(1), ristorante, laboratori per bambini ed escursioni a cavallo.

giornalista: Perché le persone scelgono questo agriturismo?

Ilaria: Per staccare dalla _____(2), non vedere macchine né caos; e perché i bambini possono giocare senza alcun _____(3).

giornalista: I vostri clienti sono tutti italiani?

Ilaria: No, per il 70% sono italiani e per il 30% sono _____(4).

giornalista: E da quali Paesi vengono?

Ilaria: Da _____(5): Australia, America, Inghilterra, Germania e Francia...

giornalista: Che tipo di attività organizzate per i bambini?

Ilaria: Laboratori artistici e a contatto con _____(6), gite nell'orto ed escursioni.

giornalista: Davvero un bel posto! Grazie mille e buon lavoro!

Ilaria: Grazie a voi!

Ciao, io sono di Genova! Sono stata al "Toscana Ranch" con _____(7), per vivere l'esperienza della natura, dell'aria aperta, del _____(8) e degli animali! Fantastico!

 Gio

Ciao, io sono di Napoli! Ho scelto questo agriturismo per il _____(9) e per stare a stretto contatto con la natura e gli animali, ma anche per tutte le attività che si possono fare: _____(10) a cavallo, trekking, mountain bike...

1 Completa il riassunto del dialogo di pag. 66 con le parole date. Attenzione: ci sono due parole in più!

> cantante ◆ concerto ◆ impaziente ◆ si esibiscono ◆ cantare ◆ nervosa ◆ piacciono

I ragazzi chiacchierano mentre girano a piedi per il centro di Firenze. Anna è _____ (1) perché Ferrara è in città e Gianni cerca di calmarla. Mentre passeggiano Anna vede il poster dei V3 che _____ (2) proprio a Firenze quella sera. Alla ragazza piace quel gruppo musicale perciò cerca di convincere i ragazzi ad andare al _____ (3). Gianni, che ama la musica heavy metal, non ci vuole andare, ma cambia idea quando capisce che i V3 _____ (4) anche a Carla. Così Anna chiama l'amica, che è al convegno, per proporre di andare al concerto. Alla fine della telefonata, per prendere in giro Gianni, Anna racconta che il _____ (5) dei V3 ha invitato Carla al loro concerto.

2 Fai l'abbinamento.

1. Stasera c'è il *Nabucco*! Andiamo?
2. Agli Uffizi c'è una mostra su Leonardo Da Vinci. Ci andiamo?
3. Come va il nuovo lavoro?
4. Secondo Paola, la musica pop è noiosa.
5. Ma tu sai chi sono i Negramaro?
6. Ma tu, scusa, che musica ascolti?

a. Sul serio? A me sembra un genere divertente.
b. Mah, mi piacciono tutti i generi, tranne il jazz!
c. Ah! Sono entusiasta! Mi piace moltissimo!
d. Ah! Da quando ti piace la lirica?!
e. Non ci posso credere! È il mio pittore preferito!
f. Ora che ci penso... forse ho visto un loro concerto alcuni anni fa!

3 a Abbina le frasi agli aggettivi o stati d'animo giusti, come nell'esempio.

1. Domani ho la prima prova degli esami finali...
2. La mia ultima gara di nuoto non è andata bene.
3. Hai davvero corso la maratona in quattro ore? Caspita!
4. Il treno è di nuovo in ritardo! Non è possibile!
5. Ecco... tra una settimana parto! L'Erasmus è già finito...
6. Enrico non risponde al telefono... È tutto il giorno che lo chiamo.
7. Grande! Sono stato bravissimo! Ottimo tempo!
8. Uffa! Lavoro troppo... ho davvero bisogno di una vacanza!

contento
stanco
nervoso
preoccupato
deluso
arrabbiato
triste
sorpreso

b Ora abbina alle immagini quattro frasi dell'esercizio 3a.

 a
 b
 c
 d

4 Che cosa pensano/dicono? Abbina le immagini alle battute. Attenzione: ci sono due battute in più!

a. Basta! Non ti voglio più vedere.

b. Che c'è? Ti vedo preoccupato...

c. Peccato! Non è venuto all'appuntamento.

d. Ho superato tutti gli esami! Fantastico!

e. Calmati! Dai! Perché sei arrabbiata?

f. Che bella bambina. Caspita!

5 Abbina le domande alle risposte.

1. Per caso hai visto le mie scarpe?

2. Dove hai comprato i libri di spagnolo?

3. Hai ascoltato la nuova canzone di Fedez?

4. Alice è riuscita a trovare i biglietti?

5. Hai saputo?! Ho conosciuto la cantante che ha vinto X Factor!

6. Ti va di vedere l'ultimo film di Muccino?

a. No, non l'ho ancora sentita.

b. Ah... L'ho già visto ieri: sono andato al cinema con Lucia.

c. Credo di sì, ieri andava in centro a comprarli.

d. Li ho presi on line.

e. Sì, le ho messe vicino alla porta.

f. Sul serio? Dove l'hai incontrata?

6 Completa le risposte con i pronomi corretti e la desinenza del participio passato, come nell'esempio in blu. Vedi anche pag. 246 (4.1.5).

1. • A chi hai regalato i biglietti del concerto?
   ◦ _Li_ ho regalat*i* a Massimiliano.

2. • Hai preso tu le chiavi della macchina?
   ◦ No, non ____ ho pres____ io.

3. • Avete visto i miei costumi da bagno?
   ◦ No... Forse ____ hai lasciat____ in spiaggia.

4. • Chi ti ha vista entrare a casa mia?
   ◦ Tranquilla: non ____ ha vist____ nessuno!

5. • Quando hai comprato la nuova chitarra?
   ◦ ____ ho comprat____ un mese fa.

6. • Chi ha finito il caffè?
   ◦ ____ ha finit____ Patrizia stamattina.

7. • Chi vi ha chiamati quando è arrivato il pacco?
   ◦ ____ ha chiamat____ la vicina di casa.

7 Cancella l'espressione che ha un significato diverso dalle altre.

1.	mi fa impazzire	non mi piace affatto	ne vado matta	lo adoro
2.	finire in fretta	andare a ruba	finire in poco tempo	fare un furto
3.	passeggiare	andare in giro	prendere in giro	camminare
4.	una volta per tutte	a volte	qualche volta	alcune volte

8 Completa le frasi con i verbi dati. Vedi anche pag. 240.

> sta cercando ◆ stai facendo ◆ sta prenotando ◆ stanno ascoltando
> sto leggendo ◆ state andando ◆ stavo guidando ◆ stiamo partendo ◆ stavate litigando

1. Lucia _____ i biglietti per Madrid: tra pochi mesi parte per l'Erasmus.
2. Quando mi hai chiamato non ti ho risposto perché _____.
3. Perché _____ la valigia? Partiamo tra due settimane!
4. Il gruppo di Piero _____ un nuovo bassista.
5. Perché _____ prima? Cosa è successo?
6. Dove _____ così di fretta? Sembrate preoccupati...
7. Siamo così allegri perché _____ per le vacanze!
8. _____ un articolo molto interessante sulla lirica italiana.
9. Le ragazze sono in camera. _____ il nuovo CD di Vasco.

Madrid, Spagna

9 Completa il cruciverba con il gerundio dei verbi tra parentesi e scopri, nelle caselle colorate, il nome dello strumento musicale nell'immagine. Vedi anche pag. 240.

1. Sì, mamma, tutto bene, sto ... (bere) un caffè con Laura.
2. Quell'uomo sta ... (fare) colazione con il pesce. Che strano!
3. Paolo e Chiara stanno ... (mettere) in ordine la casa perché arrivano degli ospiti.
4. Quando vi ho visto, stavate ... (aspettare) l'autobus? Perché non prendete la metro che è più veloce?
5. Aspetta! Ascolta! Cosa stanno ... (dire)? Perché chiudono la metro?!
6. Io e Francesca stiamo ... (prendere) lezioni private di chitarra.
7. Matteo e Alessandro stanno ... (imparare) a suonare il pianoforte.
8. Ora non posso: sto ... (tradurre) i testi per il sito dell'agenzia.

Lo strumento è la:

_ _ _ _ _ _ _ _ _

10 Ascolta di nuovo l'intervista a Laura Pausini di pag. 72. Poi leggi questo breve testo su un altro cantante famoso e indica a chi si riferiscono le affermazioni sotto.

Luciano Ligabue, cantante e regista di successo, parla dei suoi genitori che lo hanno aiutato a inseguire il suo sogno.

"Avevo davanti agli occhi un modello di famiglia felice. Mio padre e mia madre erano due persone che mostravano ogni giorno la loro felicità.

Papà era sempre contento, in macchina cantava, fischiettava le canzoni tradizionali e aveva un talento naturale per conoscere gli altri, farsi nuovi amici.

Spesso mi vergognavo delle battute che faceva per stare simpatico agli sconosciuti perché io, invece, sono timido e la solitudine non mi dispiace. **"**

adattato da *www.vanityfair.it/music*

	Laura	Luciano
1. Voleva cantare, ma non è stato facile convincere i suoi genitori.	☐	☐
2. I suoi genitori erano persone allegre.	☐	☐
3. Ha iniziato a lavorare quando era molto giovane.	☐	☐
4. In famiglia ha sentito spesso gli altri fischiettare.	☐	☐
5. Ha più paura di cantare quando si esibisce in Italia.	☐	☐
6. Ha un carattere poco socievole.	☐	☐

11 Risolvi gli anagrammi e scrivi il nome degli oggetti (1, 2, 4) e delle azioni (3, 5, 6).

FONMOCRIO
RENTACA
FECIUF
ANUSOER
SECAS
COLREASTA

_____

_____

_____

_____

_____

12 Osserva le immagini degli strumenti musicali e completa con le parole mancanti.

1. il _____   il/la pian**ista**
2. _____ tromba   il/la trombett**ista**
3. la _____   il/la _____
4. il sassofono   il/la _____
5. il basso   il/la _____
6. _____ violino   il/la violin**ista**
7. _____ batteria   il/la _____

13 Leggi i dialoghi e completa con le parole date. Attenzione: ci sono due parole in più!

impaziente ◆ triste ◆ sul serio ◆ arrabbiato ◆ uffa ◆ emozionata ◆ chitarra ◆ palco ◆ aspettando

All'opera lirica

Prima di un concerto rock

- Allora, Giulia, che avete fatto sabato scorso?
- Siamo stati a vedere l'*Aida* all'Arena di Verona.
- _____ (1)? E ti è piaciuta?
- Sì, un sacco! Io adoro le opere di Verdi! Mi sono _____ (2) tantissimo. Sai, è una storia _____ (3), drammatica. Ho pianto per tutto il tempo...
- E tuo marito?
- Anche a lui è piaciuta... il nostro primo appuntamento è stato proprio all'opera!

- Ciao Marco, scusa il ritardo. Che c'è? Ti vedo nervoso.
- No, sono solo _____ (4) di entrare. Ti sto _____ (5) da mezz'ora!
- _____ (6)! Ti ho già chiesto scusa. Ho trovato traffico... Ora possiamo rilassarci?
- Certo, hai ragione. Non vedo l'ora di essere sotto al _____ (7)! Hai portato i biglietti?
- I biglietti? Ma non li hai presi tu?

14 Che cosa fa Claudio? Ascolta il dialogo e indica le informazioni vere.

1. Arriva in ritardo al concerto.
2. Vede in tv la città di Torino.
3. Fa la fila per tre ore con il brutto tempo.
4. Si arrabbia perché cancellano il concerto.
5. Torna a casa deluso.
6. Va in un locale per stare al caldo.
7. Prende in giro l'amico.
8. Incontra il cantante di persona.
9. Mette su Facebook la foto del concerto.

1 Completa la tabella scegliendo tra le informazioni date.

lirica ✦ leggera ✦ jazz   5 giorni ✦ 10 giorni ✦ 2 mesi   Perugia ✦ Sanremo ✦ Firenze

nelle piazze ✦ Teatro dell'Opera ✦ Teatro Ariston   febbraio/marzo ✦ luglio ✦ maggio/giugno

Evento musicale	Tipo di musica	Città	Luogo	Mese	Durata
Festival di Sanremo					
Maggio Musicale Fiorentino					
Umbria Jazz					

2 Guarda le interviste e completa i profili Facebook di questi ragazzi con le informazioni mancanti.

Vincenzo

Tipo di musica
_____(1)

Cantante preferito
Vasco _____(2)

Canzone preferita
Alba Chiara

Mi piace ascoltare la musica...
_____(3) o mentre studio, prima di _____(4) o mentre faccio sport.

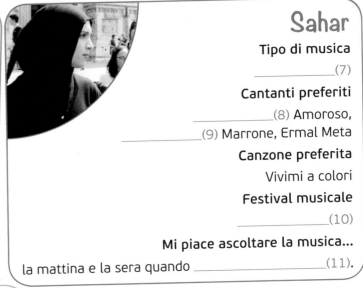

Sahar

Tipo di musica
_____(7)

Cantanti preferiti
_____(8) Amoroso, _____(9) Marrone, Ermal Meta

Canzone preferita
Vivimi a colori

Festival musicale
_____(10)

Mi piace ascoltare la musica...
la mattina e la sera quando _____(11).

Gioc

Luigi

Cantante preferito
_____(5) Pezzali

Canzone preferita
Gli anni

Mi piace ascoltare la musica...
_____(6) durante la giornata, ma in particolare prima di andare a dormire.

Rizan

Tipo di musica
Un po' _____(12)

Canzone preferita
_____(13)

Festival musicale
Sanremo

Mi piace ascoltare la musica...
quando studio, _____(14).

1 Completa le frasi con le parole date.

aprire ◆ immaginare ◆ pare ◆ fatto ◆ messo ◆ perdere ◆ ritirare

1. Vado al negozio a _____ un vestito che ho comprato on line.

2. Ho bisogno di andare in banca per _____ un conto corrente.

3. Mentre parlavo al telefono con Davide lui ha _____ giù all'improvviso.

4. Non possiamo _____ di vista l'uomo che mi ha rubato il portafogli. Seguiamolo!

5. Visto che mi sta antipatico, ho _____ finta di non conoscerlo.

6. A quanto _____, i V3 hanno dei problemi: stanno cancellando tutti i concerti!

7. Ho fatto tardi perché alla cassa c'era una fila che non puoi _____!

2 Abbina le battute. Poi sottolinea le espressioni che esprimono disaccordo.

1. Puoi fare finta di essere il mio fidanzato?

2. Hai paura per il colloquio di domani?

3. Secondo me, Luca ha fretta di andare via.

4. Se non hai fatto il biglietto, di' che la biglietteria era chiusa!

5. Bello il museo, no? E poi con i biglietti elettronici non avete fatto la fila...

6. Adesso invece di pagare il conto, ci alziamo e corriamo verso l'uscita.

a. Ma che stai dicendo? Ma sei scemo?!

b. Cosa?! Ma che dici?! Sei mia sorella!

c. Già, molto pratico! Le sale comunque erano piene di gente...

d. Macché... sono tranquillo. Ho passato la notte a prepararmi.

e. No, io le bugie non le dico!

f. Hai ragione! Guarda l'orologio ogni due minuti.

3 Leggi le frasi e scrivi R se i verbi in blu sono riflessivi reciproci.

1. Come vi preparate per la prima prova dell'esame? ☐

2. Giuseppe e Sandra la domenica si svegliano tardi. ☐

3. Carlo e Gioia si conoscono dai tempi dell'università. ☐

4. Il grande giorno è arrivato: io e Sonia ci sposiamo a giugno. ☐

5. A quanto pare, gli italiani si salutano con due baci. ☐

6. Michele, a che ora ci incontriamo stasera? Alle 8 va bene? ☐

7. Davvero i tuoi figli non si ricordano la vacanza in Sicilia? ☐

8. Ci vediamo domani? Oggi non posso: ho il corso di nuoto! ☐

4 *Completa il testo con i pronomi adatti. Scegli tra ci, vi, si.*

1. Io e Clara _____ vediamo domani per un caffè al bar Centrale.
2. Lucia e Camilla non _____ parlano più da giorni. Cos'è successo? Hanno litigato?
3. Da quanto tempo non _____ vedete tu e tuo zio? Perché non vai a trovarlo?
4. Ormai siete fidanzati da sei anni. Quando _____ sposate?
5. Sara e Luca _____ conoscono bene. Non ci sono segreti tra loro.
6. Noi due _____ sentiamo ogni giorno. Non ti arrabbiare se per una volta non ti chiamo!

5 *Ascolta di nuovo il dialogo e indica l'affermazione giusta.*

1. I destinatari della signora sono:
   a. suo figlio Matteo e un'amica
   b. un'amica e una parente
   c. due parenti che vivono all'estero

2. Agnese è:
   a. la nipote della signora che vive in Germania
   b. la proprietaria di un bar vicino alla Posta
   c. un'amica di Pistoia della signora

3. Il Paccocelere Internazionale costa:
   a. 20 euro
   b. 30 euro e 50 centesimi
   c. 9 euro e 43 centesimi

4. Alla fine, la signora:
   a. torna dopo perché non ha abbastanza soldi
   b. spedisce sia la lettera che il pacco
   c. paga una bolletta e spedisce solo il pacco

6 *Metti in ordine le battute del dialogo.*

☐	*cliente:*	In Italia, a Firenze.
☐	*impiegato:*	Sono 4 euro e 50. Ecco, deve compilare questo cedolino.
☐	*cliente:*	Forse è meglio una raccomandata. Senta, quanto ci mette ad arrivare?
1	*cliente:*	Buongiorno, vorrei spedire questo libro.
☐	*impiegato:*	Quattro o cinque giorni, sabato e domenica esclusi.
☐	*impiegato:*	Buongiorno. Prego! In Italia o all'estero?
☐	*cliente:*	Perfetto, quindi martedì prossimo, al più tardi. Quanto costa?
☐	*impiegato:*	Raccomandata o posta ordinaria?

7 *Completa le frasi con le parole date. Attenzione: c'è una parola in più!*

raccomandata ◆ bolletta ◆ busta ◆ pacco ◆ avviso ◆ cedolino

1. Ho preparato un _____ pieno di prodotti tipici da mandare ai parenti in America.
2. Oggi devi andare alla posta per pagare la _____ del telefono. Non dimenticarlo!
3. Se spedisci un pacco e in casa non c'è nessuno, il postino lascia un _____.
4. Per i documenti importanti fa' una lettera _____ con prova di consegna!
5. Per spedire il pacco devi compilare un _____ con i dati del destinatario.

8 *Osserva la tessera sanitaria italiana e abbina le informazioni ai numeri, come negli esempi in blu.*

data di nascita
nome
codice fiscale
cognome
luogo di nascita
~~provincia~~
sesso
~~scadenza~~

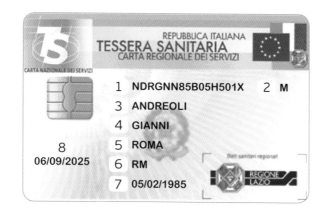

REPUBBLICA ITALIANA
TESSERA SANITARIA
CARTA REGIONALE DEI SERVIZI

CARTA NAZIONALE DEI SERVIZI

1 NDRGNN85B05H501X   2 M
3 ANDREOLI
4 GIANNI
5 ROMA
8
06/09/2025   6 RM
7 05/02/1985

Dati sanitari regionali

REGIONE LAZIO

1. _____
2. _____
3. _____
4. _____
5. _____
6. *provincia*
7. _____
8. *scadenza*

9 *Completa i mini dialoghi con le espressioni date. Attenzione: c'è un'espressione in più!*

mannaggia • ce l'ho • per caso • ce l'hai • posso aiutarLa • stavo scherzando • mi dispiace

• Buongiorno. _____?

• Vorrei vedere la dottoressa Zago.

• È andata via da cinque minuti. Vuole passare domani?

 **1**

• Buongiorno. Prego?

• Buongiorno... sono stata qui prima per fare una raccomandata.
_____ ha trovato una carta d'identità? Credo di averla lasciata qui...

• _____, signora, qui non c'è. **2**

• Buongiorno, cosa posso fare per voi?

• Abbiamo prenotato una camera per stasera, due persone, Zian.

• Per caso avete stampato la prenotazione?

• Vediamo. Tesoro, _____ tu? **3**

• Per aprire il conto serve un documento di identità e il codice fiscale.

• Sì certo, la carta d'identità _____ in borsa, ecco qua... Il codice fiscale... _____! L'ho dimenticato a casa! **4**

10 *Ascolta il dialogo e indica se le affermazioni sono vere o false.*

V F

1. La signora cerca il direttore della banca.
2. La signora vuole mettere al sicuro degli oggetti di valore.
3. La signora ha un conto corrente aperto da due anni.
4. La signora compie 60 anni ad aprile.
5. In banca hanno già i dati personali della signora.
6. L'impiegato chiede alla signora un documento d'identità.
7. Tenere una cassetta di sicurezza costa circa 65 euro l'anno.

11) *Trasforma le espressioni per chiedere e offrire aiuto dal tu (informale) al Lei (formale), come nell'esempio.*

informale   formale

1. Posso fare qualcosa per te?   →   ___Posso fare qualcosa per Lei___ ?

2. Buongiorno, posso aiutarti?   →   _____?

3. Ti posso aiutare?   →   _____?

4. Vuoi una mano?   →   _____?

5. Scusa, mi puoi aiutare?   →   _____?

6. Hai bisogno d'aiuto?   →   _____?

12) *Abbina le battute di sinistra a quelle di destra.*

1. La posso aiutare a portare la spesa?

2. Se vuole, posso chiamare subito il dottore!

3. Ti posso aiutare a lavare i piatti?

4. Scusi, posso prendere il sale?

5. Salve, posso aiutarla?
Oggi c'è lo sconto del 20%.

6. Scusi: non volevo disturbarLa!

a. Ah, bene! Grazie, prima do un'occhiata...

b. Sì, prego. Ma non c'è sul suo tavolo?

c. Grazie! Molto gentile! La mia macchina è lì.

d. No, scusi Lei! Era mio figlio al telefono...

e. Non ti preoccupare, faccio da sola.

f. Non fa niente, grazie: non è urgente, posso passare domani.

13) *Leggi e sottolinea l'*alternativa* corretta. Vedi anche pag. 241 (2.5.2).*

1. Carla, quando vi siete conosciute/vi siete conosciuti tu e Valeria?
2. Guarda: io e Luca ci siamo fatti/ci siamo fatte un selfie davanti alla torre di Pisa.
3. I ragazzi si è addormentato/si sono addormentati sul divano.
4. Pietro, perché hai sonno? A che ora ti sei svegliata/ti sei svegliato oggi?
5. Io e mio cugino ci siamo sentiti/mi sono sentito poco fa al telefono: sta molto bene!
6. Il giorno della mia laurea mi sono truccata/ci siamo truccati e ho messo un vestito elegante.

14) **a** *Completa i messaggi con il passato prossimo dei verbi tra parentesi. Vedi anche pag. 241 (2.6).*

1. L'agenzia _____ (occuparsi) di tutto: volo, albergo a 5 stelle e pacchetti benessere!
Io e mio marito _____ (rilassarsi) e divertiti per due settimane!

2. Sono davvero arrabbiata: non è arrivato il pacco! Ho chiamato l'ufficio postale: dicono che i miei
genitori _____ (sbagliarsi) e hanno compilato male il cedolino... impossibile!

3. Camera piccolissima, senza finestre, letti scomodi, poca pulizia e io e mia moglie
_____ (lavarsi) per due giorni con l'acqua fredda! Un incubo!

4. Mariagrazia, a che ora _____ (alzarsi) stamattina? _____ (farsi) la
doccia? Non ti ho sentita!

5. Perché tu e Francesca _____ (lasciarsi) dopo 15 anni di matrimonio?

b *Abbina a ogni foto una delle frasi dell'esercizio 14a. Attenzione: c'è una foto in meno!*

 a

 b

 c

 d

15 *Completa i testi delle due email con le espressioni date.*

caro
gentile
cordiali saluti
un abbraccio
Le auguro
grazie mille

Conto attivo   Posta in arrivo ✕

Mario Petito - BDC   13.34 (4 minuti fa)
a me

_____(1) sig. Giovanni Sari,

Le scrivo per informarLa che il conto corrente aperto in data 16 marzo è attivo. Per qualsiasi informazione, mi trova in ufficio dalle 9 alle 16:30.

_____(2) buona giornata.

_____(3)

Dott. Mario Petito
Banca del Corso

Foto matrimonio
a Luca Gattoni

_____(4) Luca,

Tutto bene? Ho bisogno di un piacere: puoi spedirmi le foto che hai fatto al matrimonio? Sto creando un video di famiglia e magari hai qualche foto interessante...
_____(5)!

Ci vediamo sabato alla partita!
_____(6)

Giovanni

16 *Inserisci le parole nella colonna giusta. Attenzione: alcune parole vanno in più colonne!*

raccomandata ◦ consegnare ◦ rinnovare ◦ tessera sanitaria ◦ spedire ◦ compilare
~~mandare~~ ◦ Paccocelere ◦ firmare ◦ ricevere ◦ passaporto ◦ cedolino

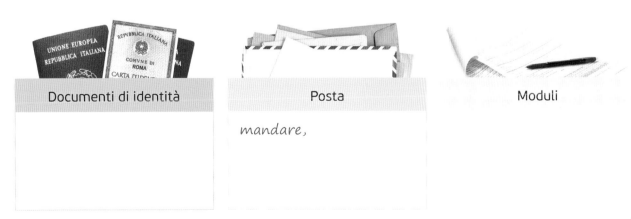

Documenti di identità	Posta	Moduli
	mandare,	

1 Aiuta due turisti che vogliono visitare Firenze: abbina i loro desideri ai posti giusti.

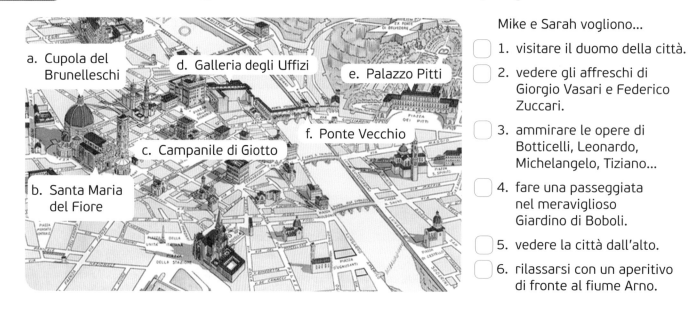

a. Cupola del Brunelleschi

d. Galleria degli Uffizi

e. Palazzo Pitti

c. Campanile di Giotto

f. Ponte Vecchio

b. Santa Maria del Fiore

Mike e Sarah vogliono...

1. visitare il duomo della città.
2. vedere gli affreschi di Giorgio Vasari e Federico Zuccari.
3. ammirare le opere di Botticelli, Leonardo, Michelangelo, Tiziano...
4. fare una passeggiata nel meraviglioso Giardino di Boboli.
5. vedere la città dall'alto.
6. rilassarsi con un aperitivo di fronte al fiume Arno.

2 Guarda il video, osserva le foto e completa le descrizioni con le informazioni date.

Fortezza da Basso ◆ Casa di Dante ◆ Palazzo Vecchio ◆ Galleria dell'Accademia
Crocifisso di Giotto ◆ David ◆ Loggia dei Lanzi ◆ Cappella Tornabuoni

a

b

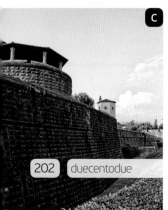
c

d

e

La _____ (1) ospita il maggior numero di sculture di Michelangelo al mondo! Tra queste, la statua originale del _____ (2). — a

Piazza della Signoria è la piazza centrale di Firenze. Qui si trova _____ (3), sede del Comune della città, e la bellissima _____ (4). — b

La _____ (5) è un esempio di architettura militare del 1500. Ora ospita mostre e fiere. — c

La Basilica di Santa Maria Novella ospita capolavori straordinari, come il _____ (6) e la _____ (7). — d

La _____ (8) racchiude la vita e le opere del grande poeta. — e

Gioc

1 *Abbina le domande alle risposte.*
Poi completa con le espressioni date.

scherzi ◆ mannaggia ◆ viva ◆ dai ◆ tranquilla ◆ se no

1. Oddio! Forse abbiamo sbagliato strada!
   E adesso?

2. Tesoro, viaggiamo da ore… sta finendo
   la benzina?

3. Sei sicuro di conoscere la strada
   per tornare in albergo?

4. Perché non ci fermiamo
   a Firenze?

5. Carlo, telefoniamo alla mamma?

6. Vi siete allacciati le cinture?

a. _____! Ho il cellulare scarico! La chiami tu?

b. _____! Tra un chilometro c'è una stazione
   di servizio.

c. Mettiamo il navigatore… _____, chiamiamo
   Lucia: lei conosce bene la zona!

d. Certo! _____ la sicurezza!

e. _____? Certo che la so: dopo la piazza
   giriamo a destra.

f. Sì, _____! Volentieri! Così ci facciamo una
   foto sul Ponte Vecchio.

2 *Scrivi a chi si riferiscono i pronomi in* rosso, *come nell'esempio.*

1. Paola è tornata dalle ferie? Non mi sembra di averla vista…   _____*a me*_____

2. Dov'è finito Ciro? Ora gli scrivo un messaggio.   _____

3. I vicini sono molto gentili. Ci chiedono sempre come stiamo.   _____

4. Dobbiamo comprare qualcosa per i Melandri. Cosa gli regaliamo?   _____

5. Ragazzi, vi piacciono le tagliatelle ai funghi?   _____

6. Smetti di dire bugie a Rossella! Perché non le racconti la verità?   _____

3 *Completa le frasi con i pronomi:* mi (2), ti, gli (2), Le, ci, vi. *Poi abbinale alle immagini.*

1. Signora, ha bisogno di aiuto? _____ servono indicazioni?

2. Luca, non _____ ho detto che cosa _____ è successo a Milano: ho conosciuto Laura Pausini!

3. Non ho ancora sentito mio marito. Ora _____ telefono per sapere se è arrivato a Siena.

4. Ragazzi, come _____ sembrano questi occhiali da sole? Secondo voi, _____ stanno bene?

5. Sergio e Maria _____ (a noi) hanno regalato un sacco di prodotti toscani!

6. Che cosa posso cucinare per i tuoi genitori? _____ piacciono i funghi, giusto?

4 a *Completa la chat con i pronomi indiretti.*

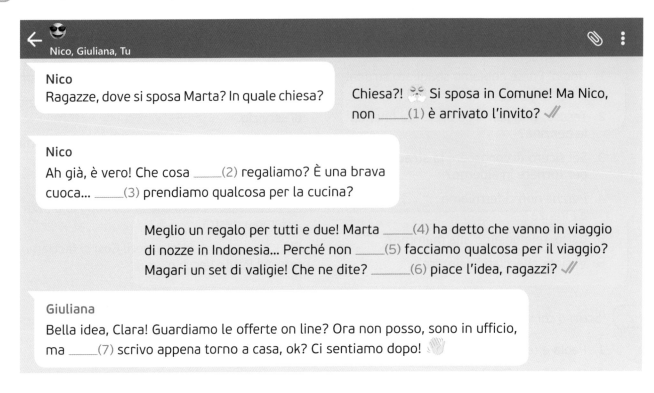

Nico
Ragazze, dove si sposa Marta? In quale chiesa?

Chiesa?! 😎 Si sposa in Comune! Ma Nico, non ____(1) è arrivato l'invito? ✔️

Nico
Ah già, è vero! Che cosa ____(2) regaliamo? È una brava cuoca... ____(3) prendiamo qualcosa per la cucina?

Meglio un regalo per tutti e due! Marta ____(4) ha detto che vanno in viaggio di nozze in Indonesia... Perché non ____(5) facciamo qualcosa per il viaggio? Magari un set di valigie! Che ne dite? ____(6) piace l'idea, ragazzi? ✔️

Giuliana
Bella idea, Clara! Guardiamo le offerte on line? Ora non posso, sono in ufficio, ma ____(7) scrivo appena torno a casa, ok? Ci sentiamo dopo! ✋

b *Leggi di nuovo la chat e scegli l'alternativa corretta.*

1. Le persone che scrivono nella chat sono: a. amici b. parenti
2. Clara, Nico e Giuliana parlano di: a. vacanze estive b. un matrimonio

5 *Leggi le frasi e sottolinea tutti i pronomi diretti e indiretti. Poi inserisci nella tabella i verbi colorati e i pronomi, come negli esempi. Vedi anche pag. 248 (4.3).*

1. Come ti sembra la sciarpa che mi ha regalato Maria? ...il colore non mi piace per niente!
2. Giulio, Francesca, perché quella faccia? Che cosa vi è successo?
3. Lorenzo è triste perché la fidanzata l'ha lasciato. Lui le telefona, ma lei non gli risponde.
4. Ci hanno detto che abbiamo sbagliato strada! Aveva ragione il nonno! Dovevamo ascoltarlo!
5. Avete parlato del viaggio con i ragazzi quando li avete incontrati? Se no, mandategli un messaggio subito. Dobbiamo prenotare prima di stasera!
6. Hai sentito Laura? Chiamiamola, no? Così le chiediamo a che ora è la cena domani sera.

Pronomi personali diretti (rispondono alla domanda: *chi?*)	Pronomi personali indiretti (rispondono alla domanda: *a chi?*)
Con i verbi: *lasciare,*	Con i verbi: *sembrare,*
Troviamo i pronomi: *l' (Lorenzo),*	Troviamo i pronomi: *ti (a te),*

6 Cerchia le altre 10 parole relative alla strada e all'auto. Attenzione: una delle parole è in diagonale (↘)! Con le lettere rimaste scopri un'espressione italiana.

```
N A V I G A T O R E P
M A R C I A P I E D E
F V O L A N T E A R D
S I I N C R O C I O O
A S T R A D T A S U N
U S T R I S C E C C E
T R A F F I C O L E S
O S E M A F O R O L S
O B A G A G L I A I O
```

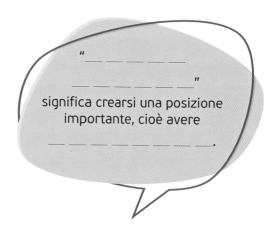

"_____ _____" significa crearsi una posizione importante, cioè avere _____.

7 Completa con le espressioni date. Attenzione: ci sono due espressioni in più!

spaventato ◆ ce l'abbiamo fatta ◆ che bella notizia ◆ insomma
mannaggia ◆ morire di paura ◆ non so che dire ◆ che bello

1. • Siamo usciti dal traffico! C'è voluto un sacco, ma _____!
   • _____! Siamo in tempo per il concerto!

2. • Ho appena perso il lavoro! Sono davvero molto triste e arrabbiato.
   • Accidenti! _____... Mi dispiace! Come posso aiutarti?

3. • Mario, come stai? Mi ha detto Lucia che hai avuto un incidente in moto... Stai bene?
   • Beh, _____: non mi sono fatto niente, ma sono ancora _____!

4. • Zia, aspetto un bambino! Nasce a dicembre ed è maschio!
   • Cara, _____! Sono contenta per te!

8 Metti in ordine le parole per formare le domande. Inizia con le parole in blu. Poi abbina le risposte alle domande. Vedi anche pag. 241.

1. ci / quanto / vuole / il tiramisù? / per / preparare
   _____

2. andiamo? / ci / c'è il / festival / stasera / del jazz,
   _____

3. arrabbiata / me? / sei / perché / con
   _____

4. dura / Barcellona? / quanto / il / per / volo
   _____

5. basilico? / ci vuole / per la / anche il / caprese
   _____

a Secondo me, ci vogliono almeno tre ore da Fiumicino.

b Perché il tuo scherzo mi ha fatto morire di paura!

c Sì, certo. Se no, non è una vera caprese!

d Beh, se hai già il caffè pronto, ci vogliono al massimo venti minuti.

e No, basta concerti, sono stufo! Perché non andiamo al cinema?

9 Completa le frasi con i pronomi indiretti. Vedi anche pag. 247.

1. Non raccontar_____ il finale del film: domani andiamo a vederlo al cinema!
2. Se vedete i ragazzi, acqua in bocca! Non _____ dite che oggi ci siamo visti.
3. Tesoro, Maria è pronta per uscire? Non fa freddo fuori: non metter_____ la sciarpa.
4. Dai, Claudio, spiega_____ dove sei stato! Avanti, di_____ tutto!
5. Vai da Giacomo oggi? Porta_____ questi appunti: domani ha l'esame.
6. Il direttore è in vacanza con la famiglia. Per favore, non _____ spedite mail di lavoro!
7. La signora Rosa con le buste della spesa... dai, diamo_____ una mano, apriamo_____ la porta!
8. Porti tu Alice a lezione di pianoforte? Io non ho tempo oggi... Ti prego, fa_____ questo favore!

10 a Osserva la cartina e ascolta le indicazioni di un passante e quelle del navigatore. Quale percorso ha scelto il ragazzo per andare dal punto rosso al punto blu?

a. Quello consigliato dal signore.
b. Quello consigliato dal navigatore.
c. Un altro percorso.

b Ascolta di nuovo e completa le istruzioni del navigatore con l'imperativo dei verbi mancanti alla seconda persona singolare.

Tra 50 metri alla rotonda _____(1) la quarta uscita. _____(2) dalla rotonda.

Tra 50 metri _____(3) a destra in Via Capo di Mondo, _____(4) dritto per 200 metri.

_____(5) a sinistra in Via Scipione Ammirato e _____(6) dritto per 50 metri. La destinazione è sulla sinistra.

11 Leggi di nuovo il testo di pag. 96 e inserisci il soggetto giusto tra quelli dati. Attenzione: devi usare più volte alcuni soggetti!

il marito ◆ la moglie ◆ il figlio ◆ l'agente di polizia ◆ il marito e il figlio

1. Prima della sosta _____ dormiva sul sedile posteriore.
2. _____ si è fermato a fare benzina in una stazione di servizio.
3. _____ è scesa dall'auto per comprare dei biscotti.
4. _____ ha fatto il pieno ed è ripartito.

5. _____ giocava a un videogioco seduto accanto al padre.

6. _____ ha cercato di chiamare la famiglia al telefono.

7. _____ si sono accorti dell'assenza della donna solo dopo 100 chilometri.

8. _____ racconta che la donna era molto arrabbiata.

12 *Guarda le immagini e completa il cruciverba con le parole dell'automobile.*

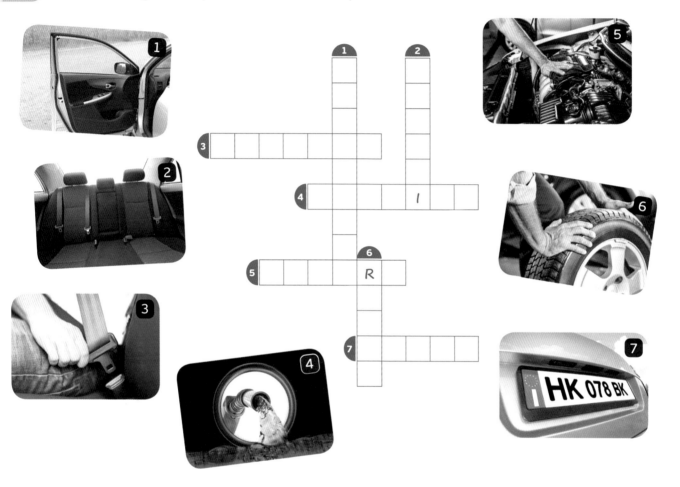

13 *Un'avventura in macchina. Leggi il testo e sottolinea l'alternativa corretta.*

A volte anche il navigatore sbaglia strada/stazione (1). È successo l'estate scorsa, in vacanza in Puglia con mio cugino. Un giorno decidevamo/ abbiamo deciso (2) di cambiare spiaggia: la guida parlava di un posto meraviglioso, a pochi chilometri dal nostro albergo. Ci siamo messi al volante/motore (3) e abbiamo acceso il navigatore/cellulare (4), sicuri di arrivare a casa/destinazione (5). La spiaggia sembrava molto vicina, ma ad un certo punto il navigatore ha ricalcolato il percorso e ci/gli (6) ha fatto prendere una piccola strada di campagna... Più andavamo avanti e più la strada diventava/è diventata (7) stretta... Siamo finiti in mezzo ad un campo di pomodori in una strada senza uscita! Per fortuna lì vicino c'era una spiaggia stupenda e facevamo/abbiamo fatto (8) il bagno lo stesso! Non era la spiaggia che stiamo/stavamo cercando (9) ma... viva l'avventura!

1 *Completa (massimo 3 parole per spazio) i consigli per un amico che vuole fare un viaggio in Toscana.*

Nuovo messaggio — ⤢ ✕

Destinatari

Oggetto Buone vacanze!

Allora... A Pisa vai al _____(1). Lì ci sono tutti i principali monumenti della città, come la Torre pendente; a Siena devi assolutamente bere un caffè in Piazza _____(2). Anche se non vai durante il Palio, è comunque bellissima! Se ti piacciono le città medievali, passa un pomeriggio a _____(3) e compra qualche souvenir... Ah, ricordati di provare la _____(4), la trovi solo in Toscana! Se hai voglia di andare al mare, puoi andare a _____(5), anche se è più bella durante il Carnevale, oppure puoi prendere il traghetto per l'_____(6). Lì il mare è azzurro e le spiagge bianchissime!

Buone vacanze e... manda qualche foto! 😘

Invia ⚠ 🔗 😊 △ 🖼 🕐 🗑 ⋮

▶ 2 *Guarda il video e completa le descrizioni. Negli spazi blu metti le informazioni mancanti (massimo 3 parole), negli spazi rossi i nomi delle località date. Attenzione: ci sono due città in più!*

Montepulciano ◆ Lucca ◆ Isola del Giglio ◆ Vinci ◆ Siena ◆ Livorno ◆ Pisa

A _____(1) il quartiere _____(2), per la sua architettura, i canali e i ponti, ricorda molto la città veneziana.

_____(3) è la città di origine di _____(4). La Torre pendente richiama turisti da tutto il mondo.

Gio

Qui producono un _____(9), famoso in tutto il mondo, che porta lo stesso nome della città, il "Nobile di _____(10)".

_____(7) è la città della _____(8) più famosa d'Italia, il Palio, organizzato nella piazza principale, dalla particolare forma di conchiglia.

A _____(5) intorno alle mura rinascimentali c'è un _____(6) enorme dove è possibile passeggiare e fare attività sportive.

1 *Completa il cruciverba.*

1. Appartamento con una sola stanza.
2. Una casa che ha molte finestre di solito è ...
3. I soldi che paghiamo ogni mese per la casa.
4. Grande appartamento all'ultimo piano.
5. Abitazione elegante con giardino, spesso fuori città.
6. Abitazione di campagna, con molto verde intorno.
7. Spazio aperto della casa, dove spesso teniamo le piante.
8. Un appartamento grande è ...

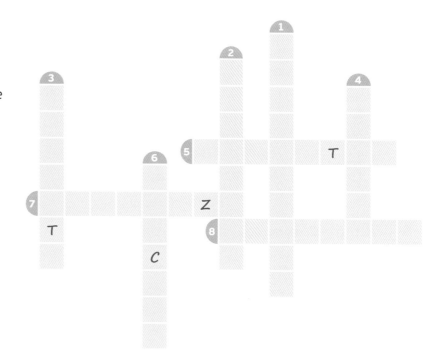

2 *Indica l'appartamento dell'annuncio che legge Anna nel dialogo di pag. 100.*

"Bilocale, 40 metri quadri, ristrutturato, con terrazzo, zona Porta Maggiore"

1

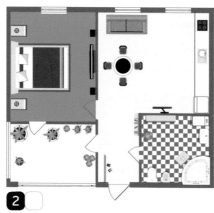

2

3

3 *Fai l'abbinamento.*

1. Tesoro, che c'è? Non mi dire che sei ancora gelosa della mia ex?
2. Che bel salotto! Molto luminoso! E il colore alle pareti! L'hai dato tu?
3. Ciao Marina! Da quanto tempo... Che ci fai qui?
4. Ti piace il mio nuovo cappotto?
5. Usciamo? Ti va di andare in quel bel locale dietro Piazza Bra? ...Come si chiama?

a. Sì, cioè mio marito. Bello, vero?
b. Parli della "Nosetta"? ...guarda caso il bar dove lavora Nicola, il tuo vecchio amore!
c. Sarà anche la tua ex, ma ogni volta che ha un problema scrive a te!
d. Beh, non è male. Non è proprio un modello classico... ma ti sta bene!
e. Filippo! Ma guarda che coincidenza: anche tu parti per Londra?

4 *Completa le frasi con le preposizioni date. Attenzione: ci sono due preposizioni in più!*

da ◆ fra ◆ del ◆ al ◆ da ◆ per ◆ della ◆ con ◆ di ◆ in

1. So che loro stanno parlando _____ mia ex!
2. L'uomo alto con gli occhiali _____ sole è mio fratello.
3. Ci vediamo _____ mezz'ora davanti all'agenzia immobiliare.
4. Abitiamo _____ terzo piano. L'appartamento è _____ cugino di Giovanni.
5. Il film che ho visto ieri sera parlava _____ una scrittrice francese.
6. Claudia vive a Modena _____ tre anni, ma è spesso in viaggio _____ lavoro.

5 *Metti in ordine il dialogo, come negli esempi in blu.*

☐ cliente: ...In piazza, perfetto! Al piano superiore, invece, quante stanze ci sono?

☐ cliente: Buonasera. Chiamo per la villetta in zona San Michele. Annuncio SM0035. Sto leggendo: al piano terra soggiorno, ampia cucina e... giardino. È grande? Sa, abbiamo due cani...

☐ agente: Certo! La fermata dell'autobus è a 100 metri, vicino alla chiesa, in piazza.

3 agente: Buonasera. Un attimo solo, cerco la scheda... Ah! La villetta da ristrutturare a San Michele! Bellissima! Sì, il giardino... è di 80 metri quadri! C'è anche un piccolo garage.

☐ agente: Agenzia immobiliare "Tecnopoli", come posso aiutarLa?

8 cliente: Bene! Senta, è possibile vedere la casa? Possiamo fissare un appuntamento?

☐ agente: Tre camere, una molto grande con un piccolo balcone. Per ora c'è un solo bagno, ma con i lavori di ristrutturazione può trovare una soluzione per i ragazzi.

4 cliente: Ah, bene. Questo non c'era nell'annuncio. La zona, comunque, anche se è tranquilla, è ben servita, no? Sa, i miei figli vanno a scuola in centro e anche mia moglie preferisce i mezzi pubblici...

6 *Completa gli annunci con le parole date.*

cottura ◆ fornito ◆ spese ◆ doccia ◆ riscaldamento ◆ composte ◆ arredato ◆ ampio

Fiumicino Parco Leonardo - Attico in ottimo stato, stabile che ospita uffici, _____(1) di ascensore. Molto silenzioso e luminoso. A 400 metri dalla stazione; vicino a scuole e centro commerciale. _____(2) ingresso, corridoio, 3 camere da letto, cucina e salotto, ripostiglio. Non _____(3).

San Polo - Appartamenti per studenti in ex convento recentemente ristrutturato. Abitazioni _____(4) da soggiorno con angolo _____(5), 1 camera, bagno con _____(6), piccolo balcone. _____(7) autonomo. Prezzo: 600 euro al mese, _____(8) di condominio escluse.

7 *Per arrivare a ogni foto, segui le parole che usiamo per esprimere sorpresa e incoraggiare.*

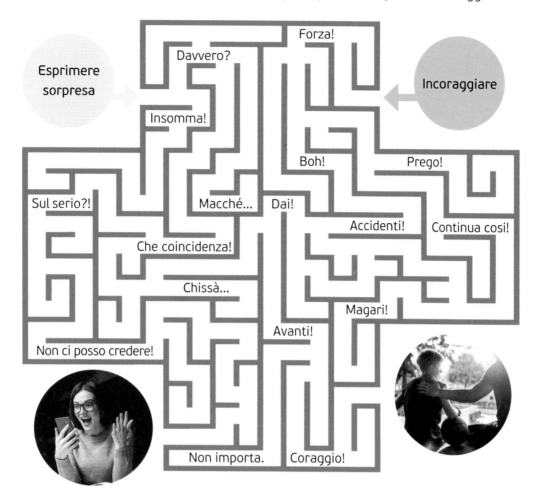

8 *Indica in quali frasi possiamo sostituire la parola in blu con* alcuni *o* alcune.

1. La pulizia degli ascensori è inclusa nelle spese di condominio.
2. Perché non compriamo quella rivista? Ci sono degli articoli interessanti.
3. Dove sono le foto delle vacanze di Pasqua?
4. Che cosa mi sa dire dei vicini di casa? Li conosce per caso?
5. L'appartamento dei miei genitori è molto spazioso e luminoso.
6. Ho trovato delle offerte incredibili per le vacanze di Pasqua!
7. In casa di Piero ci sono dei quadri antichi molto costosi.

9 *Completa le frasi con gli articoli partitivi corretti.*

1. Stasera non posso venire a teatro. Mi dispiace, vengono _____ amiche a cena.
2. Il postino era in ritardo perché doveva consegnare _____ pacchi fuori città.
3. Cerchiamo un appartamento in zona Porta Nuova: ci sono _____ belle case lì!
4. Online ho trovato _____ annunci di affitto a basso costo.
5. Ho ordinato _____ libri d'italiano su *Amazon*.
6. Su i-d-e-e.it ci sono _____ esercizi extra.

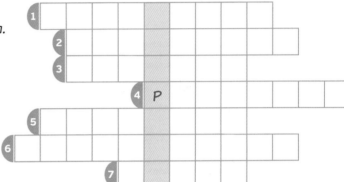

10 Ascolta di nuovo i dialoghi di pag. 105 e indica la risposta corretta.

1 Dov'era il cellulare?
- a. sulla poltrona
- b. sulla libreria
- c. davanti alla tv

2 Quante camere ci sono in tutto nella nuova casa?
- a. 1
- b. 2
- c. più di 2

3 Dove mette di solito il caffè la madre?
- a. nel frigo
- b. accanto al lavandino
- c. nell'armadietto

11 Completa il cruciverba. Nelle caselle colorate scopri il nome di un oggetto che arreda la casa.

1. Elettrodomestico che lava i vestiti.
2. In bagno lo usiamo per lavarci le mani.
3. Oggetto che fa luce.
4. Aiuta a stare comodi in soggiorno.
5. Mobile per tenere i libri in ordine.
6. Mobile con molti cassetti.
7. Elettrodomestico per cuocere le torte.

12 Guarda l'immagine e sottolinea l'*alternativa* corretta.

1. Il tappeto è davanti al/a sinistra del letto.
2. La cassettiera è di fronte al/a sinistra del letto.
3. Il quadro è sopra/accanto alla finestra.
4. La sedia è dietro/a destra del comodino.
5. Il letto è fra/davanti il comodino e la cassettiera.
6. La lampada è sotto/sopra il comodino.
7. I fiori sono di fianco alla/sulla cassettiera.
8. L'armadio è sopra/accanto alla finestra.

13 Leggi gli annunci. Poi ascolta i tre mini dialoghi e abbinali all'annuncio giusto.
Attenzione: c'è un annuncio in più!

In vendita monolocale in zona centrale, in uno stabile di recente costruzione, al secondo piano, vista sul fiume, completamente arredato. Riscaldamento autonomo, ascensore.

Per info: agenzia immobiliare "Casini"

a

Bilocale recentemente ristrutturato vicino al centro, composto da camera, bagno, angolo cottura. Affitto: 800 euro al mese, escluse spese di condominio. Libero da subito.

☎ Tel. 055 9882104

b

Vuoi rifare casa senza spendere troppo? La ristrutturiamo noi! Ristrutturazioni di interni ed esterni: bagni, cucine, balconi e giardini.

Vieni a trovarci in Via Garibaldi, 6

c

Libera da subito villetta luminosa, zona tranquilla e silenziosa. Soggiorno, 3 camere, 2 bagni, grande ripostiglio e giardino. Riscaldamento autonomo. Affitto: 900 euro al mese. Anche brevi periodi.

☎ Telefonare a Giuliana, ore pasti: 335 29555

d

14 Inserisci le parole nella stanza giusta. Attenzione: alcune parole possono stare in più stanze!

forno ◆ letto ◆ frigorifero ◆ doccia ◆ divano ◆ cassettiera ◆ idromassaggio ◆ lavandino
lavastoviglie ◆ armadio ◆ libreria ◆ tavolo con sedie ◆ comodino

cucina	camera da letto	soggiorno	bagno

15 Curiosità: gli italiani e la casa. Leggi i testi e metti il titolo giusto.
Poi completa con le parole date.

Il luogo preferito in casa   Casa mia, parenti vicini   Grande o piccola non importa

a _____

In Italia 8 famiglie su 10 possiedono la casa dove vivono. Un record europeo. Ma quando lo spazio è poco e una famiglia non ha voglia di vivere con un genitore anziano, allora la soluzione migliore è trovare un'abitazione lì vicino.
Così la nonna nell'appartamento

_____(1) diventa cuoca e babysitter, dà l'acqua alle piante e porta fuori il cane; aiuta i figli e i _____(2) con le spese _____(3) così si sente importante. Uno scambio di favori utile per tutta la famiglia.

adattato da *www.repubblica.it*

di fronte
nel
con
monolocale
salotto
nipoti
condominiali
giardino

b _____

Soggiorno e cucina sono le stanze più amate dagli italiani, ma cresce anche l'attenzione per il _____(4) e gli spazi verdi.
La stanza preferita dagli italiani, secondo una ricerca di *Leroy Merlin*, è il _____(5): è qui, infatti, che il 36% degli intervistati passa più tempo, a guardare la TV (75%), leggere (42%) e usare cellulare e computer (39%).
Questa è anche la stanza che gli italiani scelgono più spesso per ricevere gli ospiti a casa (19%).

adattato da *www.focus.it*

c _____

In media le case degli italiani sono grandi, circa 117 metri quadri, anche se i numeri sono più bassi nelle città come Roma o Milano.
Proprio a Roma, in Vicolo San Celso, c'è la casa più piccola d'Italia.
Se volete passare una notte davvero romantica _____(6) centro della città, potete affittare per una notte questo _____(7), a pochi passi da San Pietro. L'appartamento ha un letto matrimoniale, un armadio, la cucina, il televisore, un bagno _____(8) doccia...
Insomma tutto quello che vi serve in soli... 7 metri quadrati!

adattato da *www.lacasapiupiccoladitalia.com*

1 *Trova nel crucipuzzle le 4 parole nascoste negli enigmi.*
Poi scrivi sotto ogni frase la città o le città corrispondenti.

S	P	I	A	C	C	A	T
B	O	R	G	O	F	P	R
U	R	D	I	R	U	A	I
I	T	A	L	T	A	N	E
O	O	M	A	I	N	N	O
L	N	M	P	L	S	I	M
A	E	U	D	I	V	B	U
N	E	S	S	U	T	I	R
E	D	I	F	I	C	I	O

Sono luoghi nascosti all'interno dei palazzi, aperti al pubblico in una giornata speciale.

_____

Hanno tetti bianchi, grossi muri di pietra, finestre piccole e porte strette.

_____

Li stendono tra i palazzi.

_____

Sono piccole terrazze costruite sopra i tetti.

_____

2 *Guarda il video e abbina i nomi alle foto.*

Bologna

a la Reggia di Venaria Reale

b una villa veneta   d la Cattedrale

c il Castello Estense   e le due Torri

Torino

Ferrara

Palermo

Riviera del Brenta

Gio

1 *La vita prima e dopo i social network. Abbina le frasi.*

Prima dei social network...

1. incontravamo gli amici per raccontarci le novità;
2. stampavamo le foto;
3. dicevamo la nostra opinione;
4. raccontavamo i nostri pensieri solo alle persone più vicine;
5. facevamo i complimenti a un amico;
6. compravamo il *Corriere* dal giornalaio;

ora...

a. le carichiamo sui social.
b. commentiamo i post degli altri.
c. chattiamo e li seguiamo su Facebook.
d. mettiamo "mi piace" alla sua foto profilo.
e. li condividiamo in un post pubblico.
f. per tenerci informati leggiamo i post dei nostri amici.

2 *Ascolta di nuovo il dialogo di pag. 114 o guarda il video e completa con gli aggettivi dati. Attenzione: ci sono due aggettivi in più!*

1. Anna è _____ di Claudia, una ex compagna di scuola di Bruno.
2. Anna è _____ perché ha scoperto che Bruno e Claudia chattano spesso.
3. Carla consiglia ad Anna di stare _____ e di aspettarla.
4. Gianni è _____ dalle risposte di Bruno.
5. Bruno è _____ perché non è stato sincero con Anna.

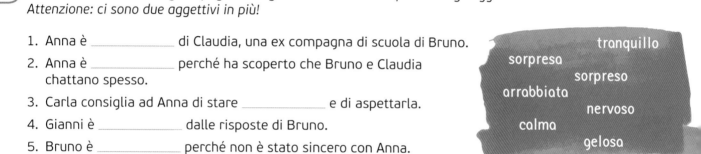

tranquillo
sorpresa
sorpreso
arrabbiata
nervoso
calma
gelosa

3 *Leggi le battute. A che cosa si riferisce il pronome* ne? *Scegli l'alternativa corretta.*

1. "Ascolta, Anna, non ho una storia con Claudia. Quando torno a casa, ne parliamo con calma."
   a. di Anna   b. della storia con Claudia   c. della calma
2. "Bisogna capire cosa ti ha nascosto Bruno... Vengo da te e ne parliamo, va bene?"
   a. dei segreti di Bruno   b. di me   c. di te

4 *Completa le frasi con i verbi dati. Attenzione: ci sono due verbi in più!*

si sposeranno • finirà • parleremo • telefonerai • vi trasferirete
tornerà • incontrerò • inviterete • tornerete • si saluteranno

1. Devo dare un regalo a Giacomo, ma non so quando lo _____.
2. Enzo e Paola _____ nel Duomo di Firenze! Che bello!
3. Non preoccuparti se non torno per cena: la partita _____ tardi.
4. Chi _____ al matrimonio? Tutta la famiglia o solo i parenti più stretti?
5. Dove andiamo in vacanza quest'anno? Non so... ne _____ presto!
6. Ha telefonato Teresa: _____ a casa con il treno delle 7.
7. Quando _____ nella vostra nuova casa?
8. Serena aspetta la tua telefonata da mesi... Ma quando le _____?!

5 Completa le domande con il futuro dei verbi tra parentesi e abbinale alle risposte. Vedi anche pag. 242.

a. Sai a che ora _____ (arrivare) Riccardo?

b. Davvero tu e Lorenzo _____ (comprare) casa?

c. Questa strana situazione va avanti da troppo tempo... Secondo te, Leila _____ (lasciare) Alberto?

d. Allora, Sara, _____ (chiedere) a Marco di uscire o no?

e. _____ (io - trovare) un bel cappotto a meno di 200 €?

> Può darsi... non so se mi piace davvero...
> **1**

> Alle 12, credo. Bisogna andare a prenderlo alla stazione!
> **2**

> Non lo so... Volevo parlarle ieri, ma quando l'ho chiamata mi ha messo giù il telefono.
> **5**

> Sì, ne parliamo da un po'... cerchiamo un bilocale in centro.
> **4**

> Sicuramente: ci sono i saldi! Andiamo a fare spese insieme?
> **3**

6 **a** Sottolinea e correggi gli errori di ortografia in questa conversazione.

Forma corretta

• Ai visto il post di Pietro su Facebook?

1. _____

• Sì, lo letto ieri sera. Incredibile!

2. _____

• Allora e vero! Finalmente si sposa!

3. _____

• Già, se ripenso che lui e Caterina si sono conosciuti 15 anni fà.

4. _____

• Ci ha messo un pò di tempo, ma alla fine le ha chiesto di sposarlo!

5. _____

b Leggi di nuovo la conversazione tra le ragazze... qual è il post di Pietro?

Piero Caterina ha detto sì!!!!!!!!!! 💍👌
Mi piace · Rispondi · 👍 20
lunedì alle ore 23:41
a

Piero Stato: sposato! 😊
Mi piace · Rispondi · 👍 20
lunedì alle ore 23:41
b

Piero ...Finalmente in viaggio di nozze! ✈️
Mi piace · Rispondi · 👍 20
lunedì alle ore 23:41
c

7 Ascolta di nuovo il dialogo di pag. 117 e indica il significato delle espressioni in blu.

1. Perché non diamo un'occhiata alla sua pagina Facebook?

a. guardiamo   b. scriviamo   c. seguiamo

2. Claudia ha un sacco di amici sui social.

a. pochi   b. un album di   c. molti

3. Io e Claudia abbiamo avuto una storia da giovani.

a. eravamo amici   b. eravamo sposati   c. eravamo fidanzati

4. È stato lui a dirle di spiarci.

a. seguirci   b. ascoltarci   c. minacciarci

5. Non sarà facile convincere Anna che non c'è più nulla.

a. non c'è nessuno   b. la storia è finita   c. non siamo amici

8 *Metti in ordine le battute del dialogo tra Anita e Giada.*

1 *Anita:* Senti Giada, mi puoi presentare il tuo vicino di casa? Chissà come si chiama... Lui è bello... avrà anche un nome bello!

☐ *Anita:* Che ne so, trova una scusa... di' che hai finito il sale...

☐ *Anita:* Fa' vedere... Che carino! Ecco, lo sapevo! È fidanzato! Dovevo immaginarlo... Troppo bello per essere single!

☐ *Anita:* L'ho incontrato l'altro giorno mentre salivo le scale... Sai se è fidanzato?

☐ *Anita:* Ma no! Angelo è un amico... non c'è niente tra noi! Ma... tu e Gabriele non siete amici su Facebook?

☐ *Giada:* Boh, non lo conosco tanto bene... E poi come faccio a presentarvi? Suono alla porta?!

☐ *Giada:* Ma chi? Gabriele? Il ragazzo alto con i capelli scuri? Perché lo vuoi conoscere?

☐ *Giada:* Sei pazza?! Ma poi tu non stai uscendo con Angelo?

8 *Giada:* È vero! E va bene... Andiamo a vedere il suo profilo...

9 *Completa lo schema con il futuro dei verbi tra parentesi (vedi anche pag. 242). Poi trascrivi in ordine le lettere delle caselle colorate e scopri una frase sul futuro del filosofo latino Seneca.*

1. Se vogliono prendere la patente,
   ... (dovere) fare molta pratica.

2. Se lo incontreremo, ... (fare) finta di non conoscerlo!

3. Diventa sua amica! Così ... (noi - potere) curiosare tra i suoi post!

4. Hanno suonato il campanello.
   Apri tu? ... (essere) Lorenzo e Giorgia.

5. Dove ... (andare) in vacanza tu e Claudio?

6. ... (tu - venire) a lezione lunedì?

"Quello che il cuore conosce oggi, la testa lo capirà ___ ___ ___ ___ ___ ___."

10 *Fai l'abbinamento e completa con il futuro dei verbi in blu.*

1. Olga e Luisa avevano mal di testa e mal di gola anche ieri...

2. Se prenderai un cane,

3. Elena e Antonio postano sempre molte foto sui loro profili...

4. Hai visto com'era felice Maura?

5. Non ti devi preoccupare se non hai fatto il check-in online:

6. Diego mi ha mandato un sms:

7. Se ti cancelli da Facebook,

8. A luglio prendiamo le ferie:

a. secondo me, _____ (potere) farlo gratis anche in aeroporto.

b. chi _____ (occuparsi) di lui quando non ci sei?

c. _____ (noi - rimanere) in contatto via email.

d. _____ (avere) l'influenza.

e. sicuramente _____ (farsi) un sacco di selfie anche in viaggio di nozze!

f. _____ (andare) in Sicilia, come l'anno scorso.

g. _____ (noi - incontrarsi) alle 7 davanti alla biblioteca centrale dell'università.

h. _____ (avere) una nuova storia d'amore!

11 **a** *Ascolta le previsioni del tempo e indica le affermazioni vere.*

1. Domani mattina sarà brutto tempo al Nord.
2. In montagna è prevista neve per tutta la settimana.
3. Ci sarà vento forte in Sardegna.
4. Domani mattina cielo sereno e poco nuvoloso al Sud.
5. Il tempo migliorerà nel pomeriggio.
6. Le temperature si alzeranno intorno ai 15 gradi.

b *Ascolta di nuovo le previsioni, leggi il dialogo e completa con il futuro dei verbi dati, come nell'esempio in blu.*

(essere ◆ piovere ◆ nevicare ◆ partire ◆ migliorare ◆ ~~fare~~ ◆ venire)

Sonia: Hai sentito il meteo? Sai che tempo _____*farà*_____(1) domani?

Giulia: Dicono che domani _____(2) in tutta Italia, soprattutto al Centro-Nord. Perché?

Sonia: Beh, noi dobbiamo andare in Sardegna. _____(3) da Napoli con il traghetto.

Giulia: A che ora partite?

Sonia: Alle 16.40 inizia l'imbarco.

Giulia: Bene! Secondo le previsioni, nel pomeriggio, dopo le 3, forse il tempo _____(4). Almeno così dicono... Beata te che vai al caldo! Non ti lamentare: qui da me sulle Dolomiti, invece, _____(5) per tutta la settimana.

Sonia: Hai ragione, ma se c'è vento in nave mi _____(6) il mal di mare!

Giulia: Eh già, è possibile: le previsioni danno forti venti in Sardegna... Comunque non ti preoccupare: sicuramente _____(7) delle bellissime vacanze!

12 *Completa il dialogo con le parole date.*

● Ciao Lucia... Senti, ti chiamo perché è successo qualcosa di strano: stavo _____(1) le foto del matrimonio di Claudia e ho provato a mettere il tuo nome, ma... non ti trovo più!

● Ho disattivato il mio _____(2).

● Davvero? Ma perché?

● Perché ho capito che non _____(3) più tempo ai miei passatempi e che, invece di uscire con gli amici, _____(4) nei post, chattavo e commentavo le foto... insomma ero circondata da gente, ma in realtà ero spesso da sola!

● Beh, ma Facebook è un modo per far sapere a tutti quello che ti sta _____(5)...

● Infatti: non è strano che persone che ti conoscono poco possano _____(6) nella tua vita?

● Beh, basta "chiudere" il profilo, così ti trova solo chi vuoi tu... Certo, se poi nessuno mette "mi piace" alle tue foto... beh, non devi _____(7) delusa!

● La verità è che da quando mi sono _____(8) mi sento molto meglio: faccio sport ed esco! A proposito, andiamo al cinema stasera?

" cancellata
commentando
dedicavo ◆ rimanere
parlavo di me
profilo ◆ curiosare
succedendo "

13 Scegli un'emoticon per completare le risposte e poi fai l'abbinamento.

1. Hai preso l'autobus?

2. Lo sai che Gabriella è al Festival di Sanremo?

3. Allora? Com'è andato l'appuntamento con Gianni?

4. Perché voi due non vi parlate più?

a. Perfetto! Cena romantica e bacio della buonanotte...

b. Chissà cosa gli ho fatto... mi ha pure cancellata dagli amici!

c. No, l'ho perso per pochissimo. Sono ancora alla fermata.

d. Davvero? Le chiedo subito di mandarmi una foto.

14 Leggi il testo e abbina i titoli ai paragrafi. Poi completa con le parole date. Attenzione: c'è un titolo in più!

contatti • problemi
sarà • ho cancellato
profilo • corteggiatori
durerà • incontri

1. Storie nate online ___

2. Divorzi a causa dei social ___

3. Dalla chat al matrimonio ___

4. Bugie scoperte su Facebook ___

A "Non posso andare a prendere i bambini a scuola. Sono a casa malato". Solo che poi l'ex moglie scopre, da una foto pubblicata su Facebook, che il marito era in vacanza al mare in perfetta salute. L'uomo racconta: "_____(1) la mia ex dai _____(2), ma lei mi ha chiesto l'amicizia con un _____(3) falso per controllarmi... Un incubo!"

B Ma i pericoli dei social possono riguardare anche i nuovi _____(4) fatti in Rete. Bastano pochi minuti per scoprire tutto di una persona. Possiamo però essere veramente sicuri dell'identità dei _____(5) che si trovano dall'altra parte dello schermo? Una storia nata in chat può davvero andare bene? La relazione _____(6) nel tempo?

C Uno studio di *Sociological Science* ha scoperto che le persone che si conoscono on line si sposano più in fretta. Ma questo non significa che il matrimonio _____(7) più lungo o più stabile in futuro. Forse cambiano le regole e i luoghi di incontro, ma i _____(8) in amore restano gli stessi!

15 Leggi l'articolo e sottolinea l'*alternativa* corretta.

Le professioni del futuro

Ecco alcuni lavori che forse nasceranno/nascerà (1) nei prossimi anni.

Psicologo per i social network: avrà il difficile compito di corteggiare/aiutare (2) le persone che hanno vissuto brutte esperienze sui social.

Avvocato virtuale: anche se/visto che (3) passiamo sempre più tempo connessi con il mondo, servirà/serviranno (4) avvocati esperti nei problemi tra persone di paesi/profili (5) diversi.

Responsabile della vita digitale: questo tipo di manager si prendevano/si prenderà (6) cura dei nostri profili: cancellerà/cancelleremo (7) le email, i commenti, le applicazioni e perfino gli amici!

Ancora più incredibili sono le professioni nello spazio: pilota spaziale, guida turistica spaziale, architetto di nuovi pianeti... Fantascienza? Forse sono state/saranno (8) solo ipotesi, ma all'Università di Houston, già stanno progettando/progetteranno (9) case ecologiche per Marte!

adattato da *www.gazzettadisondrio.it*

1 *Completa il cruciverba.*

Orizzontali

2. La suonavano/cantavano gli uomini alla loro donna, sotto la finestra.

5. Lo lasciano le coppie alla casa di Giulietta per promettersi eterno amore.

6. Spesso un gentiluomo insiste per pagarlo, soprattutto al primo appuntamento.

7. È sinonimo di uomo seduttore.

8. A volte l'uomo romantico li regala alla donna.

Verticali

1. È il santo che protegge gli innamorati.

3. Lo scrittore e regista contemporaneo più romantico.

4. Il regista della famosa trilogia *Manuale d'amore.*

---

 2 *Guarda le interviste e abbina le frasi alla coppia o alle coppie giuste.*

a. Non amano la festa di San Valentino. ____

b. Si sono conosciuti grazie ai social network. ____ , ____

c. Si sono innamorati sul posto di lavoro. ____

d. Il suo libro d'amore preferito è *I promessi sposi.* ____

e. Sono fidanzati da molti anni. ____

f. Il suo film d'amore preferito è *L'ultimo bacio.* ____

g. Sono sposati. ____

h. Tutti e due dicono che la città più romantica è Napoli. ____

1 *Cerchia, in orizzontale e in verticale, le altre 11 parole relative al cibo. Poi trascrivi le lettere rimaste e scopri gli ingredienti necessari per preparare la Parmigiana, un tipico piatto estivo italiano.*

```
M I N S A L A T A T E
L A M N Z A N E B O A
C S O I L I C O C N I
A P Z O L L E P P N A
R S Z U C C H E R O S
O A A O T A D S I P O
T M R V O D O C L O R
E O E A C E R E A L I
P A L R M I G I T I A
N O L I O O P I T V A
T T A P A T A T E E O
```

Per la Parmigiana servono:

le _ _ _ _ _ _ _ _ ,
che sono l'ingrediente
principale, il _ _ _ _ _ _ _ _ ,
le _ _ _ _ _ _ _ , la _ _ _ _ _ _ _ _
_ _ _ _ _ _ _ _ _ e il formaggio
_ _ _ _ _ _ _ _ _ _ che dà il nome
al _ _ _ _ _ _ .

2 *Di quali prodotti parlano? Abbinali alle frasi. Attenzione: c'è un prodotto in più!*

a. il salame   b. i pomodori   c. il riso   d. il tonno
e. le uova   f. lo zucchero   g. la birra   h. i biscotti

1. Stasera lo faccio con i funghi! Siamo in quattro... ne prendo un pacco da mezzo chilo, no? ___
2. Vorrei quello toscano. Quanto costa al chilo? Mi può dare anche del prosciutto, per favore? ___
3. Questi sono buoni e senza zucchero. Costano solo 2,99 € al pacco. Li hai mai provati? ___
4. L'offerta è "tre scatolette al prezzo di due". Se ne compra tre, paga solo 5,30 €. ___
5. È in offerta. Costa 2,50 € a bottiglia. ___
6. Ne ho bisogno per preparare il tiramisù. Ne prendo sei. ___
7. Quattro o cinque, un chilo. A proposito, quanto vengono? ___

3 *Fai l'abbinamento. Attenzione ai pronomi in blu!*

1. Ricorda a Paola che deve comprare il latte.
2. Sergio ha tantissimi amici su Facebook!
3. Ho preparato una torta di mele.
4. Buono questo pecorino sardo! Ma è un po' caro...
5. Prendiamo i cereali per la colazione?
6. Perché prendi i pomodori?
7. Prende anche le uova?
8. Quanta birra serve per stasera?

a. Mi servono per la parmigiana!
b. Ne prendo sei. Queste sono biologiche?
c. La vuoi assaggiare? È ancora calda...
d. In casa ne ho solo qualche bottiglia.
e. Lo prendo solo se è in offerta.
f. Va bene. Le scrivo subito.
g. Sì... ne avrà più di mille.
h. Sì, ma compriamoli senza zucchero! Sono a dieta!

4 Scrivi l'ultima lettera del participio passato. Attenzione ai pronomi *diretti* e *indiretti*.

1. Prendi quel formaggio! Io l'ho assaggiat___ ieri... è buonissimo!
2. I nostri figli ci hanno mandat___ un pacco dall'Olanda.
3. E Lidia? L'hai portat___ a cena fuori per San Valentino?
4. Anna, ma alla fine Maura ti ha spiegat___ che cosa è successo con Marco?
5. Le uova? Le hai pres___? Mi servono per fare la torta!
6. Tutto a posto con Elisa: le ho spiegat___ come stanno le cose e ha capito.
7. Abbiamo incontrato Antonio e gli abbiamo chiest___ una mano per il trasloco.
8. I Bialetti sono in vacanza: li ho vist___ partire ieri mattina con l'automobile carica!

5 Completa le frasi con i pronomi e il passato prossimo dei verbi, come nell'esempio.

1. • Hai comprato la carne macinata per il ragù? • Sì, ___ne ho presi___ (ne - prendere) tre etti.
2. Signora, altro? Ho un ottimo prosciutto. _____ (lo - provare)?
3. Devo ringraziare Alberto, ieri _____ (mi - fare) un favore.
4. Sapete dov'è lo zio? I ragazzi _____ (gli - telefonare) più volte, ma non risponde.
5. Basta comprare borse! Il mese scorso _____ (ne - comprare) due!
6. Professoressa, ha ricevuto la mia mail? _____ (Le - scrivere) ieri.
7. Sono un grande fan dei V3: l'anno scorso _____ (li - vedere) dal vivo due volte.
8. Ragazze, _____ (vi - portare) un po' di mele del mio albero. Ne ho più di 8 chili.

6 Metti in ordine le battute del dialogo.

☐ *negoziante:* Ecco a Lei i salumi. Le serve altro?
☐ *negoziante:* Costa 8 euro al chilo.
☐ *negoziante:* Buongiorno signora, cosa desidera?
[5] *negoziante:* Certo che ce l'abbiamo. Questa è biologica. La vuole assaggiare?
☐ *cliente:* Buongiorno. Vorrei del salame, un etto, per favore. Ah, e due etti e mezzo di prosciutto cotto.
☐ *cliente:* Sì, un po' di ricotta, se ce l'ha. Mi serve per fare i ravioli...
☐ *cliente:* Perfetto, allora ne prendo un chilo!
☐ *cliente:* Sì, grazie... Buonissima! E quanto viene?

7 Completa con l'articolo partitivo, come nell'esempio in blu. Vedi anche pag. 252.

1. Vorrei _della_ mozzarella di bufala e _____ Parmigiano Reggiano.
2. Visto che siamo a dieta, compriamo _____ verdura fresca e _____ pesce?
3. Per preparare il dolce mi servono _____ uova fresche e _____ yogurt. Li prendi tu?
4. In quel negozio vendono _____ mobili di design. Ti servono ancora le sedie per la cucina?
5. Passa dal macellaio e compra _____ salsicce e _____ salame, per favore!

8 *Completa con le parole date. Attenzione: c'è una parola in più!*

bottiglie ◆ scatolette ◆ chili ◆ etti ◆ pacchi ◆ bicchieri

- Allora ci vediamo alla cassa: io penso alla verdura. Mi raccomando, ricordati il tonno, almeno tre_____(1), il prosciutto crudo, due _____(2), e lo yogurt.
- Va bene. E poi?! Ci serve altro?
- Il pane! Per la cena di stasera saremo in dieci... ci vogliono due _____(3) di pane.
- E da bere? Prendiamo tre _____(4) di vino rosso. Un Chianti?
- Ottimo! Ah, ci serve anche la pasta corta. Facciamo due _____(5) di fusilli?

9 *Completa con le espressioni date e poi fai l'abbinamento.*

che figura ◆ tanto ◆ stanno le cose ◆ lascia fare a me
tutto a posto ◆ ho fatto male ◆ darà fastidio

1. Quella non è la ex del mio fidanzato, è sua sorella. Ti stai sbagliando...

2. Che cosa prepariamo come primo piatto? Degli spaghetti alla carbonara?

3. Allora, come _____ tra te e Sandra?

4. Davvero sei disponibile a tenere il mio gatto mentre sarò in vacanza?

5. _____ per la cena di stasera? Vi serve qualcosa? Ditemi! _____ devo andare al supermercato!

a. No. _____. Gli gnocchi al ragù sono la mia specialità!

b. Grazie, non c'è bisogno. Abbiamo già fatto la spesa.

c. Insomma... abbiamo litigato ieri sera. Dice che _____ a non fidarmi di lei!

d. Certo! Amo gli animali. Non mi _____.

e. Scherzi, vero? Io l'ho appena guardata male. _____!

10 *Completa i mini dialoghi con le forme giuste di* ce + *pronome* + avere, *come nell'esempio.*

1. • Ce l'hai un po' di formaggio per la pasta? • Certo che ___ *ce l'ho* ___.

2. • Scusi, _____ le melanzane bianche? • No, mi dispiace, signora, le ho finite.

3. • Per caso hai del vino in casa? • No, non _____. Esco a comprarlo, se vuoi.

4. • _____ una crema solare, ragazze?
   • Certo che _____! Non veniamo mai in spiaggia senza la crema.

5. • Divertitevi al concerto! I biglietti, li avete presi?
   • _____ Francesca e Manuel, li portano loro.

7. • Sai chi ha il mio libro di ricette toscane?
   • _____ Marta: ieri mi ha cucinato un'ottima ribollita!

8. • Prendiamo anche i pomodori per la caprese?
   • No, _____. Servono solo la mozzarella e il basilico.

11 a *Ascolta il dialogo e indica i prodotti che le ragazze pensano di comprare per l'antipasto.*

- ⬜ prosciutto crudo
- ⬜ pomodori
- ⬜ pane
- ⬜ gnocchi
- ⬜ vino
- ⬜ patate
- ⬜ pizza
- ⬜ farina
- ⬜ mozzarella

b *Ascolta di nuovo il dialogo e indica se le affermazioni sono vere o false.*

	V	F
1. Le due ragazze vogliono andare a cena fuori.	⬜	⬜
2. Le ragazze hanno invitato quattro persone a cena.	⬜	⬜
3. Per fare gli gnocchi servono le patate e la farina.	⬜	⬜
4. Per l'antipasto Luisa vuole prendere il pomodoro e la mozzarella.	⬜	⬜
5. Le ragazze decidono di preparare la pizza fatta in casa.	⬜	⬜
6. Alla fine una delle ragazze propone di non cucinare.	⬜	⬜

12 *Completa il dialogo con le parole e le espressioni date.*

scambiamo ◆ lo sapevi ◆ sotto casa ◆ cordiale
esperta ◆ attento ◆ caro ◆ dare un'occhiata

Eva: Sei mai stata in quel negozio di vestiti _____(1)? Quello all'angolo? "Moda Dina"...

Lea: No, perché? La proprietaria sembra molto _____(2), mi saluta sempre e qualche volta _____(3) anche quattro chiacchiere... ma il negozio mi sembra _____(4). Poi vedo sempre delle clienti... come dire... anziane!

Eva: Ci sono passata ieri... per curiosità... L'autobus era in ritardo e ho pensato di _____(5) visto che cercavo il vestito per il matrimoio di Giulia...

Lea: Cercavi?! Ma allora l'hai comprato lì!

Eva: Sì! _____(6) che la signora Dina, la proprietaria, era una modella famosa da giovane? Ha lavorato anche per Giorgio Armani! Beh, mi ha consigliato un bellissimo vestito da sera!

Lea: Davvero?! Hai una foto? Fa' vedere...

Eva: Guarda!

Lea: Molto elegante e ti sta benissimo!

Eva: ...E poi, se sei uno _____(7) alla qualità, i prezzi non sono alti come credi... D'ora in poi la signora Dina sarà la mia _____(8) di fiducia!

13) *Dove vai a comprare...? Inserisci i prodotti nel negozio giusto.*

le salsicce ◆ le arance ◆ il panettone ◆ il pollo ◆ le mele ◆ i pasticcini ◆ i limoni
il latte ◆ la carne rossa ◆ il pane ◆ la ricotta ◆ l'uva ◆ il salame ◆ la pizza

in macelleria	dal fruttivendolo	al panificio	al negozio di alimentari

14) *Completa i nomi delle professioni con le forme date, come nell'esempio in blu. Vedi anche pag. 236.*

1. Prima faceva l'operaio, ma ora è camer_____ in un bar del centro.

2. Al museo abbiamo visto uno splendido quadro di quell'art_____ veneziano che piace tanto a te.

3. Se non ce l'hanno al supermercato, vai dal forn_____ a comprare il pane ai cereali.

4. Se vuoi del tonno fresco, lo trovi dal pesci_____ qui all'angolo.

5. Ieri sera sono stata al concerto di Patrizia! Bravissima! Si esibisce in un locale del centro insieme a un chitarr_____ e un pian_____.

6. Il mio istrut_____ di palestra dice che devo allenarmi più spesso.

7. Le carote del frutti_____ costano di più, ma sono biologiche.

8. Non lo sapevi? Marco è dieto_____. È lui che mi ha dato la dieta che sto seguendo.

-vendolo

-logo

-aio

-ista

-tore

-iere

15) *Leggi il dialogo e cerchia l'alternativa giusta. Poi scrivi le lettere tra parentesi nel riquadro a destra e scopri come si chiama l'oggetto nella foto.*

Piero: Che cosa prepariamo con (P)/per (C) la cena di stasera?

Matteo: Che dici? Per (A)/All' (E) antipasto verdure alla griglia e prosciutto crudo... e poi...

Piero: Ma Omar non mangia la carne di maiale e io sono vegetariano!

Matteo: Allora un po' di formaggi e magari delle (R)/alle (S) bruschette con i pomodorini freschi?

Piero: Sì, le bruschette vanno bene, quelle le (R)/ne (T) possiamo mangiare tutti ma...

il ___ ___ ___ ___ ___ ___ ___
della spesa

Matteo: ...E poi lascia fare a me: preparo le melanzane alla parmigiana. Sono la mia specialità!

Piero: Stavo cercando di dirti che Marzia è allergica al latte...

Matteo: Accidenti! Vabbè, ho capito. Tra (E)/Da (O) poco vado dal (F)/al (L) panificio e compro il pane. Al resto ne (D)/ci (L) pensi tu. La prossima volta, però, andiamo a (O)/in (A) cena fuori, ok?

1 Completa le frasi con le parole mancanti.

1. L'aceto balsamico ha un sapore _____.
2. Il pecorino sardo è un formaggio prodotto con il latte di _____.
3. Il _____ è un formaggio dal particolare colore blu.
4. La burrata è un tipo di _____ tipica della Puglia.
5. Il _____ è un vino bianco frizzante, spesso bevuto come aperitivo.
6. La Nutella è la crema alle _____ più famosa al mondo.
7. Il prosciutto di Parma è prodotto con carne di _____.
8. Nei negozi _____ potete assaggiare prodotti preparati secondo la tradizione italiana.

2 Guarda il video e completa il cruciverba con i prodotti tipici di Norcia.

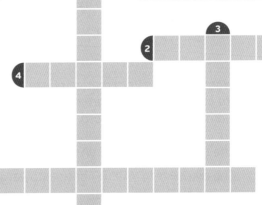

Gio

1 *Abbina i programmi ai commenti. Attenzione: ci sono due programmi in più!*

documentari ◆ reality ◆ giochi a premi ◆ soap opera ◆ trasmissioni sportive ◆ film

1. Mi piacciono molto. In particolare in famiglia, prima del telegiornale, ne guardiamo uno molto divertente dove i concorrenti devono perdere: chi dà la risposta sbagliata a tutte le domande vince un viaggio! _____

2. Sono molto interessanti, soprattutto quelli di storia. Però li guardo solo una volta ogni tanto: preferisco vedere un film o una serie TV dove c'è una storia con dei personaggi. _____

3. Ne guardo solo una, quella della domenica che fa un riassunto della giornata: risultati di tutte le partite, la classifica, i goal più belli. _____

4. Li guardavo spesso, ma ormai mi hanno stancato... sono tutti uguali, non succede mai niente, i personaggi sono finti e recitano un ruolo davanti alle telecamere. _____

2 *Completa con le espressioni date. Attenzione: c'è un'espressione in più! Vedi anche pag. 244 (2.11).*

per chiudere ◆ parlando ◆ per uscire ◆ stancando
cucinando ◆ per cominciare ◆ per piovere ◆ ballando

1. Accendi la TV! Sta _____ il mio programma preferito.
2. Puoi finire di apparecchiare la tavola? Mancano solo i bicchieri. Io sto _____.
3. Pronto, Sofia? Siamo quasi pronte, stiamo _____ di casa... ci troviamo alla fermata!
4. In effetti i ragazzi che stanno _____ sono molto carini... Sai chi sono?
5. Andiamo, dai, è tardi! Il museo sta _____: tra dieci minuti ci mandano via.
6. Smettila! Mi stai _____ con i tuoi stupidi scherzi!
7. Con chi stai _____ al telefono? Metti giù che tra poco inizia la partita!

3 *Leggi le informazioni su queste persone e completa le frasi a destra con* più *o* meno.

Ugo		Elio
61	età	37
1.74 m	altezza	1.72 m
90 kg	peso	78 kg
direttore azienda di vino	professione	ingegnere
€ 2.100/mese	stipendio	€1.800/mese
2 femmine	figli	1 maschio
2 cani, 1 gatto	animali domestici	1 cane
146	amici su Facebook	425
10.00-19.00	orario di lavoro	9.00-17.00

1. Ugo è _____ giovane di Elio.
2. Elio è _____ alto di Ugo.
3. Elio è _____ magro di Ugo.
4. Elio guadagna _____ di Ugo.
5. Ugo ha _____ figli di Elio.
6. Ugo ha _____ animali domestici di Elio.
7. Elio ha _____ amici su Facebook di Ugo.
8. Elio lavora _____ ore di Ugo.

4 *Guarda le foto e completa con i comparativi degli aggettivi dati.*

costoso ◆ stanco ◆ praticato ◆ luminoso ◆ vecchio

1. Il mio salotto è _____ tuo.

2. I signori Rossi sono _____ Giulia.

1. tuo / mio

3. Marina è _____ gatto.

4. Il calcio _____ ciclismo in Italia.

5. La borsa è _____ scarpe.

2. i signori Rossi / Giulia

5. la borsa / le scarpe

4. il calcio / il ciclismo

3. il gatto / Marina

5 *Completa le frasi con le parole date. Poi abbina domande e risposte.*

(canale ◆ conduttore ◆ telespettatori ◆ telecomando ◆ concorrenti ◆ in onda)

1. Lo sai chi è il _____ del nuovo quiz *Non c'è due senza tre*?

2. A chi stai telefonando? Non stavi guardando quel gioco che ti piace tanto?

3. Su che _____ è la serie tv che ti piace tanto?

4. Come fai a guardare *L'isola dei campioni*? È un reality terribile...

5. Per favore, mi passi il _____?

a. Scherzi? I _____ sono tutti calciatori. Così vediamo come sono nella vita reale!

b. Sì, come si chiama... quello che ha presentato il Festival di Sanremo...

c. Non ce l'ho io. Sarà tra i cuscini del divano...

d. Sul 9. Va _____ tutti i giovedì sera, alle otto e mezza.

e. Sì, infatti, sto votando. Dicono che i _____ possono chiamare da casa.

6 *Leggi e sottolinea l'alternativa giusta.*

1. ● Cambia canale! Non mi piace per niente questo programma! È stupido!
   ● Non vorrai mica/cioè cambiare proprio adesso che sta per finire?! A me piace!

2. ● Ma quello non è Paolo Sartini? Mamma mia/Non so che dire com'è magro!
   ● Eh già, ha partecipato a un reality su un'isola deserta... Non sta meglio?
   ● Molto! Adesso che ci penso, in effetti/nel senso che prima era un po' grasso!

3. ● Hai capito le regole del gioco?
   ● Insomma/Chissà... da quanto ho capito, i concorrenti devono rispondere al contrario: certo/vale a dire che ottengono punti quando danno la risposta sbagliata.

4. ● Mamma, dai! Vieni a vedere l'intervista al Presidente! Sta iniziando!
   ● Che differenza fa/Lascia stare, la guardo più tardi: sicuramente la caricheranno su YouTube.

7 *Metti in ordine le battute del dialogo.*

☐ *Carla:* Questo è vero, ma che differenza fa? Secondo me, è più sano stare senza tv, con tutti quei programmi poco originali...

☐ *Carla:* Beh, ci sono i giornali on line, i social media... Molto meglio dei TG!

☐ *Fabrizio:* E allora? Su Internet non trovi mica tutto quello che va in onda!

☐ *Fabrizio:* Ho capito... lasciamo perdere! Allora perché non andiamo insieme al cinema stasera?

☐ *Fabrizio:* Cioè? In che senso non guardi più la tv?

☐ **1** *Carla:* *Niente scherzi?* Cos'è? Lo sai che non guardo più la televisione?

☐ *Carla:* Non ho il televisore in casa. Mi basta Internet...

☐ *Fabrizio:* E il telegiornale? Come ti tieni informata?

8 *Completa i minidialoghi con le parole e le espressioni date.*

che ci posso ◆ lascia perdere ◆ dimostrare ◆ lo sapeva ◆ non c'entra ◆ nei guai

• Perché non credi a Carlo? Dice che non ha rubato lui il cellulare di Mizuki.
• Non lo so. Forse lui _____ niente, ma non mi fido molto di Carlo... **1**

• Secondo voi, il conduttore _____? Era coinvolto in qualche modo?
• Coinvolto o meno, è lui il responsabile del programma! **2**

• Non so che dire... lo sai che mio fratello Michele è fatto così... Ma io _____ fare?
• Sì, infatti, _____. Se vuole, mi manderà un messaggio di scuse. **3**

• Basta! Io ora racconto tutto a Patrizia! **4**
• Ma che vuoi dirle? Non puoi _____ niente...

• Se non smette di chattare con la sua ex, finirà _____! **5**
• Infatti! Secondo me, comunque, la sua fidanzata si è già accorta di tutto.

9 *Completa le frasi usando* più *o* meno *e gli aggettivi tra parentesi, come nell'esempio. Vedi anche pag. 253.*

1. Gli esami di quest'anno sono ___i meno difficili___ (difficile) di tutto il corso di laurea.
2. Abbiamo molti fiori in giardino, ma le rose sono _____ (profumato)!
3. Mario è un bravo ciclista: è _____ (sportivo) della famiglia.
4. La *Divina Commedia* è ____ opera _____ (famoso) di Dante.
5. La bicicletta è ____ mezzo di trasporto _____ (rumoroso).
6. L'Italia è il Paese con _____ (alto) numero di siti Unesco del mondo.
7. Trapani è ____ città _____ (costoso) d'Italia per un soggiorno in albergo. Una camera doppia costa solo 64 euro a notte.
8. L'università di Bologna, nata nel 1088, è _____ (antico) d'Europa.

10 Completa le frasi con gli aggettivi, come nell'esempio in blu. Vedi anche pag. 253. Attenzione: ci sono due aggettivi in più! Poi abbina le frasi alle immagini.

nervoso ◆ buono ◆ felice ◆ stanco ◆ divertente ◆ lungo ◆ interessante ◆ pesante

1. La partita a pallavolo è stata faticosa, ma _divertentissima_.
2. Dai, è tardi! Torniamo a casa. Siamo tutti _____!
3. Dammi una mano. La valigia è _____!
4. Il gelato alla crema è _____! Ne voglio ancora un po'…
5. Questo libro è _____. Non lo finirò mai!
6. Prima dell'esame ero _____, ma alla fine è andato tutto bene.

11 La TV… Completa le frasi con le parole date. Poi scrivi + se è un aspetto positivo e − se è negativo, come nell'esempio.

passare il tempo ◆ documentari ◆ aumenta la paura
meno attivi ◆ crea dipendenza ◆ ci tiene informati

1. _____ e aiuta a riflettere su quello che succede nel mondo.   `+`
2. Ci rende più pigri, cioè _____ durante la giornata.   ☐
3. Toglie tempo ed energie alle persone: _____.   ☐
4. È un modo divertente e interessante per _____.   ☐
5. Insegna molte cose grazie ai _____.   ☐
6. Fa vedere cose che non puoi cambiare, quindi _____ per il futuro.   ☐

12 a Ascolta l'intervista ad Aldo Grasso, famoso critico televisivo. Poi indica a quale domanda non risponde.

a. Quali sono i programmi che hanno fatto la storia della televisione italiana?
b. Secondo Lei, da chi è formato il pubblico di oggi?
c. La tv ha sempre un ruolo importante come mezzo di comunicazione?

b Ascolta di nuovo e completa il riassunto dell'intervista con le parole date.

anni ◆ meno ◆ tanto ◆ telespettatori ◆ più

Secondo Aldo Grasso, la tv italiana riflette i gusti di un pubblico sempre _____(1) giovane e _____(2) femminile. Infatti, i programmi che vanno in onda negli ultimi _____(3) si sono adattati alle richieste di questi _____(4). Infine, la tv è ancora un mezzo di comunicazione, ma non è più _____(5) importante.

13 Risolvi gli anagrammi, come nell'esempio in blu. Poi sotto scrivi le lettere delle caselle *verdi* e scopri il significato del prefisso *tele-* che troviamo in *televisione, telecomando, telegiornale, telespettatore*.

1. Lo usiamo per cambiare canale. — LECOTEDOMAN — T E L E C O M A N D O

2. Più è grande lo schermo, più ... ha! — LIPOLCI — _ _ _ _ _ _ _

3. Ce l'hanno il computer e la TV. — ERMOSCH — _ _ _ _ _ _ _

4. È una stanza della casa e il luogo degli show televisivi. — DISTUO — _ _ _ _ _ _

5. Lo sono Rai 1 e Sky Sport. — LINACA — _ _ _ _ _ _

6. Lo facciamo per l'autobus e anche per la tv a pagamento. — ABNABOTOMEN — _ _ _ _ _ _ _ _ _ _

7. Presenta i programmi tv. — DUTRECONTO — _ _ _ _ _ _ _ _ _ _

8. Una serie tv è formata da tanti... — SOPIDIE — _ _ _ _ _ _ _

Il prefisso *tele-* significa: D _ _ _ _ _ _ _ , cioè lontano.

14 Leggi l'articolo sulle serie tv più amate dal pubblico italiano e sottolinea l'*alternativa* giusta. Poi abbina a ogni paragrafo un *titolo*.

a. Un prete nei guai
b. La serie poliziesca più seguita
c. Il lato *noir* di Roma
d. Il backstage di una serie tv

1 ☐ I romanzi gialli di Andrea Camilleri hanno ispirato questa serie, ambientata in una piccola città in Sicilia. Il protagonista è il commissario di polizia Salvo Montalbano che dà il nome alla serie. In onda sui canali/quiz (1) Rai da oltre due decenni, la seguitissima serie tv è ancora in produzione. Chissà/Comunque (2) se i nuovi episodi appassioneranno i telespettatori come quelli delle precedenti stagioni/concorrenti (3)...

3 ☐ *Don Matteo* è sicuramente una delle serie televisive della Rai più/meno (6) amate dal pubblico: però/infatti (7) va in onda da moltissimi anni. Il protagonista, interpretato dal famoso attore/conduttore (8) Terence Hill, è il prete di Gubbio e di Spoleto, due piccole città dell'Umbria, che aiuta i carabinieri del posto a risolvere molti casi complicati.

2 ☐ *Boris* è una serie nella serie, nel senso che è ambientata sul set di una trasmissione sportiva/soap opera (4) immaginaria, "Gli occhi del cuore 2". I protagonisti sono infatti gli attori, il regista e tutto il personale dello studio di Cinecittà dove si girano i premi/gli episodi (5) della fiction. È una commedia satirica sui gusti del grande pubblico e sul modo di fare televisione.

4 ☐ Ai primi posti delle serie più amate c'è *Romanzo criminale*, ispirata al film diretto da Michele Placido, e ambientata a Roma negli anni Settanta. Racconta della banda della Magliana, comunque/cioè (9) un gruppo di criminali protagonisti/attori (10) di molti casi di cronaca nera italiana.

1 Abbina i programmi alle loro caratteristiche.

1. È un tipo di gioco a premi, trasmesso in televisione. *La ruota della fortuna* è uno dei più famosi. ___

2. È un programma nato per intrattenere gli italiani, soprattutto la domenica. ___

3. Tratta di politica e attualità, di solito è condotto da un giornalista. ___

4. È una trasmissione caratterizzata da sketch di attori comici. ___

5. Questo tipo di programma ha reso famosi ballerini, attori e cantanti italiani. ___

6. Trasmissione che tratta l'attualità in modo critico, con umorismo e ironia. ___

a Varietà

b Cabaret

c Quiz

d Talk show

e Satira

f Talent show

2 Completa le frasi con le parole mancanti.

1. La _____ rappresenta il servizio pubblico radiotelevisivo in Italia.

2. Grazie alla trasmissione *Non è mai troppo tardi*, negli anni '60 è aumentata la frequenza alla _____ dell'obbligo.

3. _____ è il programma di cabaret di maggior successo.

4. I programmi satirici più amati sono *Le iene* e *Striscia la* _____.

5. Da quasi 20 anni il talent show più guardato è _____ di Maria de Filippi.

6. Bruno Vespa è un famoso _____ che ha condotto *Porta a Porta*.

Gioc

3 Guarda il quiz e completa i profili dei nostri concorrenti con le informazioni mancanti.

1. Guarda la tv o programmi su Internet?

Sì, _____.
Sì, su _____.

_____.

2. Quante ore al giorno?

Quando è libera, _____ ore.

_____,
la sera specialmente.

3. Generi preferiti?

_____ e anche i programmi _____.

_____,
intrattenimento.

4. Trasmissione preferita?

_____ *Ovest*.

_____.

1 Come finisce la storia del libro? Osservate le immagini e raccontate, secondo voi, cosa succede.

2 In realtà questa storia finisce... come volete voi! Discutete e decidete tutti insieme: se secondo voi Ferrara è coinvolto nel furto del dipinto, ascoltate il finale *rosso*, se avete dei dubbi, quello *blu*. Attenzione, però: potete ascoltare solo uno dei finali!

3 Ascoltate di nuovo e fate un riassunto orale o scritto del finale ascoltato.

LA NOSTRA STORIA CONTINUA IN

CON TANTE SORPRESE! VI ASPETTIAMO!

Indice

1) I sostantivi

1.1 Le parti del corpo: plurale irregolare U2

singolare	plurale
il braccio	le braccia
il ginocchio	i ginocchi / le ginocchia
l'orecchio	gli orecchi / le orecchie
il dito	le dita
il labbro	le labbra

1.2 Le professioni U2 e U6

Per indicare il nome della specializzazione medica e dei medici specialisti utilizziamo diversi suffissi, molti già visti nell'Approfondimento grammaticale di *Via del Corso A1* alle pagine 230-231.

specialista

suffisso	singolare	plurale
-logo	il/la cardiologo/a	i/le cardiologi/ghe
	il/la dermatologo/a	i/le dermatologi/ghe
	il/la dietologo/a	i/le dietologi/ghe
	il/la ginecologo/a	i/le ginecologi/ghe
	lo/la psicologo/a	gli/le psicologi/ghe
-go	il/la chirurgo/a*	i/le chirurghi/e*
-co	l'ortopedico/a*	gli/le ortopedici/che*
-ista	il/la dentista	i/le dentisti/e
	l'oculista	gli/le oculisti/e
-iatra	l'odontoiatra	gli/le odontoiatri/e
	il/la pediatra	i/le pediatri/e
	lo/la psichiatra	gli/le psichiatri/e

*In riferimento alle donne è ancora molto usata la forma maschile: *Chiara è ortopedico.* *Sonia fa il chirurgo.*

Usiamo il suffisso -ista per indicare la professione di vari musicisti: il/la bassista, il/la batterista, il/la chitarrista, il/la pianista, il/la sassofonista, il/la trombettista, il/la violinista.

2) I verbi

2.1 Il passato prossimo U1, U5 e U7

2.1.1 Formazione del passato prossimo U1

presente indicativo di
avere / essere
+ participio passato

Il passato prossimo esprime un'azione del passato finita.

2.1.2 Participio passato dei verbi regolari e irregolari U1

arrivare	avere	finire
arrivato	avuto	finito

aprire: aperto; *bere*: bevuto; *dire*: detto; *essere*: stato; *fare*: fatto; *leggere*: letto; *scrivere*: scritto; *venire*: venuto. Per una lista completa dei participi passati irregolari vedi l'Approfondimento grammaticale di *Via del Corso A1* a pagina 237, punto 6.2.6.

2.1.3 Passato prossimo: ausiliare essere o avere? U1

Con avere il participio passato non cambia.

io	ho visitato	
tu	hai visitato	
lui, lei, Lei	ha visitato	
noi	abbiamo visitato	
voi	avete visitato	
loro	hanno visitato	

Usiamo avere con:
- i verbi transitivi (i verbi che hanno un complemento oggetto e che rispondono alla domanda *chi?/che cosa?*): *fare, noleggiare, vedere, visitare* ecc.
- alcuni verbi intransitivi: *dormire, lavorare, ridere* ecc.
- alcuni verbi di movimento: *ballare, camminare, viaggiare* ecc.

Con essere il participio passato concorda in genere (maschile o femminile) e in numero (singolare o plurale) con il soggetto.

io	sono uscito/a
tu	sei uscito/a
lui, lei, Lei	è uscito/a
noi	siamo usciti/e
voi	siete usciti/e
loro	sono usciti/e

Usiamo essere con:
- molti verbi di movimento: *andare, arrivare, entrare, partire, salire, scendere, tornare, uscire, venire* ecc.
- verbi di stato in luogo: *restare, rimanere, stare* ecc.
- molti verbi intransitivi: *crescere, diventare, nascere, piacere* ecc.
- tutti i verbi riflessivi: *alzarsi, svegliarsi, truccarsi* ecc.

2.1.4 Verbi con doppio ausiliare U1

Alcuni verbi sono transitivi e intransitivi. Quando sono transitivi, prendono l'ausiliare avere; quando sono intransitivi, prendono l'ausiliare essere.

	transitivi (avere)	intransitivi (essere)
finire	Hai finito di lavorare?	I saldi sono finiti.
cominciare	Ho cominciato una nuova dieta lunedì.	È cominciato il film che vuoi vedere.
passare	Ho passato due settimane in Sicilia.	È passato molto tempo da allora.

2.1.5 I verbi modali (dovere, potere, volere) al passato prossimo U1

Per i verbi modali al presente indicativo vedi l'Approfondimento grammaticale di *Via del Corso A1* a pagina 235, punto 6.1.6.

I verbi modali, seguiti di solito dall'infinito, esprimono una possibilità (potere), una volontà (volere), un obbligo o una necessità (dovere).

Al passato prossimo, i verbi modali prendono lo stesso ausiliare dell'infinito che segue:
Ho potuto fare delle belle foto. (ho fatto)
Siamo dovuti tornare a casa venerdì pomeriggio. (siamo tornati)

I modali prendono l'ausiliare avere:
- se usati da soli (*Non ho potuto!*)
- se l'infinito è *essere* (*In quel momento abbiamo dovuto essere forti*)

2.1.6 Usi del passato prossimo U5

Usiamo il passato prossimo per:

esprimere un'azione passata conclusa, che ha un inizio e una conclusione	Ieri, i ragazzi hanno lavorato dalla mattina alla sera. Qui ho abitato per due anni.
esprimere un'azione passata che interrompe un'altra azione passata (espressa con l'*imperfetto*)	Mentre *facevamo* lezione d'italiano, è entrato in classe il professore di matematica.

2.2 L'imperativo U2

La coniugazione dei verbi regolari e di molti verbi irregolari all'imperativo è uguale a quella del presente indicativo.

2.2.1 Imperativo dei verbi regolari U2

	evitare	prendere	dormire	finire
tu	evita*	prendi	dormi	finisci
noi	evitiamo	prendiamo	dormiamo	finiamo
voi	evitate	prendete	dormite	finite

*Fa eccezione la seconda persona singolare dei verbi in -are, che corrisponde alla terza persona singolare del presente indicativo.

2.2.2 Imperativo di alcuni verbi irregolari U2

	bere	tradurre	venire	uscire
tu	bevi	traduci	vieni	esci
noi	beviamo	traduciamo	veniamo	usciamo
voi	bevete	traducete	venite	uscite

	andare	dare	dire	fare	stare
tu	va' (vai)	da' (dai)	di'	va' (fai)	sta' (stai)
noi	andiamo	diamo	diciamo	facciamo	stiamo
voi	andate	date	dite	fate	state

2.2.3 L'imperativo negativo U2

	andare	correre	dire
tu	non andare	non correre	non dire
noi	non andiamo	non corriamo	non diciamo
voi	non andate	non correte	non dite

tu: negazione "non" + infinito del verbo

noi e *voi*: negazione "non" + imperativo affermativo del verbo

2.3 L'imperfetto indicativo U5

2.3.1 Imperfetto indicativo dei verbi regolari U5

	abitare	sapere	venire
io	abitavo	sapevo	venivo
tu	abitavi	sapevi	venivi
lui, lei, Lei	abitava	sapeva	veniva
noi	abitavamo	sapevamo	venivamo
voi	abitavate	sapevate	venivate
loro	abitavano	sapevano	venivano

Nei verbi regolari e irregolari l'accento della terza persona plurale si sposta, come nel presente indicativo, sulla terzultima sillaba: *abitavano, sapevano, venivano, erano, traducevano* ecc.

2.3.2 Imperfetto indicativo dei verbi irregolari U5

	essere	bere	dire	fare
io	ero	bevevo	dicevo	facevo
tu	eri	bevevi	dicevi	facevi
lui, lei, Lei	era	beveva	diceva	faceva
noi	eravamo	bevevamo	dicevamo	facevamo
voi	eravate	bevevate	dicevate	facevate
loro	erano	bevevano	dicevano	facevano

	proporre	tradurre	trarre
io	proponevo	traducevo	traevo
tu	proponevi	traducevi	traevi
lui, lei, Lei	proponeva	traduceva	traeva
noi	proponevamo	traducevamo	traevamo
voi	proponevate	traducevate	traevate
loro	proponevano	traducevano	traevano

2.3.3 Usi dell'imperfetto indicativo U5

Usiamo l'imperfetto indicativo per esprimere un'azione passata dalla durata non precisata, un'azione che non ha un inizio e non ha una conclusione (*Qui abitava un mio amico*).

In particolare, usiamo l'imperfetto per:

descrivere un'abitudine	Quando Elena era piccola, andava in vacanza dai nonni ogni estate. Io e mia sorella venivamo spesso in questo bar.
descrivere un'azione, una persona, un luogo	I bambini giocavano in giardino. Io da giovane avevo i capelli lunghi e ricci. La mia vecchia casa era molto piccola, ma mi manca tanto!
esprimere la contemporaneità di due azioni	Mentre io cucinavo, mio figlio parlava al telefono. L'auto viaggiava veloce mentre la radio trasmetteva musica rock.

2.4 Il gerundio U6

2.4.1 Gerundio dei verbi regolari U6

parlare	prendere	partire
parlando	prendendo	partendo

2.4.2 Gerundio dei verbi irregolari U6

fare	dire	bere	porre	tradurre	trarre
facendo	dicendo	bevendo	ponendo	traducendo	traendo

Tutti i verbi derivati da porre (*proporre, comporre* ecc.) e da trarre (*contrarre, sottrarre* ecc.) e tutti i verbi che finiscono in -durre (*condurre*) hanno il gerundio irregolare.

2.4.3 Stare + gerundio U6

Stare + *gerundio* esprime un'azione in svolgimento, un'azione che avviene in questo momento (il verbo stare è al presente indicativo) o che avveniva nel passato, "in quel momento" (il verbo stare è all'imperfetto indicativo).

stare (presente o imperfetto indicativo) + verbo al **gerundio**

2.4.4 Stare + gerundio al presente e all'imperfetto indicativo U6

	parlare	prendere	partire
io	sto/stavo parlando	sto/stavo prendendo	sto/stavo partendo
tu	stai/stavi parlando	stai/stavi prendendo	stai/stavi partendo
lui, lei, Lei	sta/stava parlando	sta/stava prendendo	sta/stava partendo
noi	stiamo/stavamo parlando	stiamo/stavamo prendendo	stiamo/stavamo partendo
voi	state/stavate parlando	state/stavate prendendo	state/stavate partendo
loro	stanno/stavano parlando	stanno/stavano prendendo	stanno/stavano partendo

2.5 I verbi riflessivi U7

Per un ripasso dei verbi riflessivi al presente indicativo vedi l'Approfondimento grammaticale di *Via del Corso A1* a pagina 235, punti 6.1.7 e 6.1.8.

2.5.1 I verbi riflessivi reciproci U7

I verbi riflessivi reciproci esprimono un'azione reciproca, cioè un rapporto di scambio, tra due soggetti (*Giulia e Daniele si sposano*, cioè Giulia sposa Daniele e Daniele sposa Giulia). Naturalmente, il soggetto è al plurale.

noi	Io e Chiara ci amiamo tanto.		Io amo Chiara e Chiara ama me.
voi	Tu e Pietro vi vedete spesso?	=	Tu vedi Pietro e Pietro vede te.
loro	Paolo e Stella si aiutano sempre.		Paolo aiuta Stella e Stella aiuta Paolo.

2.5.2 I verbi riflessivi al passato prossimo U7

I verbi riflessivi al passato prossimo prendono sempre l'ausiliare essere. Per questo, il participio passato concorda in genere (maschile o femminile) e in numero (singolare o plurale) con il soggetto.

io	Oggi mi sono iscritto a un corso di tennis.
tu	Stefania, perché ti sei svegliata così tardi?
lui, lei, Lei	Giovanni si è addormentato davanti alla tv.
noi	Io e mio padre ci siamo sentiti ieri per telefono.
voi	Maria, tu e Valentina quando vi siete conosciute?
loro	I miei genitori si sono sposati molto giovani.

2.6 I verbi pronominali U7

I verbi pronominali anche se terminano in -si non hanno una funzione riflessiva.

MA si coniugano come i verbi riflessivi, anche al passato prossimo e quando sono preceduti da un verbo modale (dovere, potere, volere).

io	perdersi	Mi perdo sempre in questo palazzo.
tu	sedersi	Prego, siediti qui!
lui, lei, Lei	abbronzarsi	Giovanni si è abbronzato molto quest'estate.
noi	preoccuparsi	Io e tuo padre ci siamo preoccupati per te.
voi	sbrigarsi	Ragazzi, vi dovete sbrigare/dovete sbrigarvi, se non vogliamo perdere l'inizio dello spettacolo!
loro	occuparsi	I miei genitori si occupano di musica.

2.7 Metterci U4

Usiamo metterci per indicare il tempo che impieghiamo per fare qualcosa.

io	ci metto	Non ci metto più di mezz'ora, faccio una doccia e sono pronto.
tu	ci metti	Perché ci metti così tanto? Sbrigati!
lui, lei, Lei	ci mette	Quanto ci mette il treno da Roma a Milano?
noi	ci mettiamo	Per fare questo lavoro non ci abbiamo messo molto tempo.
voi	ci mettete	Bambini, perché ci mettete così tanto a vestirvi?
loro	ci mettono	Non ci hanno messo molto a scoprire la verità.

2.8 Ci vuole, ci vogliono U8

Usiamo ci vuole (singolare) e ci vogliono (plurale) con il significato di "è necessario/a" e "sono necessari/necessarie", anche in riferimento al tempo (minuti, ore, giorni ecc.).

ci vuole	Ci vuole un'ora per arrivare a Firenze. Per aprire un conto ci vuole il codice fiscale.
ci vogliono	Ci vogliono due ore per arrivare a Roma. Per fare il tiramisù ci vogliono i biscotti savoiardi.

2.9 Ce l'ho, ce le ho, ce li ho U7, U11

In Italia, solo nel parlato, usiamo il verbo averci (qui la particella *ci* ha funzione rafforzativa) seguito dai pronomi diretti lo, la, li, le.

ce l'(o) ho	ce l'(a) ho	ce li ho	ce le ho
ce l'hai	ce l'hai	ce li hai	ce le hai
ce l'ha	ce l'ha	ce li ha	ce le ha
ce l'abbiamo	ce l'abbiamo	ce li abbiamo	ce le abbiamo
ce l'avete	ce l'avete	ce li avete	ce le avete
ce l'hanno	ce l'hanno	ce li hanno	ce le hanno

- Chi ha il mio passaporto? • Ce l'ha Giulio.
- Avete tutti le scarpe da ginnastica? • Sì, ce le abbiamo.
- Hai gli occhiali da sole? • Sì, ce li ho.
- Hai una penna per caso? • No, non ce l'ho.

2.10 Il futuro U10

2.10.1 Futuro dei verbi regolari U10

	trovare	scrivere	finire
io	troverò	scriverò	finirò
tu	troverai	scriverai	finirai
lui, lei, Lei	troverà	scriverà	finirà
noi	troveremo	scriveremo	finiremo
voi	troverete	scriverete	finirete
loro	troveranno	scriveranno	finiranno

I verbi in -care (giocare) e -gare (pagare) prendono la -h- a tutte le persone:
- *giocherò, giocherai, giocherà, giocheremo, giocherete, giocheranno*
- *pagherò, pagherai, pagherà, pagheremo, pagherete, pagheranno*

I verbi in -ciare (cominciare), -giare (mangiare) e -sciare (lasciare) perdono la -i-:
- *comincerò, comincerai, comincerà, cominceremo, comincerete, cominceranno*
- *mangerò, mangerai, mangerà, mangeremo, mangerete, mangeranno*
- *lascerò, lascerai, lascerà, lasceremo, lascerete, lasceranno*

2.10.2 Futuro dei verbi irregolari U10

	essere	avere
io	sarò	avrò
tu	sarai	avrai
lui, lei, Lei	sarà	avrà
noi	saremo	avremo
voi	sarete	avrete
loro	saranno	avranno

Verbi che perdono la -e- della desinenza (*anderò ecc.*)

	andare	dovere	potere	vedere	sapere
io	andrò	dovrò	potrò	vedrò	saprò
tu	andrai	dovrai	potrai	vedrai	saprai
lui, lei, Lei	andrà	dovrà	potrà	vedrà	saprà
noi	andremo	dovremo	potremo	vedremo	sapremo
voi	andrete	dovrete	potrete	vedrete	saprete
loro	andranno	dovranno	potranno	vedranno	sapranno

Verbi con -rr-

	bere	tenere	rimanere	volere	venire
io	berrò	terrò	rimarrò	vorrò	verrò
tu	berrai	terrai	rimarrai	vorrai	verrai
lui, lei, Lei	berrà	terrà	rimarrà	vorrà	verrà
noi	berremo	terremo	rimarremo	vorremo	verremo
voi	berrete	terrete	rimarrete	vorrete	verrete
loro	berranno	terranno	rimarranno	vorranno	verranno

Verbi che mantengono la -a-

	fare	dare	stare
io	farò	darò	starò
tu	farai	darai	starai
lui, lei, Lei	farà	darà	starà
noi	faremo	daremo	staremo
voi	farete	darete	starete
loro	faranno	daranno	staranno

2.10.3 Usi del futuro U10

In genere usiamo il futuro per esprimere un'azione che ancora non è successa, cioè futura.

In particolare, usiamo il futuro semplice per:

fare progetti/programmi	• Che cosa farete a Capodanno? ◦ Andremo dai miei suoceri, a Bologna.
fare una previsione	• Stefano ed Elena hanno detto che non vengono alla festa. ◦ Mah, fanno sempre così, secondo me alla fine verranno.
esprimere un dubbio (al presente)	• Ma chi può essere a quest'ora? ◦ Sarà tuo fratello... ha chiamato anche prima.

In italiano, nella lingua parlata, al posto del futuro usiamo spesso il presente indicativo:

• Che cosa fate a Capodanno?

◦ Andiamo dai miei suoceri, a Bologna.

Uso del futuro nel periodo ipotetico di 1° tipo: vedi punto 3, a pagina 244.

2.11 Stare per + infinito U12

Usiamo *stare per* + *infinito* per esprimere un'azione che succederà tra poco, che sta per succedere.

stare (presente, imperfetto o futuro indicativo) **per** + verbo all'**infinito**

Sta per piovere, prendiamo l'ombrello!
Stavo per scriverti un messaggio quando hai telefonato.
Cosa fa Elena? ...Non lo so, non la vedo da un po',
starà per finire l'università.

2.12 Sapere o conoscere? U3

I verbi sapere e conoscere hanno significati diversi:
• sapere significa "avere un'informazione", oppure ha il significato di "saper fare qualcosa";
• conoscere significa "fare conoscenza con...", "entrare in rapporto con...".

MA sapere e conoscere possono essere quasi sinonimi quando si riferiscono a una nozione, alla conoscenza di una materia, anche se l'uso di *conoscere* è meno comune e lo usiamo per indicare una conoscenza più completa, più dettagliata e più diretta.

SAPERE	• Stasera viene anche Eleonora? • Non lo so. • Sai cucinare il pesce? • Sai il francese?
CONOSCERE	• Ma tu quest'uomo lo conosci? • Certo, lo conosco bene. • Conosci il francese?

3) Il periodico ipotetico della realtà (1° tipo) U4 e U10

Il periodo ipotetico di 1° tipo esprime un'ipotesi e una conseguenza che si realizzano con certezza.

ipotesi	*conseguenza*
Se + indicativo presente	**+ indicativo presente**
Se troviamo un albergo economico, Se ci fermiamo più di due giorni,	io ci sto! possiamo visitare i monumenti.
Se + indicativo presente	**+ imperativo**
Se vai al supermercato, Se puoi,	ricordati di prendere il latte. fallo vedere a Carla.
Se + indicativo presente	**+ futuro**
Se non dormi un po' dopo pranzo,	ti addormenterai stasera a teatro.
Se + futuro	**+ futuro**
Se farà bel tempo,	andremo al mare.

Nel periodo ipotetico l'ordine delle frasi può anche essere *conseguenza* + *ipotesi*:
Possiamo visitare i monumenti, se ci fermiamo più di tre giorni.

4) I pronomi

4.1 I pronomi diretti U3, U4, U6 e U11

I pronomi diretti sostituiscono un complemento diretto (*chi?/che cosa?*).

In tabella tra parentesi riportiamo la forma che usiamo quando vogliamo richiamare l'attenzione sul pronome (*Gianni e Carla, alla loro festa, hanno invitato me e non te*).

Pronomi personali

Pronomi soggetto	Pronomi diretti	
io	mi conosce	(conosce me)
tu	ti conosce	(conosce te)
lui	lo conosce	(conosce lui)
lei	la conosce	(conosce lei)
Lei	La conosce	(conosce Lei)
noi	ci conosce	(conosce noi)
voi	vi conosce	(conosce voi)
loro	li conosce	(conosce loro/i ragazzi)
	le conosce	(conosce loro/le ragazze)

Usiamo il pronome lo anche per sostituire una frase intera:

• *A che ora parte il treno per Bologna?* • *Non lo so* (*Non so a che ora parte il treno per Bologna*).

Per la posizione del pronome diretto, vedi il punto 4.1.1 con i verbi modali e i punti 4.1.2, 4.1.3 e 4.1.4 con l'imperativo.

4.1.1 I pronomi diretti con i verbi modali U3

Con dovere, potere e volere possiamo mettere il pronome diretto prima del verbo modale oppure dopo, unito all'infinito che perde la vocale finale.

Ci sono due camere matrimoniali, le vogliamo prenotare?	=	Ci sono due camere matrimoniali, vogliamo prenotarle?
Gianni, l'antibiotico! Lo devi prendere.	=	Gianni, l'antibiotico! Devi prenderlo.
Non ti posso vedere sempre con il cellulare in mano.	=	Non posso vederti sempre con il cellulare in mano.

4.1.2 L'imperativo con i pronomi diretti, i pronomi riflessivi e con ci U4

I pronomi diretti, i pronomi riflessivi (mi, ti, si, ci, vi, si) e il ci di luogo seguono sempre il verbo all'imperativo e formano un'unica parola.

pronomi diretti	Se non hai ancora mandato la mail, mandala adesso, per favore! Hai chiamato tuo padre? Chiamalo subito, è urgente!
pronomi riflessivi	Sono le 9 e sei ancora a letto?! Dai, alzati, per favore! Bambini, mettetevi i guanti perché fuori fa molto freddo!
ci (= *qui, lì*)	Andiamoci tutti! Veniteci anche voi!

4.1.3 L'imperativo irregolare con i pronomi diretti e riflessivi e con ci e ne U4 e U11

Quando abbiamo l'imperativo irregolare dei verbi andare, dare, dire, fare e stare, alla seconda persona singolare (*tu*), vale la stessa regola del punto 4.1.2: tutti i pronomi (diretti, riflessivi, ci e ne) seguono il verbo, raddoppiano però la consonante.

	andare	dare	dire	fare	stare
pronomi diretti e riflessivi	vatti (va' + ti)	dalla (da' + la)	dillo (di' + lo)	falle (fa' + le)	stammi (sta' + mi)
ci e ne	vacci (va' + ci)	danne (da' + ne)	dinne (di' + ne)	fanne (fa' + ne)	stacci (sta' + ci)

4.1.4 L'imperativo negativo con i pronomi diretti, i pronomi riflessivi e con ci U4

Con l'imperativo negativo possiamo mettere i pronomi diretti, i pronomi riflessivi (mi, ti, si, ci, vi, si) e il ci di luogo prima del verbo o dopo, attaccati al verbo.

Non **ti** preoccupare!		Non preoccupar**ti**!
Non **lo** dire ancora!	=	Non dir**lo** ancora!
Non **vi** preoccupate!		Non preoccupate**vi**!
Non **ci** andate a febbraio!		Non andate**ci** a febbraio!

4.1.5 I pronomi diretti con il passato prossimo U6

Con i pronomi diretti, il participio passato concorda in genere (maschile o femminile) e in numero (singolare o plurale) con il pronome.

- Hai ascoltato il cd?   No, non l'ho ancora ascoltato.
- Hai visto Anna per caso?   Certo, l'ho vista stamattina.
- Chi ha portato i dolci?   Li ha portati Stefano.
- Hai inviato tutte le foto?   Sì, le ho già inviate tutte.

Con i pronomi diretti mi, ti, ci, vi l'accordo non è obbligatorio.

Chiara:	Mi ha chiamato qualcuno ieri?	*mamma:*	Sì, ti ha chiamato Bruno.
Chiara:	Mi ha chiamata qualcuno ieri?	*mamma:*	Sì, ti ha chiamata Bruno.
mamma:	Vi hanno invitato al matrimonio?	*Chiara e Anna:*	Certo che ci hanno invitato!
mamma:	Vi hanno invitate al matrimonio?	*Chiara e Anna:*	Certo che ci hanno invitate!
mamma:	Vi hanno invitati al matrimonio?	*Bruno e Anna:*	Certo che ci hanno invitati!

4.2 I pronomi indiretti U8 e U11

I pronomi indiretti sostituiscono un complemento indiretto (*a chi?*) preceduto dalla preposizione a (complemento di termine).

In tabella tra parentesi riportiamo la forma che usiamo quando vogliamo richiamare l'attenzione sul pronome (*Anna e Bruno hanno organizzato una cena, ma non hanno detto niente a me e a te*).

Pronomi personali

Pronomi soggetto	Pronomi indiretti	
io	mi piace	(piace a me)
tu	ti piace	(piace a te)
lui	gli piace	(piace a lui)
lei	le piace	(piace a lei)
Lei	Le piace	(piace a Lei)
noi	ci piace	(piace a noi)
voi	vi piace	(piace a voi)
loro	gli piace	(piace a loro/ai ragazzi)
	gli piace	(piace a loro/alle ragazze)

Mi piace molto la cucina italiana. (• A chi piace? • Piace a me.)

Per la posizione del pronome indiretto, vedi i punti 4.2.1 e 4.2.2 con l'imperativo e il punto 4.2.3 con i verbi modali.

I pronomi di 3ª persona singolare (gli, le, Le) non si scrivono mai con l'apostrofo.

Il pronome di 3ª persona plurale, quando lo mettiamo dopo il verbo, possiamo scriverlo senza la preposizione a (*Hai telefonato loro?*).

4.2.1 L'imperativo con i pronomi indiretti U8

I pronomi indiretti seguono sempre il verbo all'imperativo e formano un'unica parola.

Quando abbiamo l'imperativo irregolare dei verbi andare, dare, dire, fare e stare, alla seconda persona singolare (*tu*), vale la stessa regola: i pronomi indiretti seguono il verbo, raddoppiano però la consonante.

La consonante NON raddoppia quando abbiamo il pronome indiretto gli (a lui, a loro).

Adesso che vai all'edicola, comprami il giornale!
Luca, raccontaci come è andata la vacanza!
Cristina è sempre stata sincera con te: dille la verità!
Alberto fammi un favore: stai zitto!
Mariella, vai da papà e dagli questo pacco!

4.2.2 L'imperativo negativo con i pronomi indiretti U8

Con l'imperativo negativo possiamo mettere i pronomi indiretti prima del verbo o dopo, attaccati al verbo.

Se incontri Stefano, non gli dire niente!	Se incontri Stefano, non dirgli niente!
A Carla, non le raccontiamo niente! =	A Carla, non raccontiamole niente!
Non voglio sapere niente. Non mi parlate!	Non voglio sapere niente. Non parlatemi!

4.2.3 I pronomi indiretti con i verbi modali U8

Con dovere, potere e volere possiamo mettere il pronome indiretto prima del verbo modale oppure dopo, unito all'infinito che perde la vocale finale. Alla 3ª persona plurale, possiamo scrivere il pronome indiretto loro dopo il verbo senza la preposizione a.

Le devo scrivere una mail.		Devo scriverle una mail.
Ti posso spiegare.	=	Posso spiegarti.
Gli vuole telefonare.		Vuole telefonargli/telefonare loro.

4.2.4 I pronomi indiretti con il passato prossimo U11

Mettiamo sempre i pronomi indiretti prima del passato prossimo e il participio passato non cambia.

Ragazzi, dove eravate? Vi abbiamo telefonato più volte.

Mi fai vedere le foto che ti ha mandato Paola?

Per il loro anniversario di matrimonio gli abbiamo regalato un viaggio.

4.3 I verbi con i pronomi diretti e i verbi con i pronomi indiretti U8

Il verbo è preceduto (o seguito) da un pronome diretto se l'azione espressa dal verbo cade su un complemento oggetto diretto (chi?/che cosa?).

Il verbo è preceduto (o seguito) da un pronome indiretto se l'azione espressa dal verbo cade su un complemento oggetto indiretto (a chi?/a che cosa?)

Verbi che prendono il pronome diretto

aiutare	Ti aiuto io con gli esercizi, d'accordo?
amare	Ma Bruno mi ama?
ascoltare	Non ti ascolto perché dici sempre le stesse cose!
capire	Non la capisco Francesca, perché ha lasciato il lavoro?
chiamare	Vi chiamo stasera ragazzi, così ci organizziamo per domani.
conoscere	Alberto l'ho conosciuto tanti anni fa, ai tempi dell'università.
incontrare	Fabrizio? Stamattina l'ho incontrato per caso.
invitare	Giulia e Maria le abbiamo invitate, ma non sono venute.
minacciare	Con questo messaggio, Ferrara ci minaccia.
osservare	Ti osservo da tanto tempo. Come fai a essere sempre così concentrata?
perdere	Dove sono le chiavi della macchina? Le perdo sempre.
ricevere	L'hai ricevuto il mio messaggio?
ringraziare	Ti ringrazio, ma non posso accettare il tuo invito.
sapere	Lo so che hai ragione, ma cosa ci posso fare io?
sentire	La senti questa musica? È Veronica che suona il pianoforte.
stancare	Questa situazione mi ha stancata!

Altri verbi: *aspettare, avere, chiudere, cercare, decidere, dimenticare, finire, guidare, imparare, mangiare, parcheggiare, pulire, sbagliare, seguire, spendere, spegnere, trovare ecc.*

Verbi che prendono il pronome indiretto

andare	Non mi va di fare gli esercizi di matematica.
bastare	Non ci basta il tempo per fare tutto.
chiedere	Gli ho chiesto delle informazioni.
credere	Non gli credo più: dice spesso bugie.
interessare	Sara, ti interessa vincere un viaggio in America?
mancare	Mi manchi tanto e sei partito appena ieri.
parlare	Dove sono Matteo e Claudio? Gli devo parlare.
piacere	Mi sono piaciuti molto i dolci siciliani.
sembrare	Signora, come Le è sembrato lo spettacolo teatrale?
servire	Vado al supermercato: ti serve qualcosa?
telefonare	Vi telefono domani per organizzare la cena.
volere bene	Anna è molto fortunata: Bruno le vuole bene veramente.

Altri verbi: *domandare, rimanere, succedere* ecc.

Usiamo i pronomi indiretti con il verbo andare alla 3ª persona singolare (va) e plurale (vanno) per esprimere il significato di "avere voglia di" (*Ragazzi, vi va di andare al cinema?*; *Sono pieno, non mi vanno questi biscotti*).

Verbi che prendono il pronome diretto e indiretto

consigliare	Ti consiglio di non fare spese di domenica. Lo consiglio a tutti.
dare	Vi ho dato fiducia ragazzi da subito e, di solito, non la do a tutti.
dire	Mi dici di avere pazienza, ma perché non lo dici anche a lui?
fare	Ci ha fatto lo sconto: queste giacche le fanno loro, una per una.
offrire	L'aperitivo che mi hai offerto, voglio offrirlo a Claudia: come si chiama?
presentare	Stasera ti presento Carmen e domani la presento ai miei.
prestare	Gli ho prestato un libro, ma Michele l'ha prestato a suo fratello.
scrivere	Vi ha scritto delle email da quando è partito o le scrive solo a me?
spedire	Ti ho spedito il libro e adesso lo spedisco anche a Massimo.
spiegare	Prof, per favore, ci spiega l'imperfetto anche se lo ha già spiegato?

Altri verbi: *aprire, comprare, comunicare, cucinare, inviare, lasciare, mandare, ordinare, pagare, portare, raccontare, regalare, ricordare, ripetere, vendere* ecc.

4.4 Il ne partitivo U11

Il ne partitivo indica una parte, una quantità di qualcosa, oppure indica una quantità uguale a zero (*niente, nessuno*). Quando vogliamo indicare l'intera quantità, il tutto, usiamo un pronome diretto: *lo, la, li, le* (• *Quante mozzarelle vuole?* • *Le prendo tutte, grazie*).

A volte, usiamo il ne in funzione pleonastica, per ripetere (*Di gelati ne ho mangiati tre* = *Ho mangiato tre gelati*).

Pasta... quanti pacchi? Ne prendo due?

Ah, le uova... ne prendo sei, ok?

• Quanti pomodori vuole? • Non ne voglio, grazie.

4.4.1 Il partitivo ne con il passato prossimo U11

a) Anche con il ne il participio passato può cambiare in genere (maschile/femminile) e numero (singolare/plurale): si accorda al nome sostituito da ne.

b) Quando è indicato, il participio passato segue il genere del contenitore o dell'unità di misura.

c) Quando la quantità indicata è uguale a zero (*niente*, *nessuno*), il participio passato cambia nel genere, non nel numero.

Abbiamo comprato tre mozzarelle e ne abbiamo mangiate due. (*mozzarelle*)

È uscito il nuovo libro di De Carlo. Ne ho comprati due (*libri*) e ne ho regalato uno. (*libro*)

- Quanti chili di arance hai preso? • Ne ho presi tre. (*chili*)
- Quanti etti di mortadella hai comprato? • Ne ho comprati due. (*etti*)

- Dove sono tutti gli yogurt che ho comprato ieri? • Io non ne ho mangiato nessuno. (*yogurt*)
- Quanta aranciata hai bevuto? • Non ne ho bevuta per niente. (*aranciata*)

5) Le preposizioni

Per un ripasso completo delle preposizioni vedi l'Approfondimento grammaticale di *Via del Corso A1* alle pagine 241-244, punto 13.

5.1 Uso delle preposizioni U9

tempo/momento futuro	Fra mezz'ora abbiamo un appuntamento.
partitivo	...il migliore tra quelli che abbiamo visto.
luogo	Abitiamo al piano di sopra.
destinazione	...andavamo a scuola insieme.
scopo/uso	...questo è il salotto... la cucina... la camera da letto.
per specificare	...anche i vicini di casa.
	...è solo una vecchia compagna di scuola!
argomento	Ma di cosa stai parlando?!
possesso	Sì, cioè dei miei.
tempo/durata	Ma da quanto tempo?
	...non la vedevo da anni.
causa	...per questo sei stata così scortese?
vantaggio	...questo è l'appartamento che fa per noi, no?

5.2 Preposizioni per localizzare oggetti nello spazio U9

Vedi anche l'Approfondimento grammaticale di *Via del Corso A1* a pagina 243, punto 13.9.

SOPRA (+ **A**) + articolo + nome	sopra (al)la macchina per il caffè
SU + articolo + nome	sul comodino, sul tavolino, sulla parete
SOTTO (+ **A**) + articolo + nome	sotto (a)i ponti, sotto (al)la finestra
TRA/FRA + articolo + nome + **E** + articolo + nome	tra il divano e il tavolino
TRA/FRA + articolo + nome plurale	tra le poltrone
AL CENTRO + **DI** + articolo + nome	al centro della stanza
DIETRO (+ **A**) + articolo + nome	dietro (a)i portoni
DAVANTI + **A** + articolo	davanti al televisore
DI FRONTE + **A** + articolo + nome	di fronte alla finestra
DENTRO (+ **A**) + articolo + nome	dentro (al)le buste, dentro (al)l'armadietto
IN + articolo + nome	nelle buste, nell'armadietto
FUORI (+ **DI/DA**) + articolo + nome	fuori (d')Italia, fuori della stanza, fuori dalla finestra
ACCANTO + **A** + articolo + nome	accanto al lavandino
DI FIANCO + **A** + articolo + nome	di fianco alla scrivania
A DESTRA + **DI** + articolo + nome	a destra del camino
A SINISTRA + **DI** + articolo + nome	a sinistra del lavandino
INTORNO + **A** + articolo + nome	intorno al tavolo

c'è...
ci sono...

Spesso, sopra può essere sostituito dalla preposizione su (*La bottiglia è sopra il/sul tavolo*). Ma non sempre, come ad esempio quando abbiamo un riferimento geografico: *Roma è sopra Napoli*.

Davanti a e di fronte a sono sinonimi.

In alcuni casi usiamo anche in + nome, cioè senza articolo: *in frigo/frigorifero*, *in soggiorno*, *in cucina* ecc.

Fuori è il contrario di *dentro*. Fuori è seguito dalla preposizione di (meno spesso da). A volte, soprattutto in espressioni particolari, non è seguito da preposizioni (*andare fuori strada*; *essere fuori posto*; *giocare fuori casa*).

Accanto a e di fianco a sono sinonimi. A volte, con lo stesso significato, usiamo anche a fianco di.

5.3 Preposizioni con alimenti e bevande U11

Usiamo DI per indicare il contenitore o l'unità di misura di alimenti e bevande:

contenitore			unità di misura		
una confezione		uova	un chilo (kg)		mele rosse
un pacco		pasta	mezzo chilo (1/2 kg)		pecorino toscano
una lattina		aranciata, birra	tre etti		prosciutto crudo
una bottiglia	di	acqua, vino		di	
un vasetto		miele, yogurt	200 grammi (gr)		burro
una scatoletta		tonno	un litro (l)		latte
una scatola		cioccolatini			

Usiamo DA per indicare la quantità presente in un contenitore:

contenitore		quantità
una confezione		sei
un pacco		mezzo chilo
una lattina		mezzo litro
una bottiglia	da	un litro
un vasetto		100 grammi
una scatoletta		200 grammi
una scatola		400 grammi

Diciamo quindi:
una confezione di uova da sei
un pacco di spaghetti da mezzo chilo
ecc.

5.4 Preposizioni con i negozi (e i negozianti) U11

Per un ripasso delle preposizioni in, a e da vedi l'Approfondimento grammaticale di *Via del Corso A1* a pagina 243, punto 13.8.

		negozio		negoziante
andare	IN	farmacia gelateria libreria macelleria pescheria profumeria tabaccheria pasticceria panetteria	DAL	gelataio macellaio pescivendolo tabaccaio fruttivendolo panettiere/fornaio giornalaio
	AL	negozio di abbigliamento negozio di frutta e verdura panificio/forno		
	ALL'	edicola		

6 L'articolo partitivo   U9 e U11

L'articolo partitivo è uguale alla preposizione articolata *di* (vedi l'Approfondimento grammaticale di *Via del Corso A1* a pagina 242, punto 13.3) e lo usiamo per indicare una parte non ben precisata.

	singolare (*un po' di*)	plurale (*alcuni/alcune*)
maschile	Carla compra del pecorino. Vorrei dello zucchero nel caffè. Ho messo dell'olio di oliva nell'insalata.	Ho comprato dei bicchieri da vino. Abbiamo degli studenti stranieri. Stasera vengono degli amici a cena.
femminile	Vorrei della mozzarella di bufala. Ho bevuto dell'acqua.	Ho comprato delle banane. Abbiamo delle idee interessanti.

7) *Ne* = di questo/i, di questa/e   U10

Ne può sostituire "di questo", "di questa cosa" in particolari espressioni e quando accompagna alcuni verbi (*parlare*, *pensare*, *sapere*).

Anna, quando torno a casa, ne parliamo con calma, ok?	parliamo con calma di questa storia
Paolo ha deciso di comprare la nuova Vespa. Cosa ne pensi? =	cosa pensi di questa decisione
Carla non vuole più fare l'esame. Voi, cosa ne sapete?	cosa sapete di questa cosa

8) Il comparativo   U12

Il comparativo esprime un confronto tra due cose o persone e può essere di:

➕	**maggioranza** (più ... di ...)	L'Italia è più grande della Svizzera. L'Italia ha più abitanti della Svizzera. L'Italia produce più della Svizzera.
➖	**minoranza** (meno ... di ...)	Una Fiat è meno costosa di una Ferrari. La mia Fiat ha meno chilometri della tua Ferrari. Una Fiat costa meno di una Ferrari.
═	**uguaglianza** (quanto/come ...)	Firenze è grande quanto (come) Bologna. Firenze ha tanti abitanti quanti (come) Bologna. I fiorentini lavorano quanto (come) i bolognesi.

9) Il superlativo   U12

Il superlativo relativo dell'aggettivo esprime la qualità, in senso massimo o minimo, di una cosa o persona in rapporto a qualcosa o qualcuno.

Il superlativo assoluto dell'aggettivo esprime una qualità di una cosa o persona al massimo grado, senza nessun confronto. Nella lingua italiana, formiamo il superlativo assoluto anche con gli avverbi *molto*, *tanto* prima dell'aggettivo (*Luca è molto/tanto simpatico*).

relativo (il più/il meno ... di/tra ...) (la più/la meno ... di/tra ...)	Luca è il più simpatico della classe. Luca è il meno simpatico tra noi. Il Duomo è il più bel monumento di Firenze. Il Monte Bianco è la montagna più alta d'Europa.
assoluto (-issimo)	Luca è simpaticissimo.

Indice dei CD audio

Sul sito www.edilingua.it
e su www.i-d-e-e.it
sono disponibili la *versione naturale*
e la *versione rallentata* dei due CD.

Tutti i video sono disponibili
su www.i-d-e-e.it.

Fonti delle fotografie

Pag. 18: © Mondadori (libro: *La più amata*), © EDT (*guida turistica della Sicilia*); Pag. 27: © Telis Marin (*in alto: Fontana dei Quattro Fiumi, Roma*); Pag. 29: www.adnkronos.com (*Pronto soccorso*); Pag. 31: © Telis Marin (*in alto*), www.movietele.it (*Quo Vado?*), www.rbcasting.com (*La ragazza nella nebbia*), www.tryps.eu (*Ladri di biciclette*), www.pinterest.com (*La vita è bella*); Pag. 34: www.goldposter.com (*Cinema Paradiso*); Pag. 38: www.c1n3.org (*Il Postino*), www.pinterest.com (*Il Gattopardo e Il Padrino*), © Rizzoli Libri (*Fantozzi contro tutti*); Pag. 39: www.worldscinema.org (*Roma città aperta*), www.artribune.com (*I soliti ignoti*), http://afflictor.com (*8 ½*), http://nebelmeer.altervista.com (*Per un pugno di dollari*), www.sealteam1138.com (*Oscar*), www.pinterest.com (*La grande bellezza*), www.ultimavoce.it (*Festival del Cinema di Venezia*); Pag. 41: www.sunmar.ru (*al centro*); Pag. 44: www.wikimedia.org (*1*), https://salonmr.si (*2*), https://steemit.com (*3*), www.charitystars.com (*4*), www.donnenelpallone.com (*5*), www.telegraph.co.uk (*6*) http://anto-toni.cgsociety.org (*7*), www.startrek.com (*8*); Pag. 45: https://marsciano7.it (*a*), http://picssr.com (*c*); Pag. 47: © Telis Marin (*in alto: Duomo, Firenze*); Pag. 51: www.firenzetoday.it (*convalidare*), www.florence-journal.com (*deposito bagagli*); Pag. 53: www.pinterest.com (*Frecciarossa e Stazione AV Mediopadana*), © Telis Marin (*macchinette automatiche e Milano Centrale*); Pag. 57: © Telis Marin (*a destra: Duomo, Firenze*); Pag. 61: https://earth.google.com; Pag. 63: www.nh-hotels.com (*La Passeggiata dei Monaci*), www.agoda.com (*Castello di San Marco*), https://destinia.co.uk (*Grand Hotel Convento*), https://vickiarcher.com (*Aman Canal Grande*), www.travellermade.com (*Sextantio*), www.giovaneitalia.it (*agriturismo*); Pag. 65: www.sportfair.it (*Hip hop*), www.nonsolocinema.com (*Rock*), © Telis Marin (*Heavy metal*); Pag. 72: © Telis Marin (*Stadio San Siro, Milano*); Pag. 73: www.lospettacolo.it (*Il Festival di Sanremo*), www.sensationalumbria.eu (*Umbria Jazz*), www.gbopera.it (*Maggio Musicale Fiorentino*), http://tubespaper.altervista.org (*Marco Mengoni*), https://fanart.tv (*Alessandra Amoroso*), http://mediterranews.org (*Giusy Ferreri*); Pag. 75: www.sienanews.it (*Luciano Ligabue*); Pag. 84: https://opac.provincia.brescia.it (*a*), www.radiocassinostereo.com (*b*), www.metropolisweb.it (*d*), www.spendilgiusto.com (*e*); Pag. 87: http://ontheworldmap.com (*al centro*); Pag. 89: www.marsicanews.com (*in alto*), https://prevenzione-salute.it (*navigatore satellitare*); Pag. 91: www.google.com/maps; Pag. 97: www.pisatoday.it (*Arno*), http://footage.framepool.com (*Siena*), www.festivalsherpa.com (*Viareggio*), www.hotellaprimula.it (*Portoferraio*), www.transat.com (*San Gimignano*), www.taste.com.au (*ribollita*); Pag. 99: www.mansarda.it (*monolocale/mansarda*), https://odis.homeaway.com (*appartamento in città*), www.coldwellbanker.it (*attico*), www.globocase.com (*villetta fuori città*); Pag. 107: www.travelsignposts.com (*Le altane di Venezia*), milano.corriere.it (*Chiostro di Casa Ucelli di Nemi*), www.lasiciliainrete.it (*I dammusi di Pantelleria*); Pag. 118: https://irp-cdn.multiscreensite.com (*b*) http://www.ivg.it (*d*); Pag. 121: www.flickr.com (*casa di Giulietta*), www.lucadea.com (*lucchetti*), www.themoviedb.org (*Manuale d'amore*), © la Feltrinelli (*Tre metri sopra il cielo*); Pag. 123: © Telis Marin (*in alto*); Pag. 126: © Sterilgarda (*passata di pomodoro*); Pag. 130: © Telis Marin (*in alto*), © Carapelli (*olio*), © Ponti (*aceto*), © Riso Gallo, © Kimbo (*caffè*), © G.B. Ambrosoli (*miele*); Pag. 131: http://www.cibariasrl.it (*prosciutto di Parma*), © Collalto (*prosecco*), © ReModena (*aceto balsamico*), © Ferrero (*Nutella*); Pag. 135: https://pinacotecabrera.org (*Caravaggio, Cena in Emmaus*); Pag. 136: http://i.ytimg.com (*telegiornale/quiz*); Pag. 140: www.wikipedia.org (*in alto*), http://www.ildecoder.com (*al centro*), www.artribune.com (*in basso*); Pag. 141: www.letteradonna.it (*Raffaella Carrà*), http://cdn30.us1.fansshare.com (*Bruno Vespa*), www.televisionando.it (*Maurizio Costanzo*), http://tvzap.kataweb.it (*Zelig*), www.cinquequotidiano.it (*Amici*); Pag. 148: https://i.jeded.com; Pag. 149: www.trenitalia.com (*C4*); Pag. 154: www.aliecolapietro.com (*F3*); Pag. 155: www.trenitalia.com (*C4*), https://earth.google.com (*C6*); Pag. 156: www.poste.it; Pag. 177: www.wikimedia.org (*1*), www.nuovocinemalebowski.it (*2*), www.filmitalia.org (*3*); Pag. 183: www.lastampa.it; Pag. 185: www.toctocfirenze.it (*foto 3, es. 2*); Pag. 190: www.idesignarch.com (*d*); Pag. 202: © Telis Marin (*c*); Pag. 206: www.tuttocitta.it; Pag. 210: www.cambiocasa.it (*attico*), www.istitutocoletti.it (*appartamenti*); Pag. 231: www.ilgiornale.it (*1*), www.wired.it (*2*), www.ufficiostampa.rai.it (*3*), www.bestserial.it (*4*); Pag. 232: www.ilkim.it (*a*), www.news30.it (*b*), http://tvzap.kataweb.it (*c*), www.blogspot.com (*d*), www.leboleuomo.it (*e*), www.blastingnews.com (*f*)

Componenti del corso

 Libro dello studente ed esercizi

 Guida didattica

 Gioco di società

 Software per la LIM

Materiali per studenti
Su

 Libro dello studente digitale
con tracce audio

 Eserciziario interattivo

 2 CD audio (anche in versione rallentata)

 Video (episodi sit-com, fumetto animato, video culturali)

 Autovalutazione ogni 2 unità e Autovalutazione finale

 Giochi interattivi

Su App Store e Google Play

 Glossario interattivo in 15 lingue

Materiali per insegnanti
Su

 Libro dello studente digitale
con tracce audio

 Video (episodi sit-com, fumetto animato, video culturali)

 Test finali per unità, Test di progresso e Test finale (livello A2)

Su www.edilingua.it

 Guida didattica digitale

 2 CD audio (anche in versione rallentata)

 Test finali per unità, Test di progresso e Test finale (livello A2)

Glossario multilingue